Marcie

CZĘŚĆ I

1938–1969

ROZDZIAŁ PIERWSZY

Poznał ją na tym samym polu, na którym dwadzieścia sześć lat później umarł pod pożartym księżycem. Lało od kilku godzin. Szedł wolno, uważając, by nie poprzebijać pęcherzy na stopach. Czuł smród bijący spod koszuli.

Leżała w płytkiej kałuży. Ręce rozłożyła szeroko. Patrzyła w niebo, mrużąc oczy, i chwytała krople w usta.

Usiadł obok i wygrzebał z kieszeni rozmokłego papierosa. Pochylił się, osłonił ramieniem i jakoś zapalił. Podał jej, nie chciała. Zaciągał się i patrzył na ciało opięte mokrą, brudną sukienką. Przedstawił się, na co tylko się uśmiechnęła. Powiedział, że mieszka w Piołunowie, że wraca ze żniw u wuja, który znowu się spił, że jeszcze ma kawał drogi, i tego typu bzdury.

Położył się obok niej. Pod plecami czuł lepką, chłodną ziemię. Szorstkie rżysko kłuło w przedramiona. W zachmurzonym niebie nie widział nic ładnego. Krople wpełzały mu do nosa. Zimno. Dziewczyna zamknęła oczy i długo leżeli tak bez słowa, moknąc. Pobrali się cztery lata później.

Na początku nie mówiła wiele. Sprawiała wrażenie, że jeśli już musi, to jest za to na siebie zła. W pierwszych latach wspólnego życia Janek kładł się czasem po obiedzie i z zamkniętymi oczami słuchał, jak wali garnkami, klaskaniem przegania koty i szura w piecu pogrzebaczem. Szybko przyzwyczaił się do jej milczenia i do dźwięków wypełniających jego dom, który wcale nie był jego. Przed wyjściem w pole, też należące do obcych, splatał ręce na jej brzuchu i przyciskał twarz do szczupłej szyi. Pachniała sobą i trochę mlekiem, jak szczeniak.

Blade piegi zsypywały się jej z nosa na policzki. Włosy w kolorze rdzy wiązała w długi warkocz. Czasami w zamyśleniu przygryzała jego końcówkę i do końca życia już się tego nie oduczyła.

Wstawała przed świtem, nigdy go przy tym nie budząc. Kiedy z włosami jak wiecheć słomy pojawiał się w kuchni, machała do niego z podwórka. Przynosiła jaja i powoli układała je w skrzynce, a on prosił, żeby mu coś zaśpiewała. Zwykle nic nie odpowiadała, czasem tylko, żeby się nie wygłupiał. Otwierał wtedy płytką szufladę pod blatem i wyjmował postrzępione na rogach Pismo Święte w czarnej skórzanej oprawie, a potem czytał powoli na głos jedną stronę. Kiedy wracał z pola, czytał ją po raz drugi, przy świecy i już po cichu.

Na śniadanie jadł dwie kromki, a w niedzielę popijał je szklanką ciepłego mleka, które przynosiła mu w kance z obory. Lubiła patrzeć, jak je. Opierała wtedy brodę na dłoniach i zsuwała łokcie coraz bliżej środka stołu. Lubiła siedzieć na słońcu z zamkniętymi oczami i rękami założonymi na piersiach. Koty owijały jej się wtedy wokół stóp i spały, mrucząc cicho.

Mówiła, że jej rodzice umarli dawno temu. Janek nie znał szczegółów.

– Był taki grajek, na flecie gwizdał, ale pokraka, nogi krzywe i cały też koślawy – powiedział mu kiedyś syn sołtysa, wzbijając cepem chmurę pyłu. – Pokrzyw na niego gadali, no bo nic ino w krzakach sypiał. Wszyscyśmy się z niego śmiali, bo i on też różne takie opowiadał, że świętych w niebie odwiedza i z diabłem gada, i takie tam. Wyrazy takie używał, że jakby je sam wymyślił. Miał takie wielkie krosty, jakby wyrośnięte na plecach, pochylony chodził i grał w kółko jakieś melodie, co się ich sam nauczył. Podobno się utopił, ale ojciec mówi, że go chłopy zatłukły.

– A matka?

– A co?

– Jak umarła?

– Matka przecie żyje.

Matką Irenki była podobno Dojka wariatka, która chodziła po wsi i oporządzała zwierzęta za parę łyków mleka. Miała długie siwe włosy pozlepiane na plecach i ręce tak spracowane, jakby żyła sto lat albo więcej. Siedziała zwykle pod drewnianym pomnikiem, mającym przedstawiać chyba anioła, lecz przypominającym bardziej kurę, ewentualnie bażanta. Podciągała kolana pod brodę, a wielki biust rozlewał się jej pod luźną, zgrzebną koszulą. Kiedy ktoś przechodził obok pomnika, uśmiechała się albo wykrzykiwała niezrozumiałe przekleństwa, waląc pięściami w ziemię.

O rodzicach dziewczyny opowiadali mu syn sołtysa, ślepy Klucha, i najstarsza dziewczyna od Paliwodów. Ich wersje różniły się od siebie, ale Pokrzyw zawsze występował w nich jako obłąkany cudak, który opowiadał, że gada z diabłami i świętymi. Podobno zgwałcił Dojkę, kiedy ta była jeszcze dziewczynką. Od tamtej pory prawie się nie rozstawali. Żebrali o jedzenie, sypiali w krzakach i w rozkopanych stogach siana. W Piołunowie jedni mówili, że Pokrzyw się utopił, a inni, że zabiło go kilku pijanych chłopów. Podobno obwiniano go o plagę nieszczęść we wsi. Po jego śmierci Dojka wyrzeźbiła w uschłym pniu szkaradną, skrzydlatą figurkę.

Pokrzywa pamiętali tylko starsi ludzie, a o Dojce we wsi w ogóle się nie mówiło. Ta otyła kobieta o szalonych oczach była jak stary bezpański pies, którego codziennie widzisz, ale nie dostrzegasz. Janek nigdy o nią żony nie zapytał. Od czasu rozmowy przy cepach tylko kłaniał się Dojce, przyprawiając ją o histeryczny śmiech.

* * *

Zanim się pobrali, Janek Łabendowicz zbudował wojnę.

Kupił w Radziejowie cewkę, detektor i kondensator, dwie słuchawki pożyczył od Paliwody, a potem siedział nad tym wszystkim w stodole przez parę dni, grzebiąc po półkach, sklejając, owijając, montując, niszcząc i montując na nowo, aż w końcu zaczął odbierać szum, a z szumu wyłoniły się słowa.

Na targu dowiedział się, że Warszawa odbiera na dwustu pięćdziesięciu zwojach, Wilno na siedemdziesięciu pięciu, a Poznań na pięćdziesięciu. Zaniósł odbiornik kryształkowy do Tkaczów, u których mieszkała wtedy Irenka, postawił go na stole i uroczyście podniósł słuchawki.

– *Dziś rano o godzinie piątej minut czterdzieści oddziały niemieckie przekroczyły granicę polską, łamiąc pakt o nieagresji* – oznajmił szeleszczący głos. – *Zbombardowano szereg miast.*

Tkacz wstał, przewracając krzesło, Tkaczowa zaśmiała się nerwowo. Irenka stała obok z przetakiem w ręku i przyglądała się urządzeniu, jakby czekała, aż właściciel głosu wyjdzie ze środka.

Na prośbę Tkacza tego samego wieczoru Janek zniszczył radio, ale wojna, którą zrobił w stodole, trwała dalej. Kilkanaście miesięcy później wysoki, starannie uczesany mężczyzna w mundurze wszedł do chaty Łabendowiczów, usiadł na ławie i westchnął, jakby dosyć miał nie tylko chodzenia po domach, ale wszystkiego innego również.

Rodziców Janka i jego dwie siostry wysiedlili trzy tygodnie później. Janek przez pomyłkę został. Znowu pracował wtedy przy żniwach u wuja w Kwilnie, a że nie było go na tamtejszej liście mieszkańców, to go ostatecznie nie wzięli. Irenka też została, bo jej nie było na żadnej liście.

Niedługo później do domu Tkaczów wprowadziła się niejaka *Frau* Eberl z trzema córkami, a Janek i Irena zostali jej przydzieleni do pomocy.

Niemka wiedziała o pomyłce przesiedleńczej, ale pozwoliła im zamieszkać w osobnym domu, położonym kilkaset metrów od jej nowego gospodarstwa. Uczyła ich niemieckiego. Czasami zapraszała do stołu. Janek pracował mniej i jadał lepiej niż wcześniej. Irena pomagała *Frau* Eberl w kuchni i przy córkach.

W pustym chlewie w gospodarstwie po Brzyziakach Janek w tajemnicy zaczął hodować świnie, które wyłapywał na polach. Podejrzewał, że któryś z gospodarzy, wściekły z powodu przesiedlenia, wypuścił je na złość nie wiedzieć komu. Chodził do nich nocami. Kiedy zabijał pierwszą, ugryzła go w nogę tak mocno, że ledwie dał jej radę.

Do końca życia zapamiętał tę noc i ostry smród śmierci. Dusił świnię łańcuchem, przez którego końce przełożył metalowy pręt. Kręcił nim, zaciskając pętlę na rozdygotanej szyi zwierzęcia. Panika i smród. Kilkadziesiąt kilogramów wierzgało z boku na bok, a łeb rwał się na wszystkie strony. Janek widział, jak pęcznieją mu żyły na przedramionach. Nagle poczuł zęby wchodzące miękko w ciało. Ból rozlał się od nogi po głowę i tam wybuchł, aż nim całym zatrzęsło. Ściany chlewu uginały się do środka, a płomień postawionej w rogu świecy stawał się coraz większy i większy. Kiedy przed oczami zatańczyły Jankowi czarne motyle, świnia wreszcie ciężko upadła na klepisko. Janek wypuścił łańcuch, usiadł na pniu i zapalił. Cały chlew oddychał jego płucami. Krew tętniła w ścianach.

Trzy godziny później jechał pożyczonym od *Frau* Eberl rowerem, który skrzeczał w czarnej ciszy. Przerzucony przez ramę worek kołysał się, bijąc o uda. Prawa noga rozrosła się pod materiałem spodni i zaczęła drętwieć. Szary skrawek księżyca pełzł za chmurami.

Dziury w drodze były większe niż za dnia. Wszystko było większe niż wtedy.

Janek czuł, jak ciepła krew ścieka mu do buta. Czarne kształty pływały po obydwu stronach drogi. Rozpuszczały się, kiedy na nie spoglądał. U siebie znał każde drzewo i każdy kamień, tutaj wszystko było obce.

Ciemność przed nim ułożyła się w głosy. Zgrzyt łańcucha zamilkł, podeszwy plasnęły o płytką kałużę. Czekał. Czekał, wpatrując się w pierzaste widma krzaków i w rozciągające się za nimi czarne wielkie nic. W tym wielkim nic ktoś szedł z naprzeciwka.

Janek zeskoczył z roweru i zanurzył się w żyto. Nogi ugrzęzły mu w błocie. Szedł coraz szybciej, w końcu pobiegł, mimo bólu. Szorstkie kłosy drapały po twarzy i ramionach. Kawały martwej świni obijały się o siebie, kołysząc rowerem. Spodnie miał już całe mokre od krwi i potu.

Kucnął i znieruchomiał, przyciskając rower do brzucha. Skulony, nasłuchiwał kroków i słów. Te padły po polsku.

– W taką noc nikt nie powinien chodzić samemu. – Janek był pewien, że wielokrotnie słyszał już ten wysoki i piskliwy głos, ale w tamtej chwili nie potrafił dopasować go do żadnej znajomej twarzy. – A już na pewno nie kobieta w kwiecie wieku.

Odpowiedział mu głośny, histeryczny śmiech, potem kroki umilkły na chwilę i zaraz usłyszał je z powrotem. Wreszcie wszystko ucichło. Janek odczekał jeszcze kilka minut, potem ruszył dalej, grzęznąc w brei po kostki.

Na drogę wyszedł przy drewnianym pomniku Pokrzywa. Za nieludzką sylwetką o rozpostartych skrzydłach rozlewało się pole należące dawniej do Tkaczów. Poprowadził rower w stronę domu, którego garbaty dach ciemniał już w oddali. Noc chlupotała w rytm jego kroków.

Irenka zszyła mu nogę szpagatem. Cztery dni później, kiedy opuchlizna wspięła się już powyżej kolana, a skóra przyjęła kolor mchu, usiedli razem przy stole, a ona powiedziała:

– Będziemy mieć dziecko.

Patrzyła na niego, przygryzając postrzępioną końcówkę warkocza. Pokiwał tylko głową i położył jej rękę na kolanie, a potem poszedł spać i nie wstawał przez dwie doby. *Frau* Eberl powiedzieli, że pokąsał go pies. Kiedy po kilkudziesięciu godzinach snu wygrzebał się spod kołdry i wszedł do kuchni, ostrożnie stąpając prawą nogą, Irena cerowała przy stole marynarkę.

– Paliwodowa nam pożyczyła – powiedziała, kiedy pocałował ją w czubek głowy. – Do ślubu. Chyba ci będzie pasować.

Zjedli śniadanie, a potem obejrzeli jego nogę.

Opuchlizna schodziła. Została tylko długa fioletowa blizna biegnąca od kolana przez łydkę. Kształtem przypominała pytajnik.

* * *

Miesiąc po zabiciu świni pojechał do księdza.

Koła bryczki chrzęściły na drodze. Przeczesał jasne włosy grzebieniem i potarł dłonią gładko ogolony policzek. Ślubny garnitur Paliwody był odrobinę za ciasny, ale kto by się tą odrobiną przejmował. Rękawy wyszczotkowane, juchtowe buty błyszczały, na ręku zegarek Omega, pożyczony. Bryczka też pożyczona, od *Frau* Eberl, od kochanej *Frau* Eberl, bez której nic by nie było: ani Janka, ani tego całego ślubu.

Daleko z przodu powietrze falowało od ciepła. Wiatr ślizgał się po policzkach i włosach. Janek wystawił twarz do słońca i zamknął oczy. Niedługo później minął odrapaną drewnianą kapliczkę i opuszczone gospodarstwo Konwentów. Wciągnął w płuca zapach bzu kwitnącego przed tym pustym domem i spojrzał na rozległe pole, na którym wiele lat później miał umrzeć.

Kierował się w stronę Osięcin. Proboszcz Szymon, który miał im dać ślub w sobotę, postanowił, że da jednak wcześniej, mimo że wtorek i że pojutrze Boże Ciało. Szymon Wach miał około siedemdziesiątki i siwe włosy ułożone w przedziałek. Prawą kieszeń sutanny zawsze wypełniała torebka pozlepianych karmelków.

Janek obejrzał się za siebie i po raz kolejny sprawdził worek z upominkiem. Postanowił dać księdzu uwędzoną po kryjomu szynkę ze świni, która go omal nie zabiła, chociaż wiedział, że ksiądz i tak ją pewnie odda swojemu prefektowi.

Droga skręcała w prawo. Przy zachwaszczonym rowie stały dwie osoby.

Jedną z nich była pulchna dziewczyna, która pomagała w gospodarstwie po Brzyziakach. Drugą komendant policji, Johann Pichler, który podobno aresztował, a potem rozstrzelał dziesięciu księży z Bytonia. Opierał się o motocykl i palił papierosa. Uśmiechnięty.

Oddech wsiąkł w płuca. Zdrowaś Maryjo, łaski pełna, umrę tutaj, w garniturze, kilka tygodni przed ślubem, umrę, bo on już patrzy, z zainteresowaniem, z brwią uniesioną chyba, z tej odległości nie widać dokładnie, ale że patrzy, to pewne, Pan z tobą, błogosławionaś Ty między niewiastami, Janek nie zwalnia, utrzymuje tempo, konik wybija dalej wesołe truk-trruk-truk-trruk, i błogosławiony owoc żywota Twojego, Jezus, słońce dalej świeci, Święta Maryjo, Matko Boża, Pichler odsuwa się od motocykla, módl się za nami grzesznymi, prostuje się, ręka wędruje mu do pasa, teraz i w godzinę śmierci naszej, ale nie do pasa, do czoła, Pichler salutuje, amen.

Janek odsalutował mu i popędził konia. Truk-trruk-truk-trruk, a w głowie tylko jedno pytanie: co zrobi Pichler, kiedy się dowie, że salutował Polakowi?

Do Osięcin dotarł cały spocony. Wszedł na plebanię i długo się trząsł, otoczony obrazami świętych. W tej samej plebanii cztery i pół tygodnia później poprawiał krawat pod szyją, poprawiał marynarkę i spodnie poprawiał, jakby się bał, że jakiś zagniot na ubraniu sprawi, że się to wszystko nie uda.

Udało się. Po ślubie pojechali z powrotem do Piołunowa, gdzie Irenka podała rosół, kotlety z ziemniakami i mizerią, a *Frau* Eberl nie zapytała, skąd mają mięso, tak jak nie pytała już wiele razy wcześniej. Zanim wyszła, Janek oddał jej zegarek, a ona wręczyła mu go z powrotem.

— *Lass eseuch gut gehen. Nehmt das als Andenken*[*].

Trzy dni później Pichler zabił proboszcza. Przyjechał do niego nad ranem w towarzystwie niejakich Dauba i Haacka. Daub był tępy, głośny i wysoki, a Haack tylko tępy. Wsadzili księdza do pięknego błyszczącego opla i po drodze długo opowiadali o tym, co najbardziej lubią robić z kobietami. Najbogatszą fantazję miał Daub. Zatrzymali się między Samszycami a Witowem, w miejscu, o którym przed śmiercią księdza powiedzieć można było niewiele, a może i nic. Pichler trzy razy strzelił mu w tył głowy. Pierwsza kula zabrała ze sobą pół twarzy. Prefekt Kurzawa siedział w tym czasie na zakrystii w samej bieliźnie, nucił coś pod nosem i kroił szynkę od państwa młodych.

Następnego dnia rolnik z Samszyc znalazł proboszcza leżącego brzuchem w kałuży krwi i deszczu. Rozpoznał go po sutannie, bo po niczym innym się nie dało.

Mówiło się później, że podpadł jakimś kazaniem, ale wszyscy we wsi wiedzieli, że aby skończyć w czerwonej kałuży, wcale niczym nie trzeba podpaść. Zwłaszcza jeśli za spust pociągał Pichler.

---

[*] Niech się wam szczęści. Weźcie to na pamiątkę.

* * *

Lato było suche, a plony przyzwoite. W ciągu kolejnych sześciu miesięcy Janek zabił jeszcze dwie świnie, tę ostatnią tuż przed narodzinami dziecka. Poród odebrała Hedwig, najstarsza z córek *Frau* Eberl.

Chłopiec był drobny i ważył niewiele. W oczach miał coś takiego, jakby od razu chciał broić. Miękkie jasne włosy przyklejały mu się do głowy. Na imię dali mu Kazimierz.

– Każu, Każu! – chodziła wokół niego *Frau* Eberl. – *Mein lieber Junge!**

Obsypywała go podarkami, zabierała na spacery. Przytulała, mimo że tego nie lubił. Pozwalała Irence pracować mniej niż wcześniej.

Mijały kolejne miesiące, a Janek nie miał czasu na tęsknotę za matką, ojcem i siostrami. Co jakiś czas wysyłali im z Irką zdjęcie z podpisem, licząc, że w tym dalekim kraju, do którego ich zabrano, jest jeszcze ktoś, kto może je oglądać.

Zanim się spostrzegli, Kaziu podźwignął się z czworaków, a z ust posypały mu się pierwsze słowa. Tata, *Mutti*, lala, *Hund*.

Czasami Irena wchodziła do izby *Frau* Eberl i chwytała ją za rękę.

– *Ich zeige Ihnen etwas***.

Prowadziła ją na podwórko, gdzie Kaziu bawił się oponą albo rysował na ziemi zygzaki.

– Powiedz cioci, czegoś się nauczył – pochylała się nad nim.

Chłopiec unosił wzrok, naprężał się i mówił powoli, z wysiłkiem:

– Tan-te!

– Po-len!

– Hit-rrrerrr!

---

* Mój kochany chłopiec!
** Coś pani pokażę.

Frau Eberl składała ręce pod brodą i brała go w ramiona, a potem unosiła wysoko nad głowę.

– *Mein lieber Junge!*

Niedługo później Irenka zaszła w ciążę po raz drugi. Kiedy w jej ciele zaczynał się nowy człowiek, skończyła się wojna. *Frau* Eberl chodziła po domu, kręcąc głową i mamrocząc pod nosem słowa, których żadne z nich nie rozumiało. Gdy dowiedziała się, że przesiedlają ją z powrotem do Niemiec, upiła się po raz pierwszy, od kiedy postawiła nogę na obcej ziemi, a potem pierwszy raz na tej obcej ziemi rzygała. Irena siedziała w tym czasie z dziewczynkami i płakały wszystkie cztery, każda w osobnym fotelu.

Janek poszedł do Paliwody i powiedział, że się boi.

– Wszyscy się przecież boimy! – Paliwoda miał siwe bokobrody i głowę łysą jak jajo. Kulał na jedną nogę. Był przygłuchy i zamiast mówić, krzyczał.

Usiedli na schodach i zapalili papierosy. Mirka Paliwodowa przyniosła butelkę gonichy i rozlała do szklanek. Brudny chłopiec i jeszcze brudniejsza dziewczynka strzelali z łuku do wiszącego na sznurku jabłka, chybiając za każdym razem.

– Nie mogę sobie przypomnieć, jak to wcześniej było – powiedział Janek i zebrał z języka drobinki tytoniu.

– Tfu! W dupieśmy byli tako samo jak i tera! – odkrzyknął Paliwoda.

Napili się, a potem napili się znowu. Skręcając kolejnego papierosa, Janek zobaczył, że drżą mu ręce.

– A może to jeszcze wcale nie koniec?

– Patrzcie go, do usranej śmierci by chciał wojnę! – Paliwoda pokazał figę z makiem i nalał wódki. – Nie ma tak dobrze!

* * *

Szybko przyszła jesień, a Kaziu rozgadał się na dobre. Chodził po podwórku i deklamował na całe gardło z uniesioną głową:

– Krrrowa!

– Bażant!

– Żajonc!

– *Henne!*

– *Ente!*

– *Schwein!*

Niemcy musieli w końcu uciekać. *Frau* Eberl pakowała najcenniejsze rzeczy i prawie przestała się odzywać.

– *Du bringst mich nach Hause!* – powiedziała Jankowi oznajmiającym tonem któregoś wieczoru, kiedy pracował przy wozie.

– *Ja* – skinął głową, a ona bez słowa weszła do domu i trzasnęła drzwiami.

Przed wyjazdem całą noc przewracał się z boku na bok, pocąc się pod grubą kołdrą, wstawał i chodził do kuchni, gdzie palił przy oknie, a potem kładł się znowu, i z boku na bok, z boku na bok.

Wstał wcześnie, ogolił się, zapalił papierosa. Dwie godziny później zaciskał już dłonie na lejcach i patrzył na długą drogę ciągnącą się przed nim aż do obcego kraju.

Minęli Skibin, Radziejów i Czołowo, potem Chełmce, Janocin i Grodztwo. W oddali widać było Kruszwicę. Przejechali jakieś dwadzieścia trzy kilometry, do granicy zostało jeszcze ponad dziesięć razy tyle. Może więcej.

I tam mnie zabiją, myślał Janek.

Frau Eberl siedziała na wozie z córkami, pośród mebli, dywanów i worków z odzieżą. Opowiadała młodszym dziewczynkom bajki, z których Janek rozumiał mniej więcej co drugie słowo. Ze swoich

---

* Zawieziesz mnie do domu.

myśli też rozumiał niewiele. Oglądał się za siebie i na boki, spocone dłonie wycierał o spodnie. Spróbował gwizdać i natychmiast przestał. Czuł, jakby ktoś wyciągnął mu przez brzuch jelita i przywiązał do drzewa za domem. Z każdym kilometrem było go coraz mniej. Miał mdłości. Dygotał.

W Kruszwicy zatrzymał konie, odwrócił się i powiedział, że niech się dzieje, co chce, ale on musi za potrzebą, za poważną potrzebą.

– *Nein!* – zawołała *Frau* Eberl i stanęła na wozie. – *Lass mich hier nicht alleine stehen!*

Janek wytłumaczył, że musi, że nie wytrzyma, pokazał na krocze i zrobił zbolałą minę.

– *Du willst davonlaufen...***

– *Nein...*

– *Geh! Komm aber zurück! Verstehst du? Du sollst zurück kommen****.

Uciekając, słyszał jeszcze, jak kobieta przeklina go, jak mu życzy śmierci, jemu i Irce, i żeby wam się *Teufel* urodził, a nie *Kind*, szatan, nie dziecko, krzyczała *Frau* Eberl, a Janek uciekał.

Pędził lasem wzdłuż drogi, potykał się i rzęził, ale biegł coraz szybciej, przeskakiwał zwalone pnie i zrywał głową pajęczyny. Po kilku kilometrach zmęczył się i zwolnił. Cztery godziny później zobaczył znak „Kwilno”, usiadł w rowie i siedział w nim długo. Zbliżając się do domu, dostrzegł stojącą na podwórku Irenę. Pranie łopotało za nią na sznurze przy studni.

Podszedł do niej wolno, objął ją i wciągnął w płuca mleczny zapach jej skóry. Chwycił za warkocz i wsunął końcówkę do ust, a potem zagryzł na nim zęby. Ona wytarła mu twarz z wszystkiego, czego będzie się potem wstydził, i uśmiechnęła się tak, jak się do

---

* Nie zostawiaj mnie samej!

** Chcesz uciec...

*** Idź! Ale wróć! Rozumiesz? Masz wrócić.

niego wcześniej nie uśmiechała. W domu zagrzmiał tupot małych bosych stóp. Kaziu wybiegł na podwórko i stanął wyprostowany przed ojcem. Spojrzał w górę, naprężył się i wyrecytował:

– Szwinia!

* * *

Janek nigdy się nie dowiedział, czy *Frau* Eberl dojechała do Niemiec. Często śnił o niej, stojącej na wozie i przeklinającej jego, Irenę i ich nienarodzone dziecko. Zgarbiona, przypominała z daleka nieudaną rzeźbę Pokrzywa, a nad jej głową wiły się gęsto czarne smugi. Próbował przypomnieć sobie dokładnie słowa, które mu wtedy wykrzyczała, ale im bardziej się starał, tym bardziej wszystko stawało się mętne.

Niedługo później na świat przyszedł mały bezbarwny potwór. Rodził się trzydzieści godzin i omal nie zabił Ireny, która całkiem ochrypła od krzyku. Poród odbierała tym razem stara Paliwodowa.

Był biały od brwi po paznokcie stóp. Pod skórą rozciągały się gdzieniegdzie cienkie różowe smugi. Tylko źrenice miał czerwone, jakby przebijał przez nie środek głowy. Rzucał się i kopał. Janek próbował na niego nie patrzeć. Stara Paliwodowa, z rękoma po łokcie we krwi jego żony, gapiła się to w wiszącą na ścianie pasyjkę, to w wiadro z brudną wodą. Wreszcie wyszła z kuchni i cicho zamknęła za sobą drzwi.

Janek spojrzał na żonę. Długo mierzyła go wyzywającym wzrokiem. Podszedł wreszcie do chłopca i ostrożnie dotknął jego dłoni. Ciało było ciepłe. Dłoń miękka. Przesunął palcami po jego brzuchu, a potem dotknął czoła. Powoli wsunął pod niego rękę i uniósł go przed twarz. Pomiędzy małymi nogami kołysał się siny flak pępowiny.

– Uduś go, Janek – powiedziała Irena, przyciskając policzek do przemoczonej poduszki.

Pokiwał głową w milczeniu, a potem odłożył dziecko na leżące na podłodze szmaty i znowu wyjrzał za okno. Blade chmury powoli uciekały za horyzont. Jeden z kotów od niechcenia uderzał ogonem o ziemię.

– Trzeba go umyć – powiedział, odwracając się do drzwi. – I owinąć w co.

Cisza. Tylko huk wahadła w obudowie zegara.

– Ale podgrzej – jęknęła. – Tę wodę.

– Co?

– Podgrzej, bo inaczej się przeziębi.

Pokiwał głową i wyszedł.

Na imię dali mu Wiktor. Po latach nie pamiętali, kto tak postanowił. Wiktor Łabendowicz. Sądzili, że nie dożyje roku.

Czasami wydawało im się, że nabiera koloru. Obserwowali go pod różnymi kątami i przy różnym świetle, tarli bladą skórę i przyglądali się meszkowi na skórze, a potem kiwali do siebie głowami. Tak, chyba różowieje. Tak, zdaje się, że włosy na ciemiączku ciemniejsze. Oczy jakby trochę niebieskie. Po kilku miesiącach przestali.

Niedługo po żniwach wrócili z Niemiec rodzice Janka i jego dwie siostry. Aniela wyraźnie podrosła, a włosy sięgały jej już prawie do pasa. Mówiła szybko i niewyraźnie, tak samo jak przed wojną. Wanda, która zawsze uchodziła za ładniejszą, miała teraz przekrzywiony nos, który nadawał jej twarzy wiedźmi wygląd. Podobno złamał go jej w niewoli syn niemieckiego gospodarza.

Matka i ojciec mocno się postarzeli. Kiedy stanęli wszyscy we czwórkę na podwórku gospodarstwa w Piołunowie, wydawało się, że stać tak będą do śmierci. Obracali się tylko na wszystkie strony, jakby chcieli się upewnić, że to wszystko rzeczywiście wciąż stoi.

Janek biegał wokół nich, ściskał, przytulał, krzyczał coś o pięknej przyszłości, pięknych plonach, pięknej żonie i że w ogóle od teraz będzie już tylko dobrze.

Zamieszkali wspólnie w starym domu Łabendowiczów. Ojciec, matka, Aniela, Wanda, Janek, Irena, Kaziu i bezbarwny chłopiec. Matka źle sypiała. Ojciec w czasie wojny nabawił się choroby brzucha i całymi nocami pojękiwał. Dziewczynkom śniły się koszmary. Kaziu marudził, Wiktusiowi wyżynały się zęby. Kiedy Janek zrozumiał, że dłużej nie wytrzyma, nadeszło wybawienie.

6 września Polski Komitet Wyzwolenia Narodowego wydał dekret, na mocy którego przeprowadzono reformę obejmującą między innymi „tworzenie nowych samodzielnych gospodarstw rolnych dla bezrolnych, robotników i pracowników rolnych", co oznaczało, że Janek i Irena mogli się wynieść z niewielkiej chaty, ale tylko teoretycznie, bo Komitet przyznał im wprawdzie dziewięć hektarów pola, ale nie było na nich nawet nory, nie mówiąc o domu. Przez kolejne dwa lata od świtu do zmierzchu Janek darł pługiem niechętną mu ziemię i zbierał, co pozwalała zebrać, a potem sprzedawał, razem z hodowanymi u ojca świniami. Nocami zaś wykopywał glinę i przy świetle ogniska układał ją w ściany swojego przyszłego domu.

Kiedy zasypiał w izbie pełnej oddechów bliskich, śnił wyłącznie o *Frau* Eberl stojącej na wozie wśród czarnych kształtów wijących się wokół jej głowy. Pokazywała palcem na drogę, po której pełzł jego mały *Teufel*, jego mały bezbarwny potwór, którego starał się kochać. Dziecko uśmiechało się do niego i czołgało coraz szybciej, a kiedy miał już wziąć je na ręce, budził się w zupełną czerń nocy, żeby więcej nie zasnąć.

Podarowana przez PKWN ziemia wypluwała z siebie coraz mniej. Niedotknięta przez suszę ani przez nadmiernie obfite deszcze mimo wszystko jakby obumierała. Paliwoda skarżył się na to samo.

– Jak tak dalej będzie, pomrzemy z głodu! – krzyczał, kiedy siadali przy zachodzie słońca i szklance gonichy.

Zaraza objęła całe Piołunowo. Na drodze do miasta coraz rzadziej widywano wozy z plonami, uśmiechów nie widywano już prawie w ogóle. Dojka, która przez ostatnie kilka lat mocno się postarzała, coraz częściej oprócz krzyków i śmiechu wydobywała z siebie słowa.

– Zemrzą, zemrzą robaczyska wszystkie, zemrzą, bo się z czarnym zadały – mówiła najczęściej do przechodniów mijających rzeźbę. – Zemrzą i się świat spoli, bo czarne po nim łazi i biega i łazi. A potem zeżre wszystko, ziemię zeżre, gwiazdy zeżre i księżyc zeżre, i wszystko inne zeżre, bo czarne tylko żre, żre i żre!

Któregoś razu Janek usłyszał, jak Dojka zaczepiła starą Biniasową i powiedziała jej, że jak nie zabiją „chłopoka bez koloru”, to się „wszystko skończy”.

Następnego dnia stanął przed rzeźbą i stał tak długo, aż Dojka się obudziła. Przetarła twarz i usiadła, obejmując nogi ramionami.

– A wy to przestańcie gadać te głupoty o moim chłopaku – powiedział, kucając naprzeciw niej.

– Twój syn wielki, o, wielki taki, ale tylko jak już zimny będzie. – Dojka pokiwała głową, a potem roześmiała się głośno. – Wyciąg mu wtedy flaki z brzucha i serce i posmaruj nimi pług, a będziesz miał plony takie, że wielkie piękne wielkie. Wpleć włosy w siatkę, a zająców nałapiesz, że całą zimę ino żarcie i brzucho pełne i żarcie takie takie. Pijta z Irką jego krew, a będzieta zdrowe i nie umrzeta nigdy nigdy nie umrzeta nigdy!

Janek podszedł, pochylił się i złapał Dojkę za gardło. Przewrócił ją na plecy i przycisnął do ziemi. Patrzyli na siebie długo, ale żadne się już nie odezwało i w końcu wstał, otrzepał się i ruszył w stronę domu. W połowie drogi usłyszał jeszcze jej dziki, urywany śmiech.

Wiktuś i Kaziu dorastali w domu pełnym pięknych kobiet, rycerzy na koniach i par wirujących w tańcu. Budził ich huk pistoletów i odgłosy walki na miecze, usypiały egzotyczne ptaki i dźwięki drogich fortepianów.

Irena popadła w nałóg. Kiedy Janek nauczył ją czytać, rzuciła się na książki z taką żarłocznością, jakby lata czytelniczej abstynencji wytworzyły w niej uczucie głodu, którego nie sposób zaspokoić. To, co robiła, nie było nawet czytaniem – odurzała się i popadała w obłęd. Ugniatała rzeczywistość jak ciasto i formowała z niej światy. Wstawała jeszcze przed świtem i oprzątała należące do teściów krowy, a potem siadała na ławce przed domem i znikała pomiędzy stronami. Wracała później do łóżka i opowiadała Jankowi, co przeczytała, naśladując dźwięki bitew, pojedynków i biesiad. Kiedy chodziła po domu, tak naprawdę przemierzała pałacowe korytarze. Żyła w Piołunowie i tysiącu innych miejscach jednocześnie.

Książki pożyczała od córki dziedzica, który mieszkał daleko, przy szosie. Krzątała się po kuchni, co chwilę przewracając strony. Można było odnieść wrażenie, że nie robi jej różnicy, co akurat czyta. Otwierała jedną z kilku napoczętych książek i zaraz w mieszkaniu pojawiali się Teresa Sikorzanka, Michał Wołodyjowski, Czerwony Błazen, Winnetou, Boruch, Huck Finn, Karol Borowiecki, Jean Valjean, Mikołaj Srebrny, Izabela Łęcka, Różycki i Kwiryna.

Tymczasem nadszedł kwiecień, a z nim martwe kury. Znajdowano je z rozprutymi szyjami, ledwie nadgryzione. Szybko okazało się, że w okolicy grasuje wściekły pies. Czasami widywano go, jak kołysząc się z boku na bok, chodzi po polach lub krąży wokół zabudowań. Chłopi kilkakrotnie próbowali na niego zapolować, lecz za każdym razem wracali z niczym. Niedługo później pies wreszcie pokazał im się z bliska.

Pierwsze osoby, które wyszły tamtego dnia z kościoła, przeżegnały się więcej razy niż zwykle. Zmierzwiona i zakończona owalnym pyskiem kula brudu człapała wolno w stronę świątyni, znacząc ziemię żółtą pianą. Mężczyźni, którzy tymczasem wysunęli się naprzód, rozglądali się za czymś, czym mogliby zwierzę przegonić, a najlepiej ukatrupić. Kościelny – ponury człowiek o wielkim sercu i szczurzej twarzy – wrócił na plebanię w poszukiwaniu wideł, których używał do otwierania wysokich okien.

Zanim zdążył okrążyć kościół, z tłumu ściśniętych wiernych wyskoczył nagle Wiktuś Łabendowicz i unosząc ręce nad głową, ruszył przed siebie w podskokach. Janek krzyknął na niego, ale z miejsca się nie ruszył.

Chłopiec podbiegł do psa, pochylił się przed nim i warknął, poruszając rękoma. Żółte ślepia wpatrywały się w niego przez chwilę, a potem pies odwrócił się i wolno poczłapał z powrotem. Kiedy miał już zniknąć za rogiem plebanii, kościelny dobiegł do niego i jednym pchnięciem wideł przebił go w trzech miejscach. Przyduszone do ziemi zwierzę kwiknęło i zdechło w konwulsjach.

Irena podeszła do Wiktusia i na oczach całej wsi przełożyła go przez kolano, a potem dała mu trzy klapsy. Kaziu stał w tym czasie za ojcem i wpatrywał się w matkę i młodszego brata. Proboszcz Kurzawa przeżegnał się szybko i wrócił do kościoła. Wierni rozeszli się do domów.

Później Łabendowiczowie tłumaczyli synom, dlaczego nie należy zbliżać się do wściekłych psów.

– A skąd wiadomo, że wściekły? – zapytał Kaziu.

– On nie był wściekły, tylko mu było smutno i boląco – oświadczył Wiktuś, zanim rodzice zdążyli cokolwiek odpowiedzieć.

Janek miał zresztą na głowie poważniejsze zmartwienia. Plony były coraz gorsze. Na polach powiększały się czarne place, na których nie rosły nawet chwasty. Co kilka tygodni któryś z chłopów trafiał do aresztu w Radziejowie za niedopełnienie obowiązku dostaw. Obejmowały one początkowo tylko zboże i ziemniaki, szybko jednak uzupełniono je o mleko i zwierzęta rzeźne. Janek, tak jak inni, przekupywał sołtysa, dokonywał skomplikowanych „transakcji" z sąsiadami i handlował ze spekulantami, ale matematyka była nieubłagalna.

Mieszkańcy Piołunowa obawiali się, że ziemia przestanie w końcu rodzić cokolwiek prócz kamieni.

* * *

Zdobysław Kurzawa, który za życia księdza Szymona pełnił funkcję prefekta, został proboszczem, i to został nim na całego. Podobno w ogóle przestał jadać, a wieczorami tłukł swoje ciało mokrym rzemieniem tak długo, aż drętwiał i dostrzegał Boga. Podobno znał na pamięć kilkustronicowe ustępy Pisma Świętego, a wszystko, co miał, oddał na budowę świątyni w Radziejowie. Kazania, które płomiennym głosem zsyłał w każdą niedzielę na ściśniętych w ławach wiernych, omawiano potem przez cały tydzień na polach i w kuchniach.

Któregoś razu wszedł na ambonę i w milczeniu rozejrzał się po zebranych, a potem ryknął, zaciskając palce na mównicy:

– Umiłowani w Panu! Kroczycie przez życie, niosąc krzyże wpijające się w ramiona wasze drzazgami grzechu człowieczego, i robicie, co w waszej mocy, ażeby Pan wasz, Jezus Chrystus, w cieple serca swego miejsca i dla was znalazł, kiedy już przyjdzie czas na wieczny odpoczynek. Umiłowani. Każdy z was co rano oczy swe roztwiera i modlitwę do przenajświętszego Boga zanosi, prosząc go, coby w swej miłości nieskończonej zesłał na was łaskę urodzajnej gleby i obfitych plonów. Czegóż więcej pragniecie? Spokoju pragniecie. Życia w zgodzie z Pismem. Pragniecie miłości bliźniego i szczęścia. Ale co, kiedy na drodze spotykacie przeszkodę postawioną tam przez samego anioła strąconego z niebios, przez samą bestię z czeluści piekielnych wypełzłą, przez szatana, co wije się pomiędzy domami naszymi, wypatrując szczelin w sumieniach naszych, przez które mógłby się do naszych wnętrz wślizgnąć? Cóż robicie wtedy, ukochani w Chrystusie Panu? Omijacie ją?

Proboszcz wbił wzrok w Wiktusia, który ze wszystkich sił walczył ze snem.

– Ale cóż, gdy bestia piekielna w całej przebiegłości i perfidii swojej przeszkodą ową czyni rzecz łagodną i niewinną z pozoru? Co, jeśli wystawieni zostajecie na próbę trudną niczym Chrystusowe na pustyni kuszenie? Czy dacie się oszukać wężowi? Czy dacie się zwieść bestii przeogromnej, która sączy wam do uszu kłamstwo piekielne za kłamstwem? Nie! Niechaj z nasion wiary waszej wyrosną potężne drzewa, których owoc sławić będzie miłość Bożą i które nie ugną się pod wichurą knowań bezbarwnych sług węża! Agreście Boży! Fałsz i grzech przebijaj kolcami swymi! W tobie nadzieja na zniszczenie czarnych przeszkód piekielnych, w tobie nadzieja na uświęcenie imienia Jezusa Chrystusa. Nie dajcie się, bracia i siostry, sługom czeluści najmroczniejszych, nie dajcie się, w imię Ojca i Syna, i Ducha Świętego! Boża winorośli! Nie pozwól, aby pędy twoje zerwał huragan szatańskich wątpliwości! Przejrzyj na oczy, ujrzyj prawdę w Chrystusie Panu. Ujrzyj prawdziwe oblicze węża, który pełza tuż obok! Umiłowani. Postawcie sumienia wasze na straży naszej wsi i sięgnijcie głęboko do serc swoich, coby odnaleźć w nich prawdę, którą posiał w was Pan nasz na wysokościach. Widzę was wszystkich, widzę was w Chrystusie, albowiem

dusze wasze mają mocny, nadany przez Pana naszego kolor. Widzę
was wszystkich w codziennych staraniach waszych, aby sprostać
trudom ziemskiego bytowania i na wieczną nagrodę rękoma zmę-
czonymi zapracować! Widzę was, albowiem dusze wasze zabarwiła
miłość Jezusa Chrystusa. Strzeżcie się jednak. Strzeżcie się, bracia
i siostry, albowiem wąż pełza tuż pod waszymi drzwiami. Strzeżcie się, albowiem przechadzają się wśród was tacy, których dusza
zupełnie jest bezbarwną. Czerpcie więc siłę z Maryi Przenajświęt-
szej i nie dozwólcie, aby słudzy szatana odebrali wam plony, które
w krwi i mozole od pokoleń zbieracie na chwałę Pana. Bestie nie-
ludzkie o duszach bezbarwnych gotowe są zniszczyć wszystko, co
Jezus Chrystus ofiarował wam przez swoją śmierć na krzyżu, ale
ufam, iż umocnieni Słowem zdołacie odeprzeć ataki ciemności.
Ufam, iż dostrzeżecie wśród was sługi bestii bezbarwne i w naj-
ważniejszej chwili ręka wam nie zadrży, jako i Abrahamowi nie
zadrżała.
– Amen.

* * *

Wiktuś dorastał. Właził tam, gdzie nie trzeba, paplał bez wytchnienia,
chorował i zaraz zdrowiał, gryzł brata i sam dawał mu się gryźć, płakał w nocy, sypiał za dnia, ganiał kury i połykał wszystko, co dawało
się połknąć.

Wczesną jesienią Janek skończył budować dom. Budynek składał
się z czterech izb połączonych ze sobą nawzajem, miał niewielką
piwnicę i kryty był strzechą.

W tym samym roku, kiedy po raz pierwszy odbył się kolarski Wy-
ścig Pokoju, utworzono ludowy zespół „Mazowsze", powstała Polska Zjednoczona Partia Robotnicza i zniesiono kartki na artykuły

pierwszej potrzeby, Łabendowiczowie zamieszkali w swoim nowym domu. Cztery dni później Janek trafił do więzienia.

Zamknęli go za świnie, a dokładnie za ich brak. Zabrali go do Radziejowa, gdzie odsiedział w areszcie dwa tygodnie.

W zaskakująco przestronnej celi poznał, co to wstyd, bezsenność i fryzjer Krzaklewski. Fryzjer Krzaklewski był z tego wszystkiego najtrudniejszy do zniesienia. Miał syna w wieku Wiktusia, który przejawiał niezliczone wprost talenty. Fryzjer Krzaklewski postanowił spożytkować czas niewoli i opowiadał współwięźniowi o swoim trzylatku. Po dwóch dniach Janek po raz pierwszy pomyślał, że w końcu tam zwariuje.

Ósmego dnia Krzaklewski ochrypł od mówienia. Dziewiątego zamilkł, a wieczorem wybuchł płaczem. Jedenastego przyznał, że jego syn wcale nie jest wyjątkowy. Jest chory i najprawdopodobniej nigdy w życiu nie będzie mógł mówić.

– Nie wiesz pan, co to jest za uczucie – wyszeptał w środku nocy, a później już się nie odzywał.

Pożegnali się uściskiem dłoni i obietnicą, że kiedyś się jeszcze zobaczą.

Janek wrócił do domu. Z nowymi siłami rzucił się na swoje dziewięć niesfornych hektarów i postanowił, że albo on, albo one. Wstawał na długo przed świtem i kładł się długo po zmroku. Przyrzekł sobie, że już nigdy nie da się zamknąć za jakąś świnię – czy też jej brak. Chłopcy, mimo głodu, rośli szybko. Irena uśmiechała się częściej niż kiedyś. Życie zaczęło się układać.

– Teraz już wszystko będzie dobrze – usłyszał od niej któregoś wieczoru.

– Wiem – odpowiedział i przytulił się do niej, głęboko wdychając mleczny zapach jej skóry.

Miesiąc później ich bezbarwny syn umarł po raz pierwszy.

ROZDZIAŁ DRUGI

B ronek Gelda prawie nie pamiętał już ojca. We wspomnieniach widział tylko otoczoną dymem sylwetkę w kącie izby. Ciemną, przygarbioną. Pamiętał za to bieganie po machorkę na obolałych nogach.

Ojciec dużo palił. Codziennie przed wyjściem w pole uważnie skręcał papierosy i układał je w skórzanej torebce, którą wiązał później u pasa. Machorkę kupowało się w położonym naprzeciw kościoła sklepie z wyszynkiem, który prowadził gadatliwy pan Belter.

Kilka razy w miesiącu, wracając ze szkoły, Bronek zachodził do pana Beltera, a ten dawał mu niewielki woreczek. Pieniądze od ojca były równo odliczone. Bronek chował machorkę do teczki i pokonywał kolejne cztery kilometry dzielące go od domu.

Po lekcjach bywał zamyślony. Szedł z Koła do Lubin, oglądając każdego dnia te same domy i drzewa. Zastanawiał się, ile na świecie jest jeszcze domów i drzew. Zdarzało się, że z roztargnienia zapomniał zajść do pana Beltera. Ojciec czekał na niego zwykle na ławce pod starą, omszałą masztanówką. Wchodząc na podwórko i widząc jego postać – teraz już tylko ciemną i zamgloną – Bronek nagle sobie przypominał.

– Proszę, niech tata nie będzie zły… – zaczynał, ale ojciec bez słowa podnosił się z ławki i ruszał w stronę domu. Bronek szedł za nim. Wchodzili do sieni, ojciec zamykał drzwi i kazał mu stanąć pod ścianą.

– Spodnie – mówił spokojnym głosem.

Powoli, ociągając się, zdejmował ze ściany lejce. Długo stał za synem, przeciągając twardą skórę pomiędzy palcami. Szuuur. Szuuuur. Bił po nogach i pośladkach. Bronek przepraszał, prosił. Wiedział, że nic to nie da. Piętnaście razów, nigdy więcej, nigdy mniej. Po piętnastu uderzeniach lejce trafiały z powrotem na ścianę, a Bronek podciągał spodnie i pędził do pana Beltera.

Czasami już na widok odległego domu przypominał sobie o machorce. Odwracał się wtedy na pięcie i leciał do sklepu, odprowadzany wzrokiem przez ojca. Kara następowała później. Piętnaście razów, nigdy więcej, nigdy mniej.

Kiedy ojciec umarł, Bronek miał trzynaście lat. Wiedział, że powinien pamiętać go lepiej. We wspomnieniach powinno pozostać mu coś więcej niż tylko ciemna sylwetka skręcająca papierosy i smagnięcia lejcami na skórze. Bronek Gelda kojarzył jednak ojca tylko z jego złością i bieganiem po tę cholerną machorkę.

On sam nigdy nie zapalił papierosa. Miał inne nałogi. Pasjami czytał gazety, strugał ozdobne proce z drewna i siłował się na rękę. Dzięki temu ostatniemu poznał swoją przyszłą żonę.

Siłował się zwykle ze swoim najlepszym kolegą z czasów szkolnych, Felkiem Szpakiem z pobliskich Ochli. Nie bardzo umiał przegrywać. Denerwował się, wzdychał, żądał rewanżu. Skrupulatnie prowadził rejestr pojedynków.

Któregoś razu, zapisując wynik kolejnego starcia, po raz pierwszy dostrzegł krzątającą się w kuchni Helę, która wcześniej jakoś nie rzuciła mu się w oczy. Była niewysoka, nieśmiała, niepozorna i nierozmowna, jakby obawiała się być po prostu jakakolwiek. Od tamtej pory Bronek przyglądał się jej coraz uważniej. Przez pewien czas był przekonany, że gdyby porządnie w nią dmuchnąć, rozpadłaby się na kawałki.

Miał wtedy dwadzieścia sześć lat i od co najmniej pięciu intensywnie rozglądał się za żoną. Jak dotąd na rozglądaniu jednak się kończyło.

– Myślisz, że by mnie chciała? – zapytał Felka Szpaka w dniu, kiedy przewaga tego drugiego stopniała do pięciu zwycięstw, i wskazał głową na Helę, zganiającą kury do drewnianej szopy.

– Coś ty… do Heli chcesz flirty robić? – zdziwił się Felek, rozmasowując obolały łokieć.

Bronek milczał i przyglądał się dziewczynie, która próbowała akurat wykurzyć z krzaków jakąś upartą nioskę. Poły zapaski powiewały jej na wietrze.

– A co? – zapytał w końcu.

– Ech… Uważaj tylko, bo ona cudaczna jest trochę. Raz już się zakochała. Boże odpuść. Ledwie to przeżyła. Nie wiem, może popróbuj.

– A co ja bym musiał…?

– Kwiaty jej przynieś. Ona chyba lubi kwiaty.

– Kwiaty – Bronek powtórzył to słowo, jakby słyszał je pierwszy raz w życiu.

Brat Heli przekrzywił głowę i spojrzał za okno. Opowiedział Bronkowi o tym, jak jego siostra omal kiedyś zwariowała. Zaczęło się latem 1915 roku. Hela miała sześć lat i szalała na punkcie kwiatów. Chodziła po wsi, zrywając każdy, jaki zauważyła, a potem suszyła, wiązała w bukiety i splatała w wianki. Do pobliskiego Brdowa przyjechała wtedy na wakacje tajemnicza Basia Chałupiec o czarnych, zwierzęcych oczach. Od patrzenia w nie mężczyznom podobno kręciło się w głowie. Któregoś razu Hela zobaczyła ją w Kole. Dziewczyna przechadzała się ulicą w towarzystwie koleżanki, wysoka, szykowna, inna niż wszystkie. Pochodziła z jakiejś bajki, bo na pewno nie stąd.

Hela zrobiła dla niej wianek z suszonych kwiatów i brała go ze sobą przy każdej okazji, kiedy rodzice pozwalali jej jechać ze sobą do Koła. Któregoś dnia w pobliżu kościoła farnego natknęła się na Basię i bez słowa wręczyła jej wianek. Dziewczyna podziękowała i uśmiechnęła się do niej, a potem, oddalając się powoli, jeszcze jej pomachała. Przez kilka tygodni Hela mówiła tylko o niej.

Basia Chałupiec niedługo potem zniknęła. Pojawiła się znowu dopiero kilka lat później. Chodziła po mieście wyprostowana, ostrożna, jakby bała się, że może przypadkiem się do czegoś przykleić.

– Znać, że po świecie bywała – mówili o niej. Krążyły pogłoski, że jest wielką gwiazdą i że zagrała w filmie.

Do Heli, która interesowała się wówczas już nie tylko kwiatami, ale i chłopcami, przychodził wtedy wysoki młodzian z Chojen. Miał na imię Krzysztof i zabierał ją na spacery. Prawie nic do siebie nie mówili, tylko tak chodzili, od drogi do pola na końcu wsi i z powrotem. Czasami zrywał jej kwiaty. Felek usłyszał, jak podczas wieczornej modlitwy jego siostra szepcze Bogu, że nie wie na pewno, ale chyba się zakochała.

Któregoś dnia Hela wybrała się z matką do Koła, na targ. Był koniec lipca i ludzie prawie rozpuszczali się w słońcu. Hela marzyła o kąpieli w stawie albo przynajmniej o wylaniu sobie na głowę wiadra zimnej wody ze studni. Na tonącej w kurzu ulicy Sienkiewicza zobaczyła Krzysia. Ożywiony jak nigdy krążył wokół Barbary Chałupiec, która próbowała nie zwracać na niego uwagi. Chłopak śmiał się głośno i robił miny, jakby oszalał. W którymś momencie uklęknął przed czarnooką kobietą i na cały głos zaczął krzyczeć, że ją kocha, a wtedy ta oddaliła się szybkim krokiem. Hela zawróciła, pociągając matkę za sobą. Do domu przyszła półprzytomna. Mruknęła, że ma gorączkę i od razu zagrzebała się w łóżku. Głucha na błagania ojca, spędziła tak kilka dni, aż wreszcie podjęła dwie decyzje. Po pierwsze: wstanie. Po drugie: już nigdy się nie zakocha. Dotrzymała tylko tej pierwszej.

* * *

Najlepszym przyjacielem Bronka Geldy był pies. Wabił się Koń. Należał do gatunku psów głupich głupotą, którą chciałoby się przytulić. Szczekał w najmniej odpowiednich momentach, rzucał się na wóz stojący miesiącami na podwórku i ścigał niewidzialne ofiary. Imię zawdzięczał charakterystycznemu uzębieniu, stanowczo zbyt dorodnemu jak na zwierzę o takich gabarytach. Ulubionym zajęciem Konia były ataki na stodołę. Za każdym razem, kiedy Bronek, jego matka lub któryś z jego dwóch braci otwierał szerokie wrota, żeby wejść do środka, Koń nagle pojawiał się w pobliżu. Wpadał do stodoły, rozglądał się i porywał pierwszą rzecz, jaka zwróciła jego uwagę. Zdarzało mu się skraść w ten sposób kawałek szmaty, stary trzonek od młotka albo nawet uschłą łapkę nutrii, które Genowefa Gelda obdzierała w stodole ze skóry. Najczęściej jednak obiektem tych kradzieży stawał się jakiś zaschnięty koci bobek. Pewnego letniego popołudnia 1937 roku Koń miał wyjątkowe szczęście. Jego łupem padł bukiet kwiatów ukryty za stertą drewna, a jakby tego było mało, wieczorem udało mu się porwać jeszcze jeden, nieopatrznie ukryty w tym samym miejscu. Bronek wypadł za Koniem ze stodoły i gonił go przez podwórko i pole, a kiedy nie miał już siły, rzucał w zwierzę kamieniami, dopóki nie zniknęło w krzakach. Trasę ucieczki znaczyły płatki maków.

Uchronić udało się dopiero trzecią wiązankę. Jeszcze tego samego wieczoru Bronek udał się do Szpaków i z mieszaniną strachu, wstydu, powątpiewania, radości i dumy wręczył go Heli. Dziewczyna odebrała go bez słowa i włożyła do wody. Wyszła z kuchni, zanim zdążył cokolwiek powiedzieć.

Po kilku pojedynkach z przyszłym szwagrem usiadł na schodku przed domem i patrzył, jak Hela niesie z obory wiadra z mlekiem. Dopiero teraz zauważył, jaka była chuda. Nogi jak jego przedramię. Biodra nastoletniego chłopca. Piersi takie, jakby ich w ogóle nie było. Miała podłużną twarz, drobny nos i duże brązowe oczy. Zamiast ust kreska bez warg. Długie włosy, związane w koński ogon, rozwiewały się i przyklejały do szyi i policzków.

– A słyszałaś, Helu, taki kawał o dwóch mężczyznach, którzy się bardzo długo kłócą? – zagadnął.

– Chyba nie – odparła, stawiając wiadra obok studni.

– Kłócą się i kłócą i nagle jeden z nich mówi: a pan podobno jesteś obrośnięty na całym ciele jak małpa! I wiesz, co na to ten drugi?

– Nie.

– Pana żona za dużo miele ozorem!

Cisza, która zapanowała po ostatnim zdaniu, wzbudziła w Bronku podejrzenie, że dowcip nie był jednak tak wysokich lotów, jak zapewniała matka, kiedy kilka dni wcześniej dzieliła się nim z synami przy stole.

– Dość śmieszne – skwitowała wreszcie Hela i wróciła do pracy.

Podczas kolejnych rozmów Bronek próbował ją poznać i coraz bardziej przekonywał się, że nie będzie to łatwe. Dziewczyna zachowywała się uprzejmie, odpowiadała na jego pytania, bywała nawet zabawna, ale nigdy sama nie podejmowała tematu, nigdy też nie odniósł wrażenia, że jest nim zainteresowana bardziej niż pracą w gospodarstwie. Sytuacja poprawiła się dopiero podczas jednego z wieczorów tanecznych, które Hela kochała i których Bronek nienawidził.

* * *

W rodzinie Szpaków tańczyło się od zawsze. Polkę, szybra, walca. Tańczyło się wieczorami, na podwórku, przy okazjach bardzo wesołych i wesołych po prostu, a czasem i w ogóle bez okazji. Bronek Gelda był przeciwieństwem tańca i być może dlatego właśnie tamtego wieczoru wydał się Heli nieco niezrozumiały.

Poza wybuchami złości i entuzjazmu, które przydarzały mu się podczas pojedynków siłowych, poruszał się raczej mało, a jeśli już, to dość flegmatycznie, za to można było odnieść wrażenie, że w środku jego wysokiego ciała ciągle coś się dzieje.

Dzień był wietrzny, a słońce przygrzewało. Bronek nie wiedział, co założyć, i w końcu ubrał się jak do zdjęcia. Buty, które nosił do kościoła na zmianę z trzema braćmi, marynarka z szerokimi klapami, krawat w kolorowe pasy i biała koszula, spocona już kwadrans po wyjściu z domu. Ogolił rozsypane po brodzie ziarenka zarostu, a lekko odstające uszy zatuszował, zaczesując włosy na boki. Miał gładką, trójkątną twarz. Szeroko rozstawione oczy i spiczastą brodę. Mały nos. Małe usta. Po raz ostatni przejrzał się w lustrze i szybko wyszedł z domu.

Wpadł na podwórko Szpaków, udając pewnego siebie. Większość osób już tańczyła. Kilka par skakało po podwórku, kilka rozmawiało przed domem, ktoś sikał w krzakach, a ktoś próbował śpiewać. Żaden z mężczyzn nie miał na sobie garnituru.

Felek Szpak opierał się o mur, a głowę oblepiała mu chmura papierosowego dymu.

– Bronek, ty ciulu…

– Co!? – Już twarz czerwona, ręce w kieszenie, zęby o siebie, zgrzyt, zawrócić, pobiec do domu i nigdy więcej ich nie odwiedzić. Ale jednak oddech, oddech, jeden, drugi, spokojnie. – Co?

– Krawat…?

– A co, jest jakiś zakaz?

– Niby nie ma.

– To po licha tak gadasz?

– Boś się ubrał jak na odpust.

– Idź do diabła! – warknął i podszedł bliżej. Felek cofnął się o krok.

– Bronek, ty się zawsze musisz czegoś boczyć. Ogłady ma jak brudu za pazurem, a by chciał do mojej siostry cholewki… – Uśmiechnął się, przymknął oczy i zaciągnął się głęboko. Wskazał głową na tańczących. – Już się nie mogę doczekać, jak tu z Helą zadacie szyku.

Przez cały wieczór Bronek nie zatańczył ani razu. Pożartował trochę z Helą, trochę z jej ojcem i co jakiś czas odmawiał rozchełstanym sąsiadkom, burcząc coś o bolącym kolanie. Pod koniec wieczoru, kiedy część par wróciła już do domów, usiadł obok Heli na ławce pod drzewem i odezwał się:

– Ty byś, Hela, nie chciała za mnie wyjść może?

Dziewczyna spojrzała na niego zamyślonym wzrokiem, jakby właśnie zapytał ją, czy ma ochotę na jabłko.

– Bo ja wiem?

– Jak się nie zgodzisz, to się Felek będzie ze mnie śmiał do końca życia.

– Ano, to trzeba było tak od razu.

Pobrali się w 1938 roku. Hela, którą wszyscy krewni zdążyli już uznać za starą pannę, dostała w posagu pierzynę i krowę. Przed ołtarzem Bronek o mało nie zemdlał z nerwów. Kościół falował, a w płucach mu płonęło, ale szczypał się wściekle po udach i jakoś wytrzymał. Zamieszkali z matką Bronka i jego dwoma braćmi w domu, w którym wiecznie pachniało ogrodem.

Genowefa Gelda prowadziła w Kole stragan warzywny. Po śmierci męża, którego w wieku trzydziestu siedmiu lat zabiły gnijące w ciele jelita, jej życie zmieniło się w zaciekłą walkę o przetrwanie. Od śmierci ojca Bronek i jego bracia każdego wieczoru siadali przy podłużnym stole pod oknem w kuchni i przygotowywali wiązki zebranej uprzednio włoszczyzny. Żaden z nich tego nie lubił i żaden nigdy nie odważył się powiedzieć o tym matce.

Po ślubie Hela rzuciła się im na pomoc z pasją, o jaką nikt jej wcześniej nie posądzał. Z czasem zaczęła przejmować coraz więcej obowiązków teściowej. Bronek miał zresztą wrażenie, że jego żona staje się coraz bardziej podobna do matki, nawet fizycznie, jakby wejście w życie zmęczonej Genowefy oznaczało dla Heli, że musi się w nią przemienić.

Niecały rok po ślubie Bronek się zakochał. Obiektem jego westchnień został kraj. Iskrą, od której wszystko się zaczęło, były drukowane w „Gazecie Kolskiej" i formułowane coraz bardziej stanowczym tonem odezwy o wsparcie Funduszu Obrony Narodowej. Bronek nosił przy sobie wycięty fragment numeru z 16 kwietnia i co jakiś czas wpatrywał się w podkreślone piórem słowa: „Poryw patriotyczny – to piękna rzecz, ale dopiero poświęcenie naszych kieszeni – dowiedzie stopnia dojrzałości naszego patriotyzmu. Wynik pożyczki orzeknie, czyśmy zdali drugi egzamin z naszej miłości do ojczyzny".

Bronek postanowił zdać egzamin na piątkę, dlatego przeznaczył na FON wszystkie oszczędności, a potem zadłużył się, gdzie tylko mógł, i uzyskane w ten sposób środki również poświęcił.

– Biada, kto oddał ojczyźnie okruchy, a sobie worek napchany zostawił – powtarzał w kółko matce, żonie, braciom i znajomym.

Helena obserwowała to z niezmąconym spokojem, znajdując w sobie jeszcze większy zapał do pracy. Spała po trzy godziny na dobę i codziennie przemierzała pieszo kilkanaście kilometrów do miasta i z powrotem. Bronek, cierpiący na częste bóle serca, pokonywał tę trasę na rowerze.

Zieleniak prosperował coraz lepiej. Dzięki temu, że Hela zdołała ukryć część zysków przed oszalałym z miłości mężem, Geldowie mogli w końcu przeprowadzić się do Koła. Zamieszkali przy ulicy Toruńskiej, tuż nad straganem. Zyski rosły powoli i systematycznie, a prawdziwy dobrobyt przyszedł kilka miesięcy po tym, jak w oddalonym o sześćdziesiąt kilometrów Piołunowie Janek Łabendowicz zbudował wojnę.

* * *

Niemcy weszli do miasta w poniedziałek 18 września, w południe. Tydzień wcześniej mieszkańcom udało się wysadzić most na Warcie. Złożył się, jakby był z tektury. Nienaruszone tafle betonu opierały się krzywo o masywne filary. Rzeka cierpliwie zbierała rozrzucony po dnie gruz.

Po przybyciu Niemców przy wejściu na rynek zawisł transparent z napisem: „Dieses Land bleibt für immer deutsch"*, a w farze i klasztorze godzinami bito w dzwony. Szpital zupełnie opustoszał. Mając dość codziennego mycia marchwi i selera, już wkrótce obydwaj bracia Bronka zaangażowali się w działalność kolskiej placówki Związku Walki Zbrojnej i szło im całkiem dobrze, do momentu kiedy podstawiona przez gestapo agentka przespała się z młodszym i gadatliwym Adamem. Niedługo później obaj trafili do więzienia w Inowrocławiu i ostatecznie, 17 kwietnia 1943 roku, wyrokiem Wyższego Sądu Krajowego zostali rozstrzelani.

---

* „Kraj ten na zawsze pozostanie niemieckim".

Adam umarł z urwanym okrzykiem: „Niech was cholera, diabły sakramenc… !", a Józef ze słowami: „Boże, odpuść".

Hela w kilka dni nauczyła się niemieckich nazw owoców i warzyw oraz podstawowych zwrotów, które zapamiętać miała już do śmierci. W wieku dziewięćdziesięciu pięciu lat nie będzie potrafiła przypomnieć sobie, czy jadła już obiad i jak ma na imię, ale zapamięta, że kapusta to *der Kohl*.

Nauczyli się też z Bronkiem zbiegać do piwnicy na dźwięk nadlatujących samolotów i opanowali trudną sztukę negocjacji z człowiekiem uzbrojonym w pistolet. Ta ostatnia przydawała się głównie w handlu towarem spod lady, czyli bimbrem, który Hela pędziła nocami w komórce na węgiel.

W 1942 roku miejsce straganu zajął sklep Zieleniak z pięknym szyldem i wąskim daszkiem z blachy. W tym samym roku Geldom urodziła się córka, Emilia, i Bronek oszalał z miłości po raz drugi.

Na widok miękkiego różowego ciała, któremu sam dał życie, pożałował pieniędzy przeznaczonych na FON i postanowił, że odtąd kochał będzie tylko tego maleńkiego człowieka.

* * *

Emilka Gelda chorowała w dzieciństwie na wszystko, na co tylko się dało. Wyrwawszy się ze szponów anginy, zapadała na różyczkę, a kiedy udało się jej wreszcie odnieść zwycięstwo nad różyczką, łapała zapalenie oskrzeli, i tak dalej.

W listopadzie 1943 roku we śnie zmarła matka Bronka, która pod koniec życia przekonana była, że ma dziesięć lat i na imię Koko. Po jej śmierci Milą zaczęły się zajmować dalekie kuzynki Heleny, siostry Pyziakowe. Było ich pięć, a jedna głośniejsza od drugiej. Żadna z nich nigdy nie wyszła za mąż.

Hela przyprowadzała do nich Milę rano i odbierała ją wieczorem, już po zamknięciu położonego naprzeciwko Zieleniaka. Siostry Pyziakowe mieszkały w labiryncie. Obydwa pokoje ich mieszkania gęsto pocięte były sznurami, z których zwisały blade płachty prześcieradeł i poszew. Wilgoć aż kręciła w nosie. Pośrodku labiryntu dumnie rozkraczał się chybotliwy stół. Najstarsza z sióstr, Staszka, codziennie wołała do niego Milkę i z namaszczeniem wysuwała umieszczoną pod blatem szufladę. Wyjmowała z niej zawsze jeden cukierek i z uśmiechem kładła go przed dziewczynką. Kiedy ta zabierała się do gwałtownej konsumpcji, Staszka wstawała i znikała w morzu prześcieradeł.

Pozostałe siostry Pyziakowe nie zwracały na Milkę większej uwagi. Wszystkie pochłonięte były pracą, polegającą na praniu i krochmaleniu oraz ukrywaniu tych czynności przed Niemcami. Najmłodsza z sióstr, czterdziestoletnia Dusia, nocami ładowała na plecy sztywny tobół z pościelą i z walącym sercem biegła do oddalonego o trzy kilometry klasztoru, pokonując po drodze zawalony most, po którym w ciemności trzeba było skakać z jednej bryły betonu na drugą. Któregoś razu powiedziała Helenie, że na wypadek, gdyby ją złapali i chcieli jej coś zrobić, zawsze nosi przy sobie granat, który znalazła w trawie.

– Ręka mi nie zadrży – szepnęła, kiedy siedziały przy herbacie. – Jak kilku rozerwę na kawałki, to przynajmniej się w końcu na coś przydam.

Głośności sióstr Pyziakowych dorównywała ich kłótliwość. Stare panny zwykle zaczynały dzień od awantury. Spierały się również w trakcie pracy. Najważniejsze deklaracje, zarzuty i obietnice padały podczas kłótni, wtedy to również siostry przekazywały sobie najistotniejsze plotki i informacje. Wszystkie umarły w tym samym domu przy ulicy Toruńskiej.

* * *

Koń długo przyzwyczajał się do mieszkania w mieście, w końcu jednak dał za wygraną i przestał się załatwiać na podłogę. Codziennie rano Bronek wyprowadzał go na podwórko i opowiadał mu o zaletach życia w mieście. Któregoś razu, wracając do mieszkania, zderzył się w drzwiach ze śniadoskórą dziewczyną.

Miała grube, lekko spierzchnięte usta i wielkie oczy o ciemnych źrenicach. Spod czerwonej chusty zawiązanej na głowie wysuwał się czarny i lśniący warkocz. Koszula o szerokich rękawach wyglądała jak po starszym bracie. Dziewczyna stała bez ruchu i patrzyła na Bronka, jakby znali się od lat.

– Przepraszam – powiedział, kłaniając się lekko.

– Powróżę panu z ręki.

– Nie, dziękuję.

– Nie jest pan ciekawy swojej przyszłości?

– Nie, nie jestem – odparł. – Dziękuję.

– U mnie żadnych *trap te deł*, u mnie żadnego oszukiwania.

– Nie chcę wróżenia, powiedziałem już.

– Przyszłości nie chcesz poznać?

– Nie chcę! – warknął. – W nosie mam przyszłość.

– A to, że dziecku krzywda się stanie, też nie chcesz poznać?

– A niech cię piorun jasny! – powiedział, biorąc Konia na ręce i pospiesznie wymijając Cygankę.

Kiedy wchodził po schodach, usłyszał jeszcze:

– Piekło ci to dziecko pożre i wypluje jak szmatę!

Odwrócił się, żeby ją przepędzić, ale już zniknęła.

* * *

Sześcioletnia Emilia Gelda przestała wreszcie chorować. Wszystkie dolegliwości przeszły jak ręką odjął, choć niektórzy twierdzili, że lata zmagań z własnym organizmem odcisnęły na twarzy dziewczynki ledwie dostrzegalny wyraz rezygnacji i zmęczenia. Jej ulubionym zajęciem było wchodzenie na drzewa – wdrapywała się tak wysoko, jak to było możliwe. Szybko nauczyła się, że z wysokości kilkunastu metrów wyprosić można u rodziców dużo więcej niż z ziemi. Od małego lubiła też tańczyć.

Co kilka tygodni Helena znajdowała czas, aby wyjść wieczorem do sąsiadów na ciuciubabkę i tańce. Zabierała ze sobą Milę, ponieważ Bronek zwykle w tym czasie spacerował w towarzystwie Konia lub zażywał odpoczynku. Kiedy rozlegały się śpiewy, dziewczynka wyskakiwała na środek pomieszczenia i zamykała oczy, a twarz oblewały jej rumieńce. Wirowała z rękoma nad głową, miotała się, gięła i skakała, jakby chciała połamać swoje szczupłe ciało w kilku miejscach naraz. Potem, już w domu, długo nie mogła zasnąć. Wsłuchiwała się w chrapliwy oddech ojca i szeptane monologi modlącej się matki.

Wysoki czynsz zmusił wkrótce Geldów do zamiany mieszkania na mniejsze, ale nawet to nie pozwoliło im spłacić wciąż narastających długów. Bronek niszczył kolejne meble, które następnie znajomy komornik zabierał im i licytował na rynku, a Felek Gelda kupował je natychmiast po zaniżonych cenach i przywoził im z powrotem. Zamalowywali wtedy ze szwagrem rysy na szafach, zbijali porozwalane krzesła i dorabiali nogi do kredensu, a potem znowu przychodził komornik i wszystko zaczynało się od początku.

Pod koniec roku jeden ze stałych klientów Zieleniaka załatwił Bronkowi pracę w Powszechnej Spółdzielni Spożywców. Bronek chciał całować go po rękach. W pracy szybko go polubili. Był sumienny i nigdy się nie wtrącał. Robił, co miał robić, a potem wracał do domu.

Od tamtej pory sklep pozostawał głównie na głowie Heleny, której wydawało się, że klientów jest coraz mniej, a pracy coraz więcej. Nieraz, ugięta pod ciężarem skrzynek z warzywami, czuła, że kręgosłup za chwilę odmówi jej posłuszeństwa. Odkładała je wtedy, prostowała się i zaraz wracała do pracy.

Tymczasem Bronek zaczął podupadać na zdrowiu. Coraz częściej bolało go serce. Kilka razy w miesiącu rzucał się w spazmach na łóżku, krzycząc, że umiera i że przecież na to nie zasłużył. Mila, która nauczyła się ubierać w biegu, pędziła wtedy po lekarza. Jego wizyta kończyła się zazwyczaj zastrzykiem i kilkoma wspólnymi kieliszkami bimbru. Któregoś razu doktor Koguc, wzmocniony pędzonym przez Helenę trunkiem, postawił wreszcie diagnozę:

– To nerwy.

Kiedy stało się jasne, że domownicy oczekują jednak czegoś więcej, podrapał się po łysiejącej głowie i oświadczył:

– Zalecam wyjazd do jakiegoś uzdrowiska. Trochę odpoczynku od sklepu i pracy powinno panu pomóc.

Z braku alternatyw Helena poparła ten pomysł i już niedługo Bronek pojechał autobusem do Inowrocławia. W Radziejowie, gdzie miał przesiadkę, zdradził żonę z rudowłosą kobietą o imieniu Irena.

ROZDZIAŁ TRZECI

Od czasu powrotu z Niemiec rodzice Janka Łabendowicza w coraz mniejszym stopniu przypominali samych siebie sprzed wojny. Sabina, która wcześniej nieustannie martwiła się o wszystko i o wszystkich, teraz wydawała się spokojna i pogodzona z losem. Jakby znała przyszłość albo przynajmniej wiedziała, czego się po niej spodziewać.

Wawrzyniec sprawiał z kolei wrażenie, jakby przyjechał do Polski tylko w części. Na pierwszy rzut oka wyglądał tak samo: postawny, zielonooki blondyn o krzywym nosie i długich ramionach. Ten ulubieniec sąsiadów, który kiedyś zamęczał ludzi wesołymi opowieściami, zmienił się jednak w pobudzonego, wiecznie rozdygotanego raptusa. Przestał się uśmiechać, a kiedy z kimś rozmawiał, uciekał wzrokiem na boki. Dom jakby go parzył. Przez większość czasu pracował w polu, doglądał zwierząt albo naprawiał coś w obejściu. Jeśli zdarzało się, że nie miał już nic do roboty, jechał konno do Kwilna. Mieszkali tam bracia Grabowscy, których poznał podczas pobytu w Niemczech. Byli bliźniakami i żaden z nich dotąd się nie ożenił. Wawrzyniec pomagał im w oprzęcie albo siadał na zmurszałej ławce za oborą w towarzystwie ich schorowanej matki i mówił jej o wszystkim, o czym nie chciał rozmawiać z innymi.

Niewiele rzeczy w życiu sprawiało mu taką przyjemność jak tamte powolne wieczory w Kwilnie, kiedy oparty o chłodną ścianę obory mógł przez chwilę znowu być dawnym sobą.

Janek Łabendowicz uważał, że niewiele rzeczy może się równać z paleniem papierosów – po części zapewne dlatego, że palił po kryjomu. Od kilku lat każdy dzień witał gwałtownym, duszącym kaszlem, co po pewnym czasie zaczęło coraz bardziej drażnić Irenę.

Poprosiła więc, żeby przestał palić, a on, nie wiedząc, jak inaczej na to zareagować, przestał. Wytrzymał jeden dzień. Od tamtej pory, czyli od czterech miesięcy, ukrywał się z paleniem.

Słońce schodziło z nieba, pozostawiając po sobie rdzawą, ciemniejącą plamę nad polami. Na płocie schły garnki. Janek opierał się o ścianę stodoły i obserwował sine, znikające powoli wstążki dymu. W brzuchu burczała mu zjedzona przed chwilą kolacja. Kiedy zaciągał się ostrym, gorzkim dymem, usłyszał po prawej stronie szelest, zbyt głośny jak na kota lub kurę.

Schował papierosa za siebie i czekał. Po chwili z półmroku wyłoniła się postać jego syna. Wiktuś skradał się na ugiętych nogach, wpatrzony w starą i suchą wiśnię, której poskręcane konary od dawna nie rodziły już owoców. Ręce rozłożył szeroko, głowę wciskał w ramiona. Szedł na ugiętych nogach, sunąc pośladkami po trawie. Nagle przystanął, znieruchomiał i rzucił się biegiem z powrotem w kierunku podwórka.

Chwilę później trzasnęły drzwi wejściowe domu.

* * *

Każdego wieczoru stojący za stodołą wiśniowy smok podpalał słońce schodzące powoli z nieba. W rogu podwórka zardzewiały paszczarz zabierał się do gryzienia ziemi stalowymi kłami. Ożywał wiszący w stodole wąż – owijał się wokół krokwi i pożerał biegające w sianie myszy. Na poddaszu domu karły tańczyły ze sobą w milczeniu, szurając maleńkimi stopami. W studni budził się chichoczący skrzat, który za dnia ze znudzeniem powtarzał tylko obce głosy. Po polach biegały czarne potwory bez głowy, ale o setkach palców. Za drzewami ukrywały się chude istoty, których języki szeleściły o suche podniebienia. Milczący i bardzo wysoki starzec dziurawił niebo srebrną szpilką.

Wiktuś lubił noce, tak jak się lubi chodzenie po śliskim dachu albo dosiadanie narowistego konia. Rodzice pozwalali mu wychodzić na chwilę przed dom i wtedy wolno skradał się pomiędzy budynkami, obserwując wszystko, co za dnia czekało tak jak on. Od progu domu do kurnika było nocą dwa razy dalej niż za dnia. Wszędzie było dwa razy dalej. Trawa mocniej pachniała. Wszystko pachniało mocniej.

Najważniejsze, że w nocy znikały kolory. Smok, paszczarz, wąż i wielopalczaste stwory, nawet milczący starzec ze szpilką – wszyscy oni byli bezbarwni.

Któregoś wieczoru pojawiły się zupełnie inne potwory. Przyszły nocą, pijane. Wołały już z daleka. Weszły bez pukania, rozsiadły się przy stole. Niektóre stały. Najstarszy przypominał Paliwodę i podpierał się o kredens. W końcu jeden z nich odchrząknął.

– Gdzie on jest? – zapytał, podczas gdy pozostałe kiwały głowami, jakby w ten sposób chciały dodać mu otuchy. – I tak go znajdziemy, Janek.

– Tylko spróbujcie, chamy, a ślepia wydłubię, przysięgam. – Irena stała przy piecu z pogrzebaczem w jednej i kopyścią w drugiej ręce.

– To jest wąż – wysunął się inny, z wielkim i czerwonym nosem. – A węża trzeba…

– Wąż jest w stodole – powiedział Wiktuś, wychodząc z sieni. – Źre tam myszy. Wisi przy ścianie, tylko go nie wolno dotykać.

Ten, który odezwał się pierwszy, chwycił chłopca pod pachy i wybiegł na podwórko, reszta za nim. Irena dopadła jednego i zdzieli-
ła pogrzebaczem w plecy. Zawył i upadł na trawę, ale zaraz wstał
i strzelił ją w twarz z otwartej dłoni, aż się obróciła. Janek wyskoczył
z domu, krzycząc i wywijając siekierą. Wpadł między sąsiadów, zamachnął się na jednego, nie trafił. Krzycząc, zaatakował znowu, ale
stracił równowagę i złapali go, a jeden powtarzał wciąż cicho:

– Wiesz, że tak trzeba, Janek, wiesz, że przecie tak trzeba.

Zamknęli ich w kurniku, a drzwi podparli widłami.

* * *

Wujek Paliwoda pochylił się nad Wiktusiem i pogłaskał go po krótko ostrzyżonej głowie. Miał ciemną twarz i cały śmierdział wódką.

– Zamknij oczy, synuś – powiedział. – Na chwilę.

Wiktuś zrobił, co mu kazano. Zaciskał powieki, słysząc w oddali
ryk ojca i głuche, rytmiczne uderzenia. Poza tym cisza.

– Dalej – szepnął po chwili ktoś z lewej.

– Masz, weź – powiedział ktoś inny.

Ten pierwszy westchnął głośno, a potem zapadło milczenie. Wiktuś otworzył oczy w chwili, kiedy czarne było tuż przed jego twarzą.

Poczuł rozbłysk na czole i ogień wgryzający się głęboko do głowy. Zanim zatoczył się do tyłu – powoli, jedna noga za drugą – powietrze oblepiło go jak wysychające błoto. Dudnienie ustało, głos
ojca zamienił się w pomruk. Wiktuś poczuł gorący mocz na udzie.
Coś wybuchło mu przed oczami.

Tańczy. Rozmawia z kulą brudu, rzuca kamieniem w niebo, tańczy, prowadzi okaleczonego ojca za rękę po polu i spogląda na
księżyc pożerany przez rozmyte, wiruje z dziewczyną na podwórku, które zna i którego nie zna, tańczy, a potem zsuwa się z niej,

spocony, szczęśliwy, i tańczy, chociaż świat jest już inny niż kiedyś, jest za szybą, za dwiema, pięcioma, dwudziestoma szybami, nie widzi już świata, ale wciąż tańczy, a potem spogląda na zwierzę targane konwulsjami…

Czoło.

Czoło płonie. Wiktuś zatacza się, jedna noga, druga, błoto rzednie i puszcza go, pozwala upaść na ziemię, a ziemia jest miękka i słychać w niej ryk ojca.

* * *

Janek grzmocił całym ciałem w deski, które sam zbijał i o których wiedział, że nie puszczą, ale grzmocił dalej i wrzeszczał, że pozabija, że przysięga, że pozabija.

Ściemniało się, a wiśniowy smok jak co dzień podpalił niebo nad polami. Paszczarz w milczeniu gryzł ziemię i odwrócił wzrok, żeby nie widzieć, co potwory robią z Wiktusiem na polu.

Irena wyła. Kaziu stał na progu i płakał.

– Synek! – krzyczał Jan. – Synek, otwórz, otwórz kurnik, Kaziu!

Kaziu mocował się z widłami, a ojciec błagał go, żeby mocno i żeby szybciej. Kiedy wypadł wreszcie na zewnątrz, zapytał, rozglądając się wokoło:

– Gdzie poszli? Synek, mów, gdzie poszli!

Kaziu cofnął się i pokazał ręką na pole. Janek pobiegł, ale zaraz zawrócił i podniósł z trawy siekierę. Irena biegła za nim. Na polu widać było uciekające potwory. Wzdłuż jednej z redlin czołgał się Wiktuś, a twarz zalewała mu ciemna krew.

Irena uklękła przed nim, ostrożnie obmacała mu głowę i ciało, a potem przytuliła, rozmazując sobie jego krew na policzku.

– Nie bój się. Zszyjemy to, nie bój się.

Jan zaniósł go do domu, tam opłukali mu ranę i nałożyli na nią skrzypu. Irena ostrożnie owinęła chłopcu głowę chustką. – Do wesela się zagoi. – Uśmiechnęła się i spojrzała na Janka, który wciąż ściskał w dłoni siekierę.

Tej nocy nie spał. Siedział przy stole w kuchni i spoglądał na leżącą przed nim Biblię. Nad ranem z oddali nadszedł dźwięk grzmotu. Deszcz lunął niewiele później. Jan stanął w progu i długo patrzył na krople odbijające się wysoko od ubitej ziemi, a potem wszedł do środka i wrzucił Pismo Święte do pieca. Okładka zmarszczyła się i zaczęła kurczyć, a płomień powoli przedzierał się przez księgi i Ewangelie.

Następnego dnia na polach jeszcze długo stały błyszczące kałuże. Do zachodu słońca ani jeden człowiek nie przeszedł obok domu Łabendowiczów.

– Mogę wyjść? – zapytał Wiktuś przed zmrokiem, unosząc głowę w bandażach i patrząc na ojca.

– Razem wyjdziemy.

Okrążyli podwórko, zajrzeli za stodołę i do studni. Wiktuś ruszył w stronę domu.

– Już się napatrzyłeś?

– Ich już tutaj nie ma – odpowiedział chłopiec.

Zamiast smoka stał uschnięty krzak, a w miejscu, gdzie wcześniej paszczarz żarł ziemię, sterczała zardzewiała brona. Wąż stał się liną, jak za dnia. W studni dudniło głupie echo.

Weszli do domu. Wiktuś usiadł przy stole i powiedział:

– Ja chyba umarłem.

Następnego dnia rano Jan poszedł do Paliwody. Starzec stał przed domem i patrzył na drogę, jakby od dwóch dni nie robił nic, tylko na niego czekał. Jan powalił go dopiero trzecim ciosem – Paliwoda

padł na plecy i zrobił się purpurowy. Rzęził, jakby oddychał gwoź-
dziami.

Nie zważając na krzyki Mirki Paliwodowej, która szarpała go za
rękę i próbowała zaciągnąć do domu, Jan rozejrzał się po podwórzu
i podniósł z ziemi osełkę do kosy.

Wrócił do Paliwody. Uklęknął przy nim. Uniósł osełkę nad głowę. Mirka rzuciła się na niego, odepchnął ją. Paliwoda zamknął oczy.

Jan rzucił osełkę w pokrzywy i oparł głowę o pierś sąsiada. Płakał, bijąc rękoma o ziemię. Potem wstał i wrócił do domu. Do końca życia nie zamienił z Paliwodą już ani słowa.

* * *

Kilka dni po wizycie sąsiadów zrobił drugie radio. Przyniósł je do
kuchni i całą rodziną usiedli przy stole. Wysłuchali piosenki, a potem następnej. Ktoś odczytał fragment książki.

– Musiałem coś zrobić nie tak jak trzeba – powiedział Jan i przez
kilka kolejnych wieczorów pracował w stodole nad trzeszczącym
i szumiącym urządzeniem. W końcu zaniósł je na strych. – Nie
umiem – powiedział Irenie, kiedy kładli się spać.

– Damy sobie radę i bez wojny – odparła przez sen.

Zacisnął powieki i szepnął:

– Gdybym miał dowód, że Boga nie ma, tobym kradł.

– Mmm, hmmm…

– Kradłbym, psiajucha. Byle tylko stąd uciec. Ta moja ciotka Salcia, co mieszka w Ameryce, ona podobno ma pieniędzy jak lodu.
Wszędzie by mogła mieszkać… Jakby tak mieć chociaż połowę tego
co ona. Uciekłybyśmy wszyscy, najlepiej gdzieś daleko, a potem zna-
lazłbym *Frau* Eberl i przeprosił, może by mi wtedy dała spokój.

We we wrześniu Jan skosił pszenicę i okazało się, że zbiory są trochę lepsze niż te z zeszłego roku. Z kartoflami było podobnie. Jabłka obrodziły jak nigdy.

Obydwie siostry Jana tego samego roku wyszły za mąż – Aniela za rosłego, rudego chłopaka ze Skibina, a Wanda za zegarmistrza, który mieszkał z matką w Radziejowie i najwyraźniej nie miał nic przeciwko krzywym nosom. Wesela wyprawiono w stodole u Łabendowiczów. Na obydwu Wawrzyniec wychodził co jakiś czas na zewnątrz, żeby wypłakać się za szopą. Patrzył na rozciągnięte wokół pola i wciąż dziwił się, że to wszystko tam jest.

Mieszkańcy Piołunowa coraz częściej wyprawiali się wozami do miasta. Mężczyźni przechodzili czasem obok domu Łabendowiczów, kłaniając się Janowi w milczeniu. Za każdym razem miał ochotę rzucić się im do gardła.

Kolejne lata przynosiły coraz lepsze plony. Irena raz w tygodniu jeździła do miasta na targ i za każdym razem przywoziła świeżą, szeleszczącą gazetę, w której znikała później na długie godziny.

Kaziu poszedł do szkoły. Wiedzę łapał w mig. Kiedy mu się chciało, był najlepszy w klasie, ale zwykle mu się nie chciało. Córka starej Serwatkowej, która dwa lata wcześniej została nauczycielką, powiedziała Janowi, że jego syn to bardzo zdolny leń. Wiktuś stał się małomówny i najchętniej spędzał czas z kotami. Każdego lata wychodziły mu na skórze czerwone bąble, po których zostawały blizny. Obaj pomagali ojcu w budowie obory. Ciągali po ziemi długie deski i wiadra pełne gliny, a potem siadali na trawie, żeby patrzeć na ściany wznoszące się pod niebo. Wkrótce Łabendowiczowie mieli już dwie krowy.

Jan co noc śnił o *Frau* Eberl wołającej do niego z wozu, a co rano kasłał tak, jakby miał całkiem wypluć z siebie płuca. Czasami wychodził półnagi przed dom i chwytał w pięści mokrą od rosy trawę, modląc się, żeby mu przeszło. Któregoś razu, kiedy doszedł wreszcie do siebie, zobaczył przed sobą małą sowę. Patrzyła na niego badawczo, kołysząc się z nogi na nogę. Ciągnęła za sobą uszkodzone skrzydło.

Zaniósł ją do domu i pokazał chłopcom. Irena owinęła jej skrzydło cienkim kawałkiem szmaty, a Kaziu zrobił gniazdo z siana i tak sowa trafiła na strych. Chłopcy wsłuchiwali się wieczorem w dźwięki dochodzące znad stropu i tworzyli związane z nimi, coraz bardziej fantastyczne scenariusze. Rano ścigali się, który pierwszy zajrzy na strych i z podnieceniem powie drugiemu:

– Przeszła na drugi koniec!

– Nie widać jej!

– Idzie!

– Chyba już jej lepiej!

Prawie codziennie chodzili nad staw i łapali żaby, które Irena kroiła potem na kawałki. Nowa lokatorka zjadała je zawsze w samotności.

Podczas trwającej trzy tygodnie rekonwalescencji sowa zabiła u Łabendowiczów łącznie jedenaście myszy, z czego siedem zjadła, a cztery zostawiła na progu. Kiedy w końcu Jan odwinął skrzydło i postawił ją na trawie, zmierzyła go obrażonym spojrzeniem i wzbiła się w powietrze. Chłopcy pobiegli za nią, przekonani, że sowa za chwilę wyląduje, aby w jakiś specjalny sposób podziękować im za opiekę. Po godzinie wrócili do domu. Wiktuś wyglądał na wściekłego, Kaziu miał łzy w oczach.

W ramach pociechy Irena zabrała ich następnego dnia na targ. Pojechali autobusem. Szybko znudzili się chodzeniem wśród warzyw i stało się jasne, że do Radziejowa zwabiła ich nie nagła miłość do zatłoczonych straganów, ale szansa wizyty u cioci Wandy, która zawsze miała w domu kruche ciastka z cukrem. Irena, po tym, jak zostawiła ich uradowanych u szwagierki, ruszyła z powrotem na targ. Szła zamyślona, nieobecna.

Rower, krzyk, uderzenie w ramię.

Irena Łabendowicz oderwała się od ziemi, gubiąc przy tym jeden but. Szum miasta zamienił się w głuchy, rozciągnięty pomruk, a przed oczami wybuchło jej białe słońce.

Leci. Jest zmęczona. Jest zmęczona Jankiem, Kaziem, który nie chce się uczyć, i Wiktorem, którego nie rozumie, ale przede wszystkim jest zmęczona sobą, Ireną Łabendowicz, ale leci dalej, przytula białą głowę syna do piersi i czuje, że jego łzy wypalają jej na ciele ślady, które już nie znikną, leci, podtrzymuje męża, którego trzeba podtrzymywać, i rozmyśla o tym, co się stało wtedy, dawno, teraz, przy dworcu, przy dworcu autobusowym, który odzywa się grzmotem.

Głowa Ireny odbiła się od chodnika, zapłonęła skóra na obtartych nogach.

– Chryste, mam nadzieję, że pani nie umarła – powiedział głos, który usłyszała przed chwilą.

– Ja też mam taką nadzieję – jęknęła.

Pochylał się nad nią mężczyzna, chyba starszy od niej, elegancki, w garniturze i kapeluszu, mężczyzna powolny i jednocześnie roztrzęsiony, taki, którego by się chciało mocno przytulić i przeżyć z nim koniec świata.

Pomógł jej wstać, usiedli na murku.

– Zaraza od razu uciekł, nie zdążyłem go chwycić – oświadczył, wskazując głową pogniecione krzaki.

– Tak, tak… nieważne…

– Czy panią coś boli? Złamań chyba nie ma.

– Nie. Chyba nie…

Przez chwilę milczeli. Mężczyzna wpatrywał się w zdarte kolano Ireny, Irena wpatrywała się w mężczyznę.

– Nie jestem stąd – powiedział, przygładzając włosy. – Czekam tu tylko na przesiadkę. Jadę do uzdrowiska. Mam na imię Bronek.

– Miło mi.

– Mieszkam w Kole, prowadzę tam sklep warzywny. Nazywa się Zieleniak…

– Panie Bronku, niech pan się ze mną przejdzie kawałek… Tu zaraz jest łąka, za cmentarzem. Głowa mnie boli od tego hałasu.

Kiedy znaleźli się za cmentarzem, położyła go na trawie i zsunęła mu spodnie, a on powtarzał, że nie może, że prosi i że nie może, a ona mówiła mu, żeby był cicho. Usiadła na nim i przytknęła mu czoło do czoła, a wtedy poczuł mleczny zapach jej skóry, tak różny od zapachu Heli, która na tę chwilę przestała istnieć, nie było jej na świecie, nie oddychała, nie żyła, była tylko pustka i w tej pustce po Heli on i ta kobieta, która mu się nie przedstawiła i która porusza się nad nim, a potem zagryza koniuszek rudego warkocza, wiotczeje, zsuwa się z niego i wstaje, uśmiechając się ciepło.

– Bardzo się cieszę, że jednak nie umarłam – powiedziała, wygładzając spódnicę. – Ale muszę już iść.

– Tak… – sapnął, próbując pozbierać się jakoś, wepchnąć się z powrotem w ubranie, i wił się tak, obracał, stękał, aż w końcu wstał, zapiął spodnie, przygładził włosy, ale jej już nie było.

* * *

Sowa wróciła po tygodniu.

Usłyszeli ją w nocy, jak huczała gdzieś w mroku. Bardziej przypominało to pisk niż pohukiwanie. Od tamtej pory co jakiś czas na progu domu Łabendowiczowie znajdowali dowody jej sympatii w postaci zabitych myszy, żab, a czasem i małych szczurów.

Sowa okazała się stworzeniem towarzyskim. Kiedy któryś z członków rodziny opuszczał gospodarstwo, pojawiała się nad jego głową i dumnie kołowała na tle nieba. Codziennie rano odprowadzała w ten sposób Kazia do szkoły. Chłopiec bał się, że jeśli inne dzieciaki ją zobaczą, będą chciały mu ją ukraść. Zbliżając się do budynku, próbował odesłać sowę do domu. Najczęściej rzucał w nią kamieniami.

– Durna! Leć do domu!

Czasami warczał na nią, usiłując naśladować jakieś dzikie zwierzę, ale że żadnego dzikiego zwierzęcia w życiu nie widział (wściekły pies spod kościoła nie liczył się, bo milczał), wychodziło mu to niezbyt dobrze. Zbierał więc kamienie i ciskał w niebo. Sowa zawracała wreszcie i machając dostojnie skrzydłami, udawała się w stronę gospodarstwa Łabendowiczów.

Pewnego wieczoru wleciała przez okno i usiadła na stojącym zegarze, który Jan przyniósł na plecach od rodziców. Omiotła wzrokiem izbę i tak już została. Każdego ranka Irena otwierała okna, żeby wywietrzyć pierzyny, a wtedy Durna wylatywała na zewnątrz, żeby zaliczyć kilka szerokich okręgów ponad obejściem, a potem usiąść na słupku od balustrady przy schodach prowadzących na strych. Potrafiła spędzić tam bez ruchu cały dzień, i tylko co jakiś czas wznosiła się w powietrze, po czym koszącym lotem opadała ku ziemi, żeby uderzeniem dzioba zakończyć żywot myszy bądź szczura przemykającego pod osłoną stodoły.

Durna posiadała dwóch śmiertelnych wrogów. Pierwszym z nich była miotła. Za każdym razem, kiedy Irena zaczynała sprzątać, narzędzie jej pracy stawało się ofiarą ataku dzioba. Siedząc na zegarze z miną, jakby cały świat dawno już ją znudził, sowa przez cały czas zachowywała czujność i jeśli chciało się doprowadzić podłogi do porządku, trzeba było najpierw wygonić ją z domu, na co reagowała głośnym piszczeniem.

Drugą rzeczą, jakiej Durna szczerze i z pasją nienawidziła, były rozczochrane czupryny. Jeśli w zasięgu jej bystrego wzroku nieopatrznie pojawił się ktoś, kto nie użył grzebienia i nie przysłonił zaniedbanej fryzury, z nieba spadały na niego kążące szpony. Nienawiść do czupryn sprawiała, że stosunki pomiędzy sową a sąsiadami Łabendowiczów stawały się coraz bardziej napięte. Po pewnym czasie mieszkańcy Piołunowa przyzwyczaili się jednak do nowych wymogów i przed wyjściem z domu doprowadzali włosy do ładu.

* * *

W szkole Kaziu wypracował sobie pozycję pomiędzy ciemiężycielem a ofiarą – nie mógł co prawda liczyć na hersztowanie którejś z kilkuosobowych band, ale przynajmniej nie dostawał na przerwach, jak niektórzy.

W przypadku Wiktusia sytuacja wyglądała inaczej. Kiedy pierwszego dnia pojawił się w szkole, okazało się, że można być kimś gorszym od ofiary. Poniżali go wszyscy – od najtwardszych rozrabiaków po skończone ofermy, które wyładowywały na nim tłumione całymi latami pokłady frustracji. Obrzucano go najbardziej brawurowymi obelgami i największymi krowimi plackami, jakie dało się bezpiecznie ukryć w tornistrze. Czasami ktoś podchodził do niego na przerwie i orał paznokciami zabliźniające się na jego przedramionach oparzenia słoneczne.

Pewnego dnia, wracając do domu po solidnej porcji upokorzenia i ciosów, Wiktuś zszedł w połowie drogi do rowu i rozpłakał się, ostrożnie dotykając poranionej skóry. Upaskudził ziemią biały kołnierzyk mundurka. Oparł nogi o gruby konar i zaczął grzebać w błocie patykiem.

Zastanawiał się, jak długo mógłby tu zostać. Drzewa rozlewały w rowie szerokie plamy cienia, a gęste krzaki chroniły przed wzrokiem ludzi przechodzących drogą. Było ciemno, chłodno i przyjemnie. Może dałoby się tak siedzieć przez całą noc? Albo przez tydzień?

Zgrzyt, szmer. W rurze biegnącej pod drogą coś się poruszyło. Zanim Wiktuś zdążył wstać, zobaczył kulę strzępów i włosów, która rzuciła się na niego, ale upadła prosto do wody. Wybiegł na drogę i stanął nad rowem, obserwując napastnika. Od ciemnego korpusu odłączyły się ręce. W gęstwinie zarostu błysnęły białe oczy.

– Nie rób krzywda – poprosiło stworzenie. – Nie rób krzywda, proszę.

Wiktuś pognał do domu.

* * *

– Ale cię dzisiaj zlali, co? – zagadnął Kaziu, kiedy zapędzali wieczorem kury do kurnika.

– A co, widziałeś?

– Trochę. Ale z daleka. Tak to bym podszedł.

– Ten Bylik najgorszy.

– No.

– Kaziu, a czemu oni mnie tak w kółko leją?

– Nie wiem. Bo są durni.

– No ale czemu mnie?

– Bo ci mówię, że są durni i tyle. Przejdzie im. No dalej, właź! – Zamachnął się nogą na powolną kurę.

– To pewnie przyjemne, co?

– Ale co?

– No tak zlać kogoś.

– Bo ja wiem.

– Ty przecież zlałeś tego jednego, co mówiłeś, tego Andrzeja. To powinieneś wiedzieć.

– No dosyć przyjemne. Trochę.

– Aha.

Zamknęli kurnik i zaczerpnęli wody ze studni. Była zimna, mroziła w gardle i brzuchu. Słońce dało już nura za dach stodoły, Durna czuwała na swoim słupku, a kot, leżący w trawie nieopodal, bił o ziemię rudym ogonem.

– Kaziu, a jakby ci ktoś chciał dać pieniądze za to, żebyś udusił kota, to ile by ci musiał dać, żebyś go udusił?

– Bo ja wiem? A czemu?

– No tak po prostu.

– Nie wiem. Chyba tyle, żebym se mógł kupić rower. I cukierków.

– I wtedy byś udusił?

– No. Ale tych cukierków cała torba by musiała być.

– I byś się nie martwił, że go udusiłeś?

– Nie wiem. Pewno trochę bym się martwił.

– Ale jak żaby zabijamy dla Durnej, to się nie martwimy.

– Bo to są żaby. Żaby są mniejsze. I głupie.

– Ale jakby tak wziąć tak dużo, dużo żab, to one wtedy są takie duże jak kot. A my już zabiliśmy dużo, dużo żab. To tak, jakby kota…

– Ale kot to jest co innego.

– Czyli kota nie można?

– Nie.

– A jakby było można?

– Ale nie można!

– Ale jakby można?

– To co?

– To byś udusił za darmo?

– Ale po co bym miał za darmo kota dusić?

– No żeby poczuć, jak to jest.

– Ale po co?

– Może to fajne?

– Ale ty jesteś głupi!

Od czasu spotkania w rowie Wiktuś codziennie w drodze ze szkoły zsuwał się do ciemnej, chłodnej kryjówki w krzakach i kładł u wylotu cuchnącej rury kawałek chleba ze smalcem, ukrytego w tornistrze specjalnie w tym celu. Po pewnym czasie kulisty stwór zaczął do niego wychodzić. Najpierw tylko patrzył. Później zjadał na jego oczach kawałki chleba, a w końcu zaczął się też odzywać. Mówił, jakby usta miał pełne piachu.

Opowiadał, że kiedyś był potężnym człowiekiem.

– To jak się pan nazywał? Może tata pana znał?

Stwór potrząsnął tylko głową, a strzępy ubrania zafalowały, roztaczając smród.

– Nie mówić nikomu o ja, nie mówić! Tajemnica. Ty i ja, tajemnica!

Wiktuś pokiwał głową. Nigdy wcześniej nie dzielił z nikim tajemnicy. Wrócił do domu przepełniony nieznanym wcześniej uczuciem, które jakby rozpychało go od środka. Było przyjemne. On wiedział, oni nie. Tylko raz spróbował powiedzieć o swoim nowym koledze Kaziowi, ale ten nie chciał go słuchać. Wiktuś nie mógł zrozumieć, jak to jest, że rodzice nie wiedzą o Strzępku. Przecież on wiedział.

Następnego dnia po powrocie ze szkoły powiedział mamie na próbę, że podczas lekcji jeden chłopak się rozpłakał. Mama mruknęła coś tylko i uśmiechnęła się, zajęta cerowaniem spodni. Kilka dni później powiedział ojcu, że pani od muzyki zgubiła okulary. A potem już poszło. Zmyślał coraz częściej, ostrożnie badając granicę oddzielającą nieprawdę od kłamstwa. Nie oszukiwał tylko Strzępka, bo gadanie do niego to było trochę jak gadanie do siebie.

Któregoś razu Strzępek pokazał mu pistolet. Wyciągnął go spomiędzy fałdów ubrania i zaprezentował z uśmiechem. Pistolet miał cienką lufę i spust jak półksiężyc. Powyżej ciąg cyfr: 6795. Na chropowatej rękojeści błyszczał pot z dłoni Strzępka.

— Prawdziwy!? — Wiktuś wyciągnął rękę i cofnął ją natychmiast.

Strzępek kiwnął głową.

— Strzelałeś z niego kiedyś?

— Scelałem.

— A do kogoś?

— Do kogoś.

— A trafiłeś kiedy?

Znowu kiwnięcie.

— I co? Jak to jest?

— Totung yst, szajse… — Strzępek pokręcił głową i odchrząknął. — Zabijanie to jest najcudowsze, nawspaniasze rzecz na świecie. To nie można opisać.

— Zabijanie to jest najcudowniejsza rzecz na świecie — powtórzył Wiktuś bratu, kiedy siedzieli wieczorem przed domem i patrzyli na dwa stare koty wylegujące się na studni.

— A ty to wiesz niby skąd?

— Po prostu wiem.

— I co, może już kogoś zabiłeś?

— Nie. Jeszcze nie… Ale może zabiję.

— Na pewno.

— Nie wierzysz?

Nie wierzył, więc się założyli. Jeśli Kaziu pójdzie w środku nocy pod chatę Dojki i będzie walił w maleńkie okno tak długo, aż starą wariatkę zbudzi, to Wiktuś gołymi rękami udusi jednego z dwóch rudych kotów, którym i tak pewnie niewiele życia już zostało.

Następnej nocy wymknęli się z domu przez okno, a Durna razem z nimi. Szli przez czarną wieś, słuchając swoich kroków i oddechów. Daleko przed nimi znajdowały się przegniłe resztki pomnika o kształcie bażanta, do którego przylepiła swoją chatę szalona stara Dojka. Kiedy wreszcie zarys strzechy wyłonił się z ciemności, Wiktuś zatrzymał się i powiedział:

– Idź dalej sam. Ja będę stąd patrzał.

Brat przystanął obok niego i bez słowa wpatrywał się w ledwie widoczną chałupę. Wreszcie poszedł, a Durna krążyła, niewidzialna, gdzieś nad jego głową. Dopiero kiedy znalazł się bardzo blisko celu, zobaczył, że za brudnym, tłustym oknem buja się płomyk świecy.

Krew huczała mu w skroniach. Serce rozpychało się w piersi. Kaziu rozejrzał się wokół siebie. Gałęzie, pokrzywy, kamienie i jakiś pieniek – wszystko utopione w czerni. Obrócił się i popatrzył w kierunku, gdzie czekał na niego brat. Sama czerń. Stanął na pieńku, zachwiał się i podparł o ścianę. Słyszał, jak serce dudni mu w ciemności.

Wnętrze chaty pływało w świetle pojedynczej świecy. Zamrugał kilka razy. W niewielkim pomieszczeniu widać było tylko gliniany piec, stertę szmat w rogu i masywny stół zawalony miskami.

Proboszcz Kurzawa, którego chłopcy pamiętali z mszy, kiedy wzywał z ambony do odparcia ataków bestii nieludzkich o duszach bezbarwnych, przyciskał tłustą Dojkę do stołu i grzmocił okazałym brzuchem o jej blade, pomarszczone pośladki. Jedną ręką gniótł pierś z brązową brodawką, a drugą przytrzymywał przy szyi Dojki mały błyszczący nożyk.

Zdobysław Kurzawa, który dekadę wcześniej jadł ze smakiem szynkę ze świni Janka Łabendowicza, podczas gdy ówczesny proboszcz stał w rowie, czekając, aż kula wryje mu się w czaszkę i wyjdzie po przeciwnej stronie, zabierając ze sobą pół twarzy, pracował teraz biodrami, jakby odmłodniał nagle o połowę, i krzyczał Dojce w ucho swoim piskliwym głosem:

– Lubi, co? Podoba jej się! A mówiłem… W taką noc nikt nie powinien siedzieć w chałupie samemu, a już na pewno nie dojrzała, bezbronna kobieta!

Dojka wybuchła histerycznym śmiechem, ale zaraz urwała, sięgając do tyłu i przyciskając do siebie proboszcza za włochate uda. Kiedy odwróciła się do niego, jej wzrok padł na okno, a spocona twarz skrzywiła się w bezzębnym uśmiechu.

Kaziu zeskoczył z pnia i pędem rzucił się w stronę brata. Zbite z desek drzwi otworzyły się ze zgrzytem, a brzuchata sylwetka uniosła w dłoni świecę.

– … jakiś mały gnojek… – dotarło do uszu Kazia, który rył stopami głęboko w redlinach.

Kiedy dobiegł do Wiktusia, ten z nerwów aż podskakiwał w miejscu.

– I co? – zapytał. – I co?

– Psiakrew… – sapał Kaziu, opierając dłonie na kolanach.

– I co?!

– Chodźmy do domu. Zanim się ojciec spostrzeże.

– Ale opowiedz.

– Widziałeś przecież.

– Widziałem tylko, jak drzwi rozwarła. A wcześniej? Gadała coś? Widziałeś z bliska?

– Coś marudziła pod nosem. Ciemno było. Strasznie brzydka i stara. Dobra, jutro twoja kolej.

Następnego wieczoru Wiktuś wziął na ręce jednego z dwóch rudych kotów – przez chwilę zastanawiał się, czy któryś jest bardziej nieruchawy, a jeśli tak, to który – i skrępował mu przednie oraz tylne łapy sznurkiem do wiązania snopków. Zaniósł go za stodołę, pod drzewo, które kiedyś było smokiem, i położył wśród chwastów. Kot nie zwracał uwagi na to, że nie może się poruszać, zresztą przez całe życie zwracał uwagę na bardzo niewiele. Rozejrzał się tylko wokół wzrokiem pełnym pobłażania, a potem zamknął oczy.

Wiktuś przycisnął go ostrożnie kolanem do ziemi, tak żeby unieruchomić mu wszystkie łapy. Delikatnie uniósł łebek, wsuwając pod spód lewą dłoń. Prawą zrobił to samo. Pod palcami czuł szorstkie źdźbła trawy, a wnętrze dłoni wypełniało miękkie, ciepłe futro. Zacisnął kciuki na szyi. Mocniej. Kot otworzył oczy. Jeszcze mocniej.

W nieruchawym zwierzęciu coś się obudziło. Jęk, który zdążył wydobyć się z jego gardła, był bardziej jak krzyk. Wiktuś przestraszył się tego dźwięku i jeszcze mocniej zacisnął dłonie na drżącym, wierzgającym życiu.

To życie stało się nagle tak silne, że Wiktuś poczuł, jakby miał pod sobą nie kota, ale byka. Łeb rwał się na wszystkie strony, kłapiąc zębami dłuższymi niż zwykle, a skrępowane łapy wysunęły się spod kolana Wiktusia i drapały go po udach, jakby chciały rozedrzeć na strzępy.

Chłopiec podniósł głowę i zamknął oczy. Nie przestawał dusić. Czuł, jak powoli miękkie ciało zaczyna słabnąć mu w dłoniach.

– Chryste, Wiktor!

Dusić, dusić, dusić.

– Wiktor! – głos ojca dotarł do niego dopiero po chwili.

Odwrócił się i w tym momencie silna dłoń szarpnęła go, stawiając na nogi.

Kot jęknął przeciągle, zatopił zęby w łydce oprawcy i z prędkością, o jaką ten nigdy by go nie podejrzewał, rzucił się w stronę krzaków przy polu. Przy pierwszym susie wywrócił się i poturlał w trawę. Jan wyjął z kieszeni scyzoryk i przeciął sznurek pętający kotu łapy, a zwierzak wystrzelił za stodołę. Wiktuś przyglądał się temu wszystkiemu bez słowa.

Ojciec powoli złożył scyzoryk i schował go do kieszeni, a potem chwycił Wiktusia za rękę i potężnym szarpnięciem pociągnął go do siebie.

– Co ty chciałeś zrobić?!

– Nic.

– Nic? Duszenie kota to jest nic? Odpowiadaj! Psiakrew, nogi żeś mu związał! Co z tobą jest?

– Nie wiem – Wiktuś klapnął tyłkiem na ziemię, a łzy poleciały mu po policzkach.

Ojciec usiadł obok niego. Oddychał ciężko, chrapliwie.

– Nie wolno robić takich rzeczy – powiedział wreszcie. – Chryste, Wiktor.

– A tata nigdy nic nie udusił?

– Udusiłem. Świnie. Opowiadałem ci. Jedna omal mnie nie zabiła.

– I co?

– Jak to co?

– Jak się tata czuł?

– Jak się czułem!?

– Bo Strzępek mówił, że to jest najlepsza rzecz na świecie.

– Co takiego?

– Mówił, że zabijanie... Mówił, że zabijanie jest najcudowniejsze.

– Kto to jest Strzępek?

– Kolega.

– Chryste, Wiktuś. Zabijanie? Najcudowniejsze? Ten kolega to jakiś wariat, jak Boga kocham.

Jan wyjął z kieszeni papierosa i długo obracał go w palcach. Wreszcie wsunął do ust i podpalił.

– Ja nie powiem mamie o tym, co chciałeś zrobić, a ty nie powiesz o tym – mruknął na wdechu. – Zgoda?

Wiktuś kiwnął głową.

– Myślałem, że jak go uduszę, to może coś poczuję.

– Co poczujesz?

– No coś. Coś.

– Nie gadaj głupot.

Siedzieli w milczeniu, a niebo nad nimi czerniało od wschodu. Wiktuś czuł w nogach coraz silniejsze pieczenie. Czerwone bruzdy puchły i krwawiły. Próbował zagrać na źdźble trawy, ale mu nie szło. W końcu, kiedy zrobiło się na tyle ciemno, że z trudem widział twarz ojca, powiedział cicho:

– Tata, czemu ja nie jestem taki jak inne chłopaki i jak Kaziu?

Ojciec zdusił resztkę papierosa i oddychał głęboko, kiwając czarnym zarysem głowy.

– Wiesz, jak oni się ze mnie śmieją?

Cisza.

– Mówią na mnie Faflok. Albo Zafajdaniec. Ci z bandy z Kwilna kopią mnie po nogach.

– Synek…

– Nie bujam. Mam siniaki.

– Posłuchaj, Wiktuś. Ty jesteś… Ty jesteś…

– Mówią, że jestem cudak i diabeł.

– Nie powtarzaj takich rzeczy. Nie wolno tak mówić. – Kontur ojca wstał, westchnął raz i drugi, usiadł znowu, odchrząknął.

– Niektórzy ludzie mają od samego początku ciężkie życie, ale ty taki nie jesteś. Jak byłem, proszę ja ciebie, w więzieniu, bo wiesz, że byłem w więzieniu, tak, no więc jak byłem w więzieniu, to tam spotkałem takiego człowieka, nazywał się Krzaklewski i był fryzjerem. Żeśmy siedzieli w jednej celi i ten Krzaklewski chwalił się swoim chłopakiem i opowiadał, jaki to on zdolny, a potem przyznał, że to wszystko bujdy i że jego chłopak jest bardzo chory. Jakieś dwa miesiące temu, jak byłem z mamą w mieście, to widziałem tego Krzaklewskiego na ulicy. Szedł ze swoim synem, nie widział mnie. Ten chłopiec ledwie powłóczył nogami. Cały powykręcany, ręce jak połamane, głowa przekrzywiona. I tak ciągnął go ten pan Krzaklewski, tak go ciągnął, a ja sobie myślałem, jakie to szczęście, że ja mam ciebie i Kazia. Słyszysz? Wy jesteście zdrowe chłopaki, ty jesteś zdrowy, mądry, cały udany.

Cisza.

– Chodź do domu – niewidzialny ojciec podniósł się z ziemi i otrzepał spodnie. – I pamiętaj, ani słowa mamie o tym, co tutaj…

– Ani słowa!

Kiedy wchodzili do środka, Jan zatrzymał jeszcze syna i szepnął mu na ucho:

– A jak pójdziesz w poniedziałek do szkoły, powiedz temu Strzępkowi, że jest zwykły dureń.

* * *

Kaziu śmiertelnie się obraził. Za każdym razem, kiedy widział, jak obydwa koty przechadzają się wolno i majestatycznie podwórku, czuł straszliwe upokorzenie. Miał wrażenie, że te ospałe kule sierści po cichu szydzą z niego, że na darmo narażał życie, podglądając Dojkę.

Nie odzywał się do brata i omijał go łukiem. Czasami parskał tylko pogardliwie na jego widok i mruczał niby do siebie:

– Flaki z olejem…

Wiktuś coraz częściej rozmawiał więc ze Strzępkiem. Chodził do niego w każdej wolnej chwili i z ulgą zsuwał się do rowu, w ten ciemny, chłodny świat bez bicia, spojrzeń ojca i milczącego brata. Strzępek zresztą mówił niewiele. Przeważnie tylko słuchał.

Wiktuś opowiadał mu o mamie, która nie odzywa się całymi dniami, i o ojcu, któremu co noc śni się *Frau* Eberl, i że ojciec opowiada, jakby to chciał mieć dużo pieniędzy, boby wtedy pojechał do Niemiec i odszukał ją, albo przynajmniej jej grób, i przeprosił ją, albo ten jej grób, za to, co zrobił. Opowiadał Strzępkowi o tym, że matka czyta w każdej wolnej chwili i że niby jest, a niby jej nie ma, a także o tym, że Kaziu nie musi zbierać w szkole lania i za każdym razem, kiedy ktoś zaczepia Wiktusia na przerwie – czyli bardzo często – odwraca się, akurat z kimś rozmawia, śmieje się albo po prostu go nie ma, i o tym, jak przestał się do Wiktusia odzywać, a to przecież ojciec mu przeszkodził.

Opowiadał o wszystkim.

O kocie, którego prawie udusił, o Durnej, która srała na gazety ułożone obok zegara, o dziadku i babci, których odwiedzał coraz rzadziej, bo ojciec się z nimi o coś pokłócił, a nawet o ciotce z Ameryki, która podobno była bogata. Z czasem zaczął zagłębiać się w cudze, zasłyszane historie. Mówił o *Frau* Eberl, o jej córkach, o złym Niemcu, który raz przez pomyłkę zasalutował tacie i o świni, która nie chciała zdechnąć, ale w końcu zdechła i było z niej mięso na ślub.

Strzępek w zamyśleniu kiwał zarośniętą głową i czasem pomrukiwał coś po swojemu. Potem żegnali się, podawali sobie rękę jak dorośli mężczyźni i to podobało się Wiktusiowi najbardziej. Gramolił się wtedy z rowu na drogę, otrzepywał i ruszał w stronę domu. Nie widział kuli wyłaniającej się za nim z zarośli i przemykającej pod osłoną nocy.

Za pierwszym razem Strzępek trochę błądził, ale potem znał już trasę na pamięć. Chodził polami, jak najdalej od drogi. Kiedy

Wiktuś znikał w domu, opierał się o drzewo i oglądał gospodarstwo, nerwowo żując wargi. Pewnej lipcowej nocy odczekał, aż w domu Łabendowiczów zgaśnie światło, a potem wszedł do obory i z całej siły rzucił kamieniem w stojącą najbliżej krowę. Dostała w łeb. Ryknęła głośno, raz i drugi. Strzępek ukrył się za drzwiami.

Nie czekał długo. Drzwi domu zamknęły się z cichym jękiem. Szybkie kroki.

– No co? – zapytał Jan Łabendowicz, stając w drzwiach obory ze świecą. Obejrzał z bliska każdą z krów i wyszedł przed budynek. Strzępek stał niecały metr od niego. Wstrzymywał oddech. Słyszał sapanie mężczyzny, kiedy ten kładł zgaszoną świecę na ziemi i wyciągał coś z kieszeni spodni. Po chwili w powietrze uniósł się zapach dymu z papierosa.

Westchnięcie.

Strzępek wyszedł zza drzwi.

Pistolet trzymał za lufę. Dłoń cała już spocona. Mężczyzna zaciągnął się i odchylił lekko głowę do tyłu. Strzępek zagryzł wargę, wciąż na bezdechu. Zamachnął się. Uderzył mocno, aż stęknął. Usłyszał uderzenie metalu o czaszkę, a potem głuchy odgłos ciała upadającego na ziemię.

Papieros wypadł Janowi z ust i zgasł w kałuży gęstej krwi.

ROZDZIAŁ CZWARTY

Przez otwarte okno wpadał do środka uliczny pył i kwaśny smród rynsztoków. Sąsiadka z góry niestrudzenie katowała skrzypce – nawet Koń, leżący przy piecu z łbem opartym na wyciągniętych łapach, wyglądał na zirytowanego i zniesmaczonego tą poranną kakofonią.

Bronek Gelda siedział na łóżku i uporczywie wsłuchiwał się w swoje myśli.

Pył, smród i jazgot, Broneczku, tak to właśnie wygląda. I już tak zostanie. Będziesz tak żył. Będziesz tak żył tutaj, z dala od rudowłosej kobiety, z dala od tego co prawdziwe, będziesz tu mieszkał i starzał się, i zsuwał powoli do grobu, a przecież wiesz, że to wszystko nie tak, że to nie tu, nie z tymi ludźmi, że to wszystko inaczej, Broneczku. Patrzysz na tę pierzynę zgniecioną w nocnej kotłowaninie, pierzynę jak wykręcona szmata, i masz ochotę wyjrzeć przez okno i płakać tak głośno, żeby cię usłyszało całe miasto, i żeby całe miasto się od ciebie odczepiło, bo nie chcesz tu żyć, chcesz żyć tam, ale przecież nie możesz.

Z uzdrowiska wrócił schorowany jeszcze bardziej niż przed wyjazdem. Blady, wyschnięty, worki pod oczami. Poruszał się wolno i mówił niewiele. Najchętniej przez cały czas leżałby w łóżku albo bawił się z Milą. Doktor Koguc bezradnie rozkładał ręce.

– Nic na to nie poradzę – mówił, ocierając spoconą łysinę. – Zażywać słońca, chodzić. Dużo spacerować.

Ani Koguc, ani Hela, ani nikt inny nie wiedział, że choroba, na którą zapadł Bronek, mieszkała sześćdziesiąt kilometrów od Koła i pachniała mlekiem jak szczeniak.

I jeszcze te długi. Po przyjeździe słyszał tylko o nich. Mamy długi, Bronku, wielkie długi, na opłaty nie starcza, na mieszkanie nie starcza, trzeba się wynieść z powrotem na wieś. Hela tyrała w sklepie jak wół, ale przecież co innego miała do roboty? Nie szarpały nią te śliskie, czarne uczucia, które Bronkowi odbierały sen, radość i powietrze. Jej jedynym zmartwieniem – oprócz długów oczywiście, bo długi, długi, długi! – było to, że chorowała na gardło i miewała bóle zębów. Bronek chętnie by się z nią zamienił.

Koń podniósł się z legowiska i rozkołysanym krokiem przemierzył pokój. Wystawił z pyska szorstki język i zaczął szorować nim bosą piętę Bronka. Szurrr, szurrr, szurrr.

– Koń, daj mi spo…

Pół słowa zginęło w huku, który wdarł się nagle do mieszkania. Podłoga zadrżała pod stopami Bronka, a powietrze zostało mu w płucach. Szyby dzwoniły.

Przez moment panowała cisza, jakby wszystko nagle się skończyło. Zniknął szorstki język Konia, smród z rynsztoków, ruch na ulicy Toruńskiej i całe miasto, a wraz z nim także Bronek. Przez ten ułamek chwili Bronisław Gelda nie istniał i było mu z tym wspaniale. Zaraz jednak zębate koła świata zakręciły się znowu i wszystko ruszyło: brzdęk wypadających szyb, klakson samochodu, warczenie Konia, któremu podniosła się sierść na grzbiecie, i krzyki. Ktoś wrzeszczał z bólu.

Bronek podszedł do okna. Kamienica po przeciwnej stronie ulicy wyglądała, jakby olbrzym o sczerniałych zębach odgryzł jej narożnik. Płomienie pełzały po dachu. Krzyki. Najgłośniej wrzeszczała kobieta, której głowę widać było w oknie mieszkania na pierwszym piętrze. Bronek rozpoznał Staszkę Pyziakową. Krzyczała, a czarny dym owiewał jej głowę.

Bronek wybiegł na schody i dopiero wtedy zrozumiał, że w mieszkaniu sióstr Pyziakowych była też jego córka. Czerń oblała mu oczy, ściany zatańczyły. Pierwszy stopień schodów uderzył go w szczękę, drugiego już nie poczuł.

* * *

Łysiejący pan Zygmunt dawno już przestał udawać, że do Zieleniaka przychodzi wyłącznie po warzywa. Tym razem, wystrojony i ufryzowany jak zawsze – mimo ostrożnych sugestii znajomych najwyraźniej nie dostrzegał, że zaczeska mu nie służy – poprosił o kalafior i cztery pomidory, a następnie rozjaśnił twarz uśmiechem. Kiedy Helena położyła towar na ladzie, łysiejący pan Zygmunt przeszedł do aktu drugiego swoich codziennych zakupów, mianowicie do obowiązkowego komplementu.

– Pani Helena jak zwykle rumiana – zauważył, lekko przechylając głowę, jakby chciał zobaczyć, jak prezentuje się owa rumianość pod kątem.

Helena uśmiechnęła się uprzejmie, a widząc, że pan Zygmunt szykuje się do aktu trzeciego – czyli muśnięcia jej dłoni podczas regulowania płatności – odparła:

– I jak zwykle zamężna.

Pan Zygmunt nie stracił rezonu, ukłonił się tylko i z uśmiechem schodzącym wolno z twarzy rzucił jeszcze:

– I jak zawsze tak uroczo zgryź…

Przerwał mu grzmot, a podmuch gorącego powietrza wyrwał z dłoni banknot i podniósł na sztorc zaczeskę. Pan Zygmunt odwrócił się i spojrzał na rozprutą ścianę budynku.

Hela w tym czasie już biegła.

O mój Boże przenajświętszy, Mila, Emilko, kochanie, już biegnę, Mileczko, skarbie, już biegnę, mama biegnie, czekaj, o Maryjo, o Chryste, o Boże, Mileczko. Świat zamazywał się wokół niej, widziała tylko wejście do kamienicy, potem schody i wyrwane z zawiasów drzwi do mieszkania sióstr Pyziakowych. Rozpościerał się przed nią labirynt płonących prześcieradeł. Niektóre leżały na ziemi, inne trzymały się jeszcze na poczerniałych sznurach. Hela wbiegła w głąb mieszkania, za nią jacyś mężczyźni, trzech lub czterech, jeden chwycił ją w pasie i odciągnął z powrotem na korytarz.

Wyła.

Dusząca czerń wpełzała jej do nosa i gardła. Spróbowała wyrwać się mężczyźnie, i wtedy zobaczyła, jak jakiś dryblas w brudnej marynarce niesie na rękach jej Milę. Zeszli na dół, położyli ją na trawie. Ktoś pobiegł po lekarza.

Jej córka leżała z zamkniętymi oczami. Skórę pokrywały krwiste bąble. W niektórych miejscach sukienka przylepiała się do czerwonego mięsa.

Biło od niej ciepło i smród palonego ciała.

* * *

Mówili, że Pyziakowe rozsmarowało po ścianach jak konfitury.
Mówili, że to kara za życie w ciągłym grzechu i za brak potomstwa.

Mówili, że Emilka Gelda przeżyła tylko dlatego, że schylała się akurat po cukierka, którego dostała od Staszki i który wypadł jej z dłoni.

Mówili, że trzeba będzie specjalnie wzmacniać naruszone ściany kamienicy.

Mówili, że takie rzeczy nie zdarzają się bez powodu.

Mówili, że Emilka nigdy nie rozbierze się przed mężczyzną.

Staszka, która podczas wybuchu straciła cztery siostry i dwa palce u lewej ręki, twierdziła, że ona i „dziewczyny" bardzo uważały na niemiecki granat, który Dusia znalazła kiedyś w trawie. Zgodnie z jej relacją przechowywały go w zawsze zamykanej na klucz szafce. Najwidoczniej zardzewiał, choć specjaliści od broni – których liczba nagle gwałtownie się w Kole zwiększyła – mieli na to kilkanaście różnych wyjaśnień. Staszka wolała jednak myśleć, że to szatan pociągnął za zawleczkę, bo możliwość, że cztery jej siostry zabiła rdza, wydawała jej się zbyt przerażająca.

Z trzytygodniowego pobytu w szpitalu Mila zapamiętała tylko ból. Towarzyszył jej przez cały czas. Budził ją rano i kołysał do snu długo po zachodzie słońca. Czasami nasilał się z minuty na minutę. Czasami pulsował. Rozrywał jej skórę twardymi paznokciami, a potem zlepiał i rozrywał na nowo.

Kiedy wróciła do domu, Helena zamknęła sklep na dwa dni. Oboje z Bronkiem prześcigali się w próbach udowodnienia córce, że wszystko jest jak dawniej. Patrzyli tylko na jej twarz, na to jedno z niewielu miejsc, których nie zmarszczył wybuch.

Drugiego dnia wieczorem Bronek czytał jej bajkę, ślizgając się po słowach, których nie rozumiał. Lis, wrona, kogo to, do ciężkiej cholery, obchodzi? Głaskał Milę po głowie i szeptem życzył jej dobrej nocy. Kiedy zasnęła, pocałował ją w czoło i zatrzymał wzrok na wystającym spod kołdry przedramieniu. Jego córka wyglądała, jakby ktoś nadział ją na ruszt i długo opiekał nad ogniskiem. Wtedy też usłyszał w głowie słowa kolorowej Cyganki, z którą jakiś czas wcześniej zderzył się w drzwiach kamienicy.

„Piekło ci to dziecko pożre i wypluje jak szmatę".

* * *

75

Stał na polanie i zastanawiał się, czy powinien przychodzić w takie miejsce sam. Spoglądał na kolorowy kryty wóz i trzy namioty z białego płótna. Na sznurach schło pranie, niedaleko pasły się dwie wychudzone szkapy.

— A jednak ćhuvełfody? — odezwał się głos gdzieś za nim.

Odwrócił się. Kolorowa dziewczyna szła w jego stronę, wysoko unosząc brwi. Wiklinowy koszyk wypełniały maślaki.

— Czekałam na ciebie.

— Akurat.

— Czego potrzebujesz?

— Powiedziałaś mi kiedyś, że córkę mi pożre piekło.

— Nie pamiętam, komu co gadam. Może i powiedziałam.

— To teraz mów, skąd wiedziałaś. Mów, co będzie dalej.

— Nie powiem.

— Skuję ci mordę, przysięgam.

— Ja ino z ręki patrzę, ale jak chcesz wszystko wiedzieć, to chodź do mojego brata.

— Do brata, tak?

— On widzi najlepiej.

W namiocie, do którego go zabrała, śmierdziało stęchlizną i spalonym boczkiem. Na stoliku leżały skorupy jaj, kości i oblepione włosiem krzyże z wosku. Bronek patrzył na coś, co przypominało lalkę. Głowa z pozszywanych kurzych oczu. Rogi z pazurków. Korpus z ludzkich włosów. Lalka wisiała na oparciu jednego z dwóch wysokich krzeseł przy ścianie. Na drugim siedział chłopak o gładkiej twarzy i chudych ramionach. Miał na sobie rozpiętą koszulę i spodnie wiązane u nogawek. Unosił brwi tak samo jak siostra.

— To pan, tak? — zapytał Bronek, wycierając spocone ręce o spodnie.

Chłopak skinął głową i wskazał taboret.

– Pan wie, co będzie z moją córką? Tak?

Kolejne skinięcie.

– Bo ja nie będę się nabierał na te wasze sztuczki.

Chłopak ponownie wskazał taboret.

– Co to ma być? – Bronek odwrócił się do dziewczyny.

– Co takiego? – zapytała.

– No z nim.

– On nie mówi.

– Jak to: nie mówi? To jak ma wróżyć?

– Jakbyś pan patrzał na tyle paskudnych rzeczy co on, też byś język w gębie stracił. Ja gadam za niego.

– Wy i te wasze sztuczki, psia was mać! Mam w to uwierzyć?

– Perhan wszystko widzi. Ja gadam.

Bronek patrzył to na nią, to na milczącego chłopaka. Podniósł włochaty krzyż, obrócił go w palcach i rzucił z powrotem na stolik.

– Niech wam będzie – powiedział wreszcie i usiadł.

Chłopak rozłożył karty, siostra przyniosła mu ołówek i szary strzęp papieru. Stanęła za jego plecami i położyła mu ręce na głowie.

– Do jasnej cholery… – westchnął Bronek.

Chłopak naskrobał coś na kartce.

– Perhan pyta, co pan chcesz wiedzieć.

– Mówiłem przecież. Czy moja córka przeżyje. Czy dożyje starości.

– Perhan gada, że tak. Dożyje.

– A czy blizny…

– Nie – przerwała mu. – Blizny będą zawsze.

Bronek patrzył na nią długo, a potem zapytał:

– Niech Perhan powie, jak ma na imię moja żona.

Dziewczyna pochyliła się nad kartką i odczytała powoli:

– Irena.

– A niech was, oszusty sakramenckie, krew zaleje! – krzyknął Bronek, celując w nią palcem, a potem wstał i ruszył w stronę wyjścia z namiotu. – Kurwa jego mać!

Perhan naskrobał coś szybko.

– Perhan gada, że szło mu o pana ukochaną – oznajmiła dziewczyna. – Pana ukochana ma Irena.

Bronek odwrócił się i podszedł z powrotem do taboretu.

– Jak mi nie powie, jak ma na imię moja żona, to ci obiecuję, że tu wrócę i tam wam…

Chłopak podniósł kawałek papieru, na którym widniała koślawa litera H.

Bronek usiadł powoli, jeszcze wolniej odetchnął. Czuł, jak kropla potu mknie mu wzdłuż kręgosłupa. Dziewczyna znowu uniosła brwi, a jej brat wyglądał jak człowiek właśnie wyciągnięty z jeziora. Blady, roztrzęsiony. Ledwie ściskał w dłoni ołówek.

– Niech mi powie jeszcze jedno. – Bronek odchrząknął głośno i schował ręce do kieszeni. – Czy Milka spotka w życiu jakiegoś mężczyznę?

Szept dziewczyny, chrobot ołówka o papier.

– Perhan gada, że tak.

– Czy on ją będzie kochał?

Chwila zawahania, jakieś mruczenie pod nosem. W końcu dziewczyna oznajmiła:

– Perhan gada, że to zależy.

– Od czego?

– Od tego, czy pan będziesz chciał coś dla córki poświęcić.

– Oczywiście, że tak. Co bym miał poświęcić?

Chłopak coraz niżej garbił się nad stolikiem.

– Perhan gada, że musisz pan oddać za to swoje oczy.

– Czyście tu naprawdę poszaleli?! Jakie oczy? Za co te oczy?

– Jeszcze nie tera. W swoim czasie. Stracisz pan oczy, jedno szybko, drugie już pod koniec, a córka za to się zakocha. I on ją tyż będzie kochał.

Bronek otrzepał spodnie, jakby chciał wstać, ale nie wstał.

– A jak się nie zgodzę?

– Nic pan nie stracisz.

– Ale Mila nie będzie…

– Nie będzie.

Tymczasem Perhan wydawał coraz głośniejsze odgłosy. Odwrócił jeszcze dwie karty i pokiwał głową. Z czubka nosa kapał mu pot.

– Co mu jest? – zapytał Bronek.

Chłopak otworzył usta i jęknął. Siostra pochyliła się nad nim i długo szeptała mu do ucha, aż w końcu pokazał jej coś palcem.

– Perhan gada, że ten, co się w nim zakocha pana córka… że to będzie dobry, ale straszny człowiek.

Chłopak zgiął się nagle i zwymiotował pod stolik. Oddychał głęboko, w końcu otarł usta i podniósł wzrok na siostrę. Pokazał coś palcem.

– Co to znaczy: straszny? – Bronek domagał się wyjaśnień. – Niech powie coś więcej.

Młody Cygan spojrzał mu w oczy, ale zaraz odwrócił wzrok i splunął na ziemię. Dziewczyna powiedziała:

– Perhan gada, że różnie go będą nazywać.

* * *

Codziennie rano budził się w panice i sprawdzał, czy widzi. Zamykał jedno oko, potem drugie, a potem znowu to pierwsze, i tak w kółko. Od wizyty u Cyganów minęły dwa tygodnie. Z początku żałował, że się zgodził na te głupstwa – mógł wyjść, kiedy zaczęły się wymioty, mógł nie dać im tych paru złotych, które im jednak dał, mógł też w końcu powiedzieć, że się nie zgadza na jakieś głupie warunki jakiejś głupiej umowy, ale przecież się zgodził.

Przez pierwsze dwa miesiące po wyjściu ze szpitala Milka próbowała znaleźć wytłumaczenie na to, co się stało; znała, że jeśli coś się wydarzyło, to ktoś musiał za to odpowiadać. Odpowiedzialnością za ból i pomarszczoną skórę obarczyła rodziców. Nic nie było w stanie przekonać jej, że to nie tata i mama stworzyli kulę ognia, która chciała ją pożreć. Dopiero kiedy Staszka po raz pierwszy wpadła przy niej we wściekłość i zaczęła krzyczeć, że ma przestać narzekać, bo ona swoich sióstr nie miała nawet jak włożyć do trumien, Milka wreszcie trochę złagodniała.

Długi nie topniały. Zieleniak prosperował coraz gorzej, a na żadną nową wojnę się nie zanosiło. Geldowie ugięli się wreszcie pod ciężarem opłat i przeprowadzili z powrotem na wieś, do domu, którego przez wszystkie te lata nikt nie chciał kupić. Ze zmiany cieszył się wyłącznie Koń. Znowu mógł szabrować stodołę. Bronek często nie zamykał jej, bo miał to w dupie, tak jak w dupie miał całą tę zakichaną wiochę. Kiedy w drodze z Koła mijał znak „Lubiny”, przypominał sobie dawne powroty ze szkoły. Liczył wtedy domy i drzewa, marząc o innym świecie, a kiedy wreszcie go poznał, przyszło mu tutaj wrócić.

Jesienią szefostwo PSS-u wysłało go do Poznania na kurs dla rzeczoznawców. Kilka dni później wrócił do domu z pieczątką. Milka nie mogła się jej nadziwić. Wszędzie, gdzie się dało, odbijała napis: „Rzeczoznawca owoców i warzyw”.

Kilka razy w roku do Koła przyjeżdżały pociągiem dostawy owoców. Bronek jechał wtedy do hurtowni i sprawdzał ich jakość. Oceniał każdy owoc i notował procent ubytku. Urzędnicy z Poznania zaglądali do niego na kontrole.

Dzięki dodatkowej pracy Bronka długi Geldów zmalały, a dom wypełnił się owocami. Na ich stary stół trafiało wszystko, na czym skrupulatny rzeczoznawca dostrzegł jakąś cętkę lub wgniecenie. Owoców było tak dużo, że jadać zaczął je nawet Koń i właśnie w tej gwałtownej zmianie diety upatrywano przyczyny jego wybuchów agresji.

Zaczęło się pewnego wyjątkowo zimnego lutowego wieczoru, kiedy Bronek siedział w kuchni z Koniem na kolanach, a Helena próbowała umyć Milę. Dziewczynka nie cierpiała wody i za każdym razem, kiedy miała kucnąć w balii pełnej mydlin, zaczynała krzyczeć.

– Napiszę chyba do redaktora, żeby przestał zamieszczać te głupie dowcipy rysunkowe – powiedział Bronek znad rozpostartej „Gazety Kolskiej" i podrapał Konia za uchem. – Kto to w ogóle czyta?

– No już, nie wyrywaj się – uspokajała córkę Helena, zdejmując z niej czerwoną sukienkę. – Zaraz będzie po wszystkim.

W tej samej chwili spod gazety wystrzelił w jej stronę Koń. Zatrzymał się obok balii i warcząc, wyszczerzył krzywe zęby. Wpatrywał się w pomarszczone nagie ciało Emilki i pochylał łeb, jakby planował na nią skoczyć.

– Spokój! – rozkazał Bronek i podniósł się z fotela, zwijając gazetę w rulon.

Koń zaatakował. Zatopił zęby w łydce dziewczynki, a ta runęła pupą do balii. Woda chlusnęła na piec i zmieniła się w kłąb pary.

Pies warczał wściekle, Mila piszczała. Helena chwyciła zwierzę za tylne nogi i próbowała odciągnąć od córki. Bronek ryknął, ale to też nic nie dało. Złapał wreszcie Konia za sierść na karku i szarpnął z całej siły. Pies puścił Milkę, zapiszczał i wybiegł do sieni.

Od tamtej pory zachowywał się inaczej.

Za każdym razem, kiedy w zasięgu jego wzroku pojawiała się Emilka, rzucał się nagle i wył. Warczał, atakował. W końcu doszło do tego, że za dnia trzeba było zamykać go w stodole. Helena prosiła Bronka, żeby zrobił mu kaganiec. Bała się oszalałego Konia, zresztą w tamtym czasie bała się już wielu rzeczy. Głównie tego, że w jej życiu nic już się nie wydarzy.

Pewnego kwietniowego poranka obudziła się z myślą, że jest i będzie coraz gorzej. Świt nie rozrzedził jeszcze nocy i w pokoju było zupełnie czarno. Otwierała oczy i zamykała je, ale widziała wciąż to samo. Słuchała swoich myśli. Milka jest okaleczona, Bronek cierpi na nerwy, a ja zacznę w końcu chorować i zestarzeję się, a potem umrę i zgniję na cmentarzu w Kole, i nie pójdę do nieba, bo nie ma żadnego nieba, tak jak nie ma Boga, bo gdyby Bóg był, to małe dziewczynki nie płonęłyby w ogniu.

Podobne myśli nawiedzały ją przez kilka kolejnych tygodni. Zasypiała i budziła się przekonana, że będzie coraz gorzej.

– Chcę zorganizować u nas tańce – powiedziała Bronkowi któregoś dnia podczas kolacji, nie podnosząc wzroku znad kaszanki. – Takie jak u moich rodziców. Zaproszę Frąców i Przybylaków. Może jeszcze Turkowskich.

– Tańce?

– Tak, tańce. Chcę potańczyć. Nie jestem jeszcze stara, a już na pewno nie martwa.

– O Boże, co cię ugryzło?

– Nic. Mam tylko chęć potańczyć. I ty też będziesz tańczył.

– Ja? Nigdy w życiu!

– Będziesz. Wszyscy będziemy tańczyć. Emilka nie może żyć w takim domu, co to nikt się w nim nie uśmiecha. Kiedy ty się ostatnio uśmiechałeś?

Bronek nie pamiętał, by robił to kiedykolwiek. Uśmiech wydawał mu się czymś dziecinnym.

– Ja nie będę tańczył – oświadczył, pochylając się nad kolacją. – Wybij to sobie z głowy.

* * *

Poruszał się jak belka drewna wrzucona do rzeki i szarpana na boki wiatrem oraz wodnymi wirami. Kołysał się i przestawiał nogi z taką siłą, jakby chciał zadeptać całą trawę na podwórku. Helena wtulała się w niego i powtarzała, jak bardzo jest mu wdzięczna. Tańczyły cztery pary, a Milka biegała wokół nich i klaskała. Po raz pierwszy od czasu wypadku wyglądała na szczęśliwą. Jeden z sąsiadów, otyły, a przy tym zadziwiająco ruchliwy pan Frąc, przyniósł ze sobą butelkę samogonu, która szybko opustoszała, a potem skoczył po jeszcze jedną, dzięki czemu zabawa przeciągnęła się do później nocy.

Od tamtej pory Helena organizowała podobne spotkania raz na kilka tygodni. Podczas jednego z tych tanecznych wieczorów Koń, który wydostał się ze stodoły przez dziurę wygrzebaną w klepisku, wpadł między tańczących, wesoło merdając ogonem i szczerząc krzywe zęby. Sąsiedzi głaskali go albo przeganiali, ktoś rzucił mu patyk, ktoś inny ukradkiem podetknął kawałek kiełbasy.

Milka siedziała akurat na kolanach u ojca, który nie tańczył, i słuchała opowieści o dalekim kraju, w którym na drzewach rosną pomarańcze i banknoty. Konia zobaczyła dopiero, kiedy ten zaciskał już zęby na jej nadgarstku. Wrzasnęła, wtulając się w tatę, a krew bryznęła na jego białą koszulę. Bronek chwycił Konia, ale zanim zdążył oderwać go od córki, ten rzucił się jej do gardła. Mila odsunęła się, a zęby ledwie ją minęły.

Dziewczynka poczuła, że krew odpływa jej z twarzy. Zanim zemdlała, biel wybuchła jej przed oczami. Wydawało jej się, że w środku cała wrzeszczy.

Wrzeszczy i czuje, jak w tańcu przytula ją mężczyzna, jakiego nigdy wcześniej nie widziała, a potem pochyla się nad nią nagi, więc wrzeszczy, rozrywana od środka, a kobieta mówi jej, że to chłopiec, i wszyscy w mieście mówią już tylko o niej i o nim, więc wrzeszczy, a z tego wrzasku wyłania się ból, jej najwierniejszy przyjaciel, który nigdy jej nie opuści i który teraz rozpala jej policzek, policzek, Bronek, uderz ją w policzek.

— Bronek, uderz ją w policzek!

Usłyszała głos mamy i otworzyła oczy. Stali nad nią wszyscy: tata i mama, Frącowie, Przybylaki i Turkowscy. Zaczęli mówić równocześnie.

— Dzięki Bogu.

— Emilko, nic ci nie jest?

— Dzielna dziewczynka, no, tylko nie płacz.

— Już wszystko dobrze.

— Bronek, ty tego psa w klatce powinieneś trzymać.

— Oj, ja bym mu wygarbował skórę.

— Jaką skórę, zwyczajnie, do lasu z nim i…

— Trzeba jej zrobić opatrunek.

— Milko, Mileczko, jak się czujesz? Kręci ci się w głowie?

Okazało się, że rany na dłoni nie są głębokie, a szyi Koń ostatecznie ugryźć nie zdołał. Ostatecznie krew zeszła nawet z sukienki i białej koszuli Bronka. Goście wrócili do domów, tylko pan Frąc został jeszcze „na momencik" z butelką swojego samogonu. Helena wypiła kilka kieliszków, Bronek odmówił.

Kiedy Milka zasnęła wreszcie u mamy na kolanach, wyszedł do stodoły i przywiązał Koniowi sznurek do tylnej łapy, a drugi koniec owinął wokół jednej z belek podtrzymujących dach. Koń położył się na klepisku i oparł pysk na łapach. Bronek wymierzył mu piętnaście razów paskiem.

– Ja go tutaj nie chcę – oznajmiła Helena, kiedy rozbierał się wieczorem do spania. Na jego ciele, kiedyś tak chorobliwie chudym, widać teraz było warstwę tłuszczu, ale włosów na piersi nadal miał tyle co nic.

– Wiem – powiedział, składając spodnie i zamykając szafę. – Coś wymyślę.

– Jak ty możesz tak spokojnie o tym mówić? Przecież on ją chciał zagryźć!

– No i co ja zrobię? – Odwrócił się do niej, do łóżka.

– Nie wiem, ale ja go tu nie chcę widzieć. Wywieź go gdzie albo oddaj Felkowi. On nie ma psa.

– Felek na pewno nie weźmie. Zresztą Koniowi u innych będzie niedobrze.

– A co jak następnym razem ją zagryzie? Błagam cię, bądź mężczyzną.

Bronek wsunął się pod kołdrę i odwrócił do żony plecami. Kiedy życzyła mu dobrej nocy, udawał, że śpi.

Następnego dnia wsadził swojego ukochanego psa do torby i zaniósł do sadu, który od czasu śmierci matki mocno zarósł. Gałęzie, postrącane z jabłoni w czasie burz, ginęły w wysokiej trawie. W kilku miejscach bieliły się coraz wyższe zagajniki młodych brzóz. Ziemia wybrzuszała się ciemnymi bulwami kretowisk.

Koń rzucał się w ciasnym worku, zaplątany we własne łapy i ogon.

Bronek położył go na trawie. Potem długo kopał w ziemi, próbując jak najbardziej się zmęczyć, a w głowie miał tylko cichy, jednostajny szum. Naszła go ochota, żeby się napić. Na prawej dłoni wybrzuszył mu się twardy pęcherz. Bronek spojrzał na wykopaną dziurę, wystarczająco już głęboką.

Błagam cię, bądź mężczyzną.

– No… – mruknął ni to do Konia, ni to do siebie, ale własny głos wydał mu się obcy i śmieszny.

Wrzucił worek do dołu. Nabrał na szpadel pulchną ziemię. Wysypał. I jeszcze raz. Worek wybrzuszał się, a ze środka dobiegało skomlenie. Coraz głośniejsze.

Bądź mężczyzną.

Oddech, ziemia, jęk, oddech, ziemia, jęk. Pęcherz na dłoni pękł, a płyn, znajdujący się jeszcze przed chwilą w jego ciele, będący jego ciałem, będący nim samym, wsiąknął w trzonek szpadla i od teraz był już szpadlem.

Bronek pracował coraz szybciej.

– No już, kochany – powiedział. – To tylko chwila, nie bój się, jestem tutaj przy tobie. To tylko chwila. Zaraz wszystko będzie dobrze. Zaraz wszystko się skończy.

Sypał dalej, bez przerwy. Z dołu wydobywał się teraz żałosny, przeciągły jęk.

– O mój Boże. Kurwa.

Bądź mężczyzną. Bądź mężczyzną.

Więc był.

* * *

Ściął młodą brzozę i przez trzy wieczory strugał na podwórku wysoki krzyż, który postawił później w sadzie. Na krótszym ramieniu wyrzeźbił głęboko litery: K, O i Ń. Kiedy wracał wieczorem z miasta na rowerze, podjeżdżał najpierw do sadu i siadał na pniaku, żeby popatrzeć na te dwie belki. Wydawało mu się, że czasami Helena spogląda na niego z mieszaniną strachu i podziwu. Brakowało mu tego bezmyślnego kundla.

Sklep znowu prosperował trochę lepiej, nie bez zasługi łysiejącego pana Zygmunta, który zupełnie poddał się już niszczycielskiemu uczuciu do szczupłej sprzedawczyni i sprawiał wrażenie, jakby do życia wystarczyły mu wyłącznie owoce i warzywa. Im bardziej opryskliwa była dla niego Helena, tym bardziej stawał się nieustępliwy. Przestał nawet kryć się z zamiarami przed Bronkiem i zdarzało mu się realizować swoje zalotne praktyki w jego obecności.

Bronek tymczasem czuł się znacznie lepiej niż po powrocie z uzdrowiska i choć nadal cierpiał czasami na bóle w piersiach, to miał wrażenie, że stan jego zdrowia stopniowo się poprawia. Prawie nie budził się już w nocy z łomoczącym sercem, a wizyty doktora Koguca stały się przyjemnie rzadkie. Kiedy zasypiał, myślał najczęściej o rudowłosej kobiecie, którą poznał w Radziejowie.

Nigdy nie powiedział o niej Helenie, tak samo jak nie powiedział jej, że nie zabił Konia.

Helena nie wiedziała, że wskoczył wtedy do dołu i rozgarnął ziemię rękoma, a potem rozerwał worek i uwolnił ukochanego psa. Nie zwierzył się jej, że zawiózł go rowerem do Koła, wypuścił nad Wartą i uciekł, kiedy ten ruszył w pogoń za gołębiem. Krzyż postawił, żeby wszystko się zgadzało.

Nie miał pojęcia, co stało się z Koniem później, ale ponieważ nie widział go od tamtej pory nigdzie w pobliżu Zieleniaka ani kamienicy, w której wcześniej mieszkali, obawiał się, że zginął pod kołami jakiegoś samochodu. Myśl, że to nie on pozbawił go życia, sprawiała mu jednak ulgę.

Czasami Bronek łapał się też na tym, że wyobraża sobie, jak za kilka lat spotyka gdzieś na ulicy swojego durnego kundla, a ten poznaje go i po raz ostatni daje mu się pogłaskać.

* * *

Przed świętami Bożego Narodzenia przyniósł do domu okrągły, zawinięty w gazetę przedmiot. Milka chodziła wokół niego i prosiła, aż w końcu uległ i wypowiedział tajemnicze słowo, jak z bajki:

— Pomarańcza.

Rozpakowali go wieczorem. Smakował pysznie, jak coś z innego świata. Mila oblizywała palce i wciąż pytała, czy będzie tego więcej. Bronek obiecał, że tak. Tymczasem Helena, odwracając się do pieca, żeby wrzucić do niego gazetę, w którą owinięty był owoc, zamarła nagle w bezruchu. Stała tak i stała, wreszcie Bronek przyjrzał się jej i zapytał:

— Co się stało?

— Nic.

Milka i Bronek patrzyli na nią, kiedy z furią zgniotła płachtę i cisnęła w płomienie, a zaraz wyciągnęła ją pogrzebaczem i schowała głęboko w kredensie. Przez kilka dni chodziła potem jak odurzona. Godzinami patrzyła sobie na dłonie, zapominała o posiłkach, prawie się nie odzywała.

Któregoś wieczoru opowiedziała Bronkowi o pani Basi Chałupiec, która rozkochała w sobie jej pierwszego chłopaka. Helena wyjęła szczątki gazety i położyła przed mężem.

Okazało się, że Basia nazywa się teraz inaczej i została wielką gwiazdą filmową. Artykuł o niej zajmował dwie strony. Na dużym zdjęciu uśmiechała się zalotnie, a pod spodem widniały jej nowe imię i nazwisko: Pola Negri.

* * *

Interes szedł całkiem dobrze, Mila mówiła prawie wyłącznie o pomarańczach, a Helena stała się tak małomówna, że nie sposób było rozmawiać z nią o czymkolwiek innym niż o domowych obowiąz-kach. Bronek zrobił więc jedyną rzecz, jaka wydawała mu się w tej sytuacji rozsądna, mianowicie kupił sobie konia.

Powiedział o tym Helenie, kiedy wrócił z miasta. Spojrzała na niego znad cerowanych spodni.

– Zwariowałeś.

– Wcale nie. Zawsze chciałem mieć konia.

– Przecież miałeś swojego Konia!

– To był pies.

– Chryste, Bronek, prawdziwego konia? I co ty z nim będziesz robił?

– Będę się nim opiekował.

Do pokoju wpadła tymczasem Milka i jak co wieczór zapytała:

– Czy tato przyniósł może pomarańcze?

– Nie, Emilko, twój ojciec kupił konia – wyjaśniła Helena.

– Konia?

– Tak, kupiłem konia – odparł Bronek, patrząc wyzywająco na Helenę. – I bardzo mi z tym dobrze.

– Hurra! Tata kupił konia! Hurra!

– Tylko się nie waż wchodzić do stajni. Nikt ma go nie dotykać.

– Tego konia?

– Tak, tego konia.

– Ale czemu?

– Bo to mój koń.

Zapadła cisza. Niemal słychać było, jak w głowie Milki obracają się myśli.

– A jak go tata nazwie? – zapytała w końcu.

– Już go nazwałem.

– Jak, tato?

– Nazwałem go Pies.

* * *

Pies był nieco wychudzony, ale sprawiał wrażenie zdrowego. Emanował spokojem. Dawał się nawet głaskać.

Bronek nie wiedział, czy będzie go do czegokolwiek używał, bo nie miał własnego pola, a nawet gdyby miał, raczej by go nie obrabiał, tylko wydzierżawił. Nie lubił pracy w gospodarstwie, a po czasie spędzonym w mieście nie lubił jej po dwakroć.

Konia trzeba było jednak podkuć. Mimo ostrożnej sugestii Heleny, żeby pojechał z tym do kowala, Bronek postanowił, że spróbuje zrobić to z pomocą Felka. Felek palił się do tej roboty jak do niedzielnej mszy, czyli wcale. Któregoś wieczoru przyszedł jednak do Geldów i zamknął się z upartym szwagrem w stodole, żeby przygotować potrzebny sprzęt.

– Po co w to walisz? – zapytał Bronka, który grzmocił właśnie młotkiem w żelazo. – Przecież to nic nie da.

– Zardzewiałe są i trzeba je trochę… – Bronek westchnął i uderzył w podkowę po raz kolejny.

– Trochę co?

– Nie znasz się na podkuwaniu koni, Felek, to nie dogaduj.

– Znam się na tyle, coby wiedzieć, że to jest zwykłe pieprzenie. Walić w zimną podkowę, tego jeszcze nie było…

Tymczasem Bronek podniósł młot wysoko nad głowę. Uderzył. Błysnęło. Opiłek żelaza wyprysnął spomiędzy podkowy i młota.

Bronek poczuł, jak prawe oko płonie mu od środka. Odskoczył, złapał się za głowę, zamrugał. Wybiegł na podwórko i zasłonił sobie prawą, a potem lewą część twarzy.

Nie widział na jedno oko.

ROZDZIAŁ PIĄTY

W głowie dudniło. Ból taki, jakby ktoś kroił mu czaszkę na kawałki.

Opłukał twarz w brudnej wodzie z kanału i oparł się o drzewo. Świt zaczynał przebijać się przez gęsty dach liści.

A jednak nie umarł.

Całą noc spędził w półśnie, przekonany, że to koniec. Co chwilę tracił przytomność, a kiedy mocniej poruszał głową, biały ból darł mu ciało. Próbował przypomnieć sobie, co się stało, ale pamiętał niewiele. Tylko tę zasraną sowę.

Spadła na niego z nieba. Miała szpony jak noże. Wpiła mu się we włosy i biła po czaszce twardym dziobem, jakby chciała go oskalpować. Może jej się udało? Strzępek ostrożnie dotknął głowy. Trafił na poszarpaną skórę. Wzdrygnął się z bólu.

Po raz kolejny sprawdził, czy na pewno w rowie nie leży pistolet. Nie leżał. Musiał go zgubić tam, przed oborą. To nic, pomyślał. Ukradnie nóż i jakoś sobie poradzi.

Johann Pichler uśmiechnął się i zamknął oczy, a zaraz potem zasnął.

* * *

W dzień pogrzebu od rana padało. Ksiądz śpiewał tak żałośnie, jakby to jego chowali. Grabarz wygładzał szpadlem pulchną ziemię na grobie, a deszcz bębnił o gładkie powierzchnie sąsiednich pomników.

Irena trzymała chłopców za ręce, patrząc w zamyśleniu na płaszcz stojącej obok kobiety. Kaziu grzebał butem w piasku, a Wiktuś z fascynacją przyglądał się niskiej staruszce o największym nosie, jaki kiedykolwiek widział.

Po pogrzebie Irena podeszła do Mirki Paliwodowej i ucałowała ją w obydwa policzki.

– Bardzo mi przykro – powiedziała, patrząc gdzieś obok jej ucha. – Janek nie mógł przyjść, jeszcze ma zawroty głowy.

– Tak, słyszałam – odparła Paliwodowa. – Oni i tak już ze sobą dawno nie gadali. Ale… on go lubił, Irka. Zawsze powiadał, że Janek Łabendowicz to jest porządny chłopak.

– Powiem mu. – Irena skinęła głową i szybko odwróciła się do chłopców.

Mirka Paliwodowa, która przez całą mszę i pogrzeb zdołała zachować względny spokój, spojrzała teraz na Wiktusia – blizna na jego czole wyglądała, jakby ktoś nożem wydłubał mu kawałek czaszki – i skrzywiła się cała, a potem zaniosła płaczem. Prowadząc chłopców w stronę wyjścia z cmentarza, Irena wciąż słyszała jej wycie.

* * *

Na całym świecie ludzie rodzili się, umierali, walczyli, tchórzyli, kochali i rozpaczali, a Jan Łabendowicz od trzech dni leżał w łóżku i od trzech dni miał tego dość. Nie lubił czytać, a gnić bezcelowo w pościeli nie cierpiał. Głowa wciąż bolała. Guz, który z początku miał rozmiary antonówki, zmalał trochę, ale nadal mógłby rywalizować ze śliwką. Jan musiał układać głowę na boku.

Żałował, że nie mógł wybrać się z żoną i dziećmi na pogrzeb Paliwody. Rano próbował nawet ubrać się w garnitur, ale kiedy tylko stanął o własnych siłach, dom zakręcił się wokół niego, a przed oczyma zatańczyły mu czarne plamy. Szybko wrócił do łóżka i leżał tak, bezczynnie, nie wiedząc nawet, co w oborze, w kurniku i na polach.

Paliwoda od dawna chorował na serce. Podobno umarł we śnie. Jan pomyślał, że to chyba nie najgorszy sposób na rozstanie się ze światem: zasnąć we własnym łóżku, obok swojej kobiety, i już się nigdy nie obudzić. Na pewno lepiej niż paść twarzą w błoto przed oborą i wykrwawić się po uderzeniu przez jakiegoś nieznajomego zbira.

Próbował przypomnieć sobie wydarzenia poprzedniej nocy: ryk krowy, świeca, wyjście do obory, papieros… Pamiętał, że zaciągnął się i obudził z bólem głowy. Irena potrząsała nim i powtarzała jego imię. Zwymiotował i znowu pogrążył się w czerni. Kiedy otworzył oczy, leżał już w swoim łóżku, a obok siedzieli rodzice. Siwy ojciec i matka jak skrawek człowieka. Wystraszeni bardziej niż on. Irena krążyła po pokoju i gryzła koniec warkocza.

Ojciec wrócił do siebie po strzelbę, do której i tak nie miał naboi, a potem obszedł całe gospodarstwo. Kiedy pojawił się z powrotem, trzymał przed sobą czarny pistolet.

– Luger – powiedział, nie spuszczając oka z broni. – Niemiecki.

Jan sięgnął teraz pod łóżko i z trudem wyciągnął zawinięty w szmatę przedmiot. Nabity. Ciężki. Obrócił go w dłoni. Zastanawiał się, dlaczego ktoś miałby walić czymś takim w głowę, zamiast strzelać. Bał się hałasu? Może chciał zakraść się później do domu i…

W tej samej chwili usłyszał nadjeżdżający wóz. Zanim zdążył schować broń z powrotem pod łóżko, drzwi otworzyły się z trzaskiem i do pokoju zajrzała bezbarwna głowa jego młodszego syna.

– Tato, wiesz, jaką panią widzieliśmy z Kaziem? – zapytał chłopiec, podbiegając do łóżka. – Miała taki nos, że można by było…

– Miała nos jak kalafior – dokończył Kaziu, wchodząc do pokoju krokiem chłopca, który za chwilę przestanie być chłopcem. Był wysoki jak na swój wiek. Miał szeroką pierś, a na przedramionach krzyżowały mu się żyły.

Irena wsunęła się do pokoju, żeby przegonić stamtąd chłopców, ale Wiktuś nie zareagował na jej słowa. Stał bez ruchu i patrzył na broń w dłoni ojca.

– Co to? – zapytał.

– Pistolet – wyjaśnił Kaziu, mijając matkę w drodze do kuchni. – Używali takich na wojnie źli ludzie.

– Źli ludzie?

– Nie bój się, synek – uspokoił go Jan, zawijając lugera w szmatę. – Zakopiemy to gdzieś daleko albo pojedziemy do Szalonek i wrzucimy go do stawu. Wszystko będzie dobrze. Jak chcesz, będziesz nawet mógł ze mną pojechać.

Wiktuś pokiwał głową i wyszedł na podwórko. Dobrze pamiętał cyfry 6795, które zobaczył na pistolecie złego człowieka.

* * *

Rodzice przychodzili do nich prawie codziennie. Sabina próbowała pomagać Irenie w obowiązkach domowych, Wawrzyniec starał się wytłumaczyć Janowi, że są już bezpieczni, bo ten, który go napadł, musiał być zwykłym włóczęgą. W Piołunowie nie widziano nikogo podejrzanego od ładnych paru lat. Oprócz tych zapewnień ojciec Jana przynosił mu też niespodziewanie dużo puszek. Puszki z pomidorami, puszki z kukurydzą, puszki z groszkiem, puszki z brzoskwiniami, puszki z dżemem i z marmoladą.

– A tak właściwie to skąd ojciec ma tego tyle? – zapytał go któregoś razu.

– A coś ty taki ciekawski? Nie smakuje ci?

Jan wzruszył tylko ramionami i wyszedł przed dom. Od kilku dni oporządzał już zwierzęta i pracował w polu. Głowa czasami go jeszcze bolała, ale dało się przeżyć.

– Irenka mówi, że w nocy krzyczysz, jakby cię kto nożami kroił – powiedział ojciec, stając obok niego. – Co ty jesteś, baba? Nie wstyd ci?

Jan popatrzył na niego i pokręcił głową.

– Nic ojciec nie rozumie.

– No to mi wytłumacz.

– Mi się od wielu lat prawie co noc śni ta kobieta.

– Niemka?

– Uhm. Stoi na wozie i krzyczy na mnie. Widzę z bliska jej twarz, tę jej ciemną narośl obok nosa i te oczy.

– No i co?

– Myśli ojciec, że ona dotarła do Niemiec?

– Nie mam pojęcia. Może dotarła, a może nie. Ja jej w ogóle nie żałuję. Czy mnie kto żałuje, Janek? Psiakrew, myśmy tam jak zwierzęta harowali… Ale to już minęło, nie trza o tym myśleć. Wojna to jest wojna, synek. Co ja ci poradzę. Tu masz większe zmartwienia. Ziemią się martw. Dziećmi. Wiktorowi podobno w szkole żyć nie dają.

Jan westchnął tylko, a ojciec poklepał go po plecach i ruszył w stronę drogi. Odwrócił się jeszcze i powiedział:

– A jak chcesz wiedzieć, skąd te puszki, to przyjdź dzisiaj po kolacji. Sam przyjdź.

* * *

Tydzień po krwawym poznańskim strajku w Zakładach imienia Józefa Stalina i dwa tygodnie przed katastrofą górniczą w katowickich „Bożych Darach" Johann Karl Pichler postanowił, że wraca do domu.

Niebo szarzało powoli. Jeszcze chwila. Jeszcze tylko chwila i pójdzie.

Pichler zastanawiał się, ile kilometrów dziennie będzie mógł przejść w takim stanie. Od kiedy zamieszkał w rowie, przestał myśleć o powrocie do ojczyzny, bo był tylko Strzępkiem, zwierzęciem, robakiem, a robaki nie mają ojczyzn ani do czego wracać. Teraz wiedział, że musi iść. Wiedział, że będą go szukać. Żal mu było opuszczać te krzaki. Spoglądał w czarny wylot rury ściekowej, w której tak długo sypiał. W cieniu czuł się bezpiecznie.

Może jakimś cudem da radę przedostać się przez granicę. Obiecał sobie, że jeśli Bóg go ocali, odda mu życie i zamknie się w klasztorze. Od kiedy sowa nieomal rozerwała jego głowę na kawałki, Johann miał ochotę być sam. Nocami się modlił.

Rozejrzał się jeszcze i podniósł z trawy niewielki tobołek z dwoma bochenkami chleba, które ukradł w jednym z gospodarstw. Pora wracać do domu.

* * *

Stali w lesie we czterech i w milczeniu palili papierosy. Wawrzyniec dusił się od kaszlu.

– Jak znowu, psiamać, będą garnitury, to już chyba będę je nosił do roboty w polu – szepnął w końcu jeden z braci Grabowskich.

– To je sprzedaj – zasugerował mu cicho Wawrzyniec.

– Tym, co mogłem, to już żem sprzedał. I jeszcze mi, psiamać, zostało jedenaście kompletów.

– Będzie węgiel – zapewnił drugi z braci. – Na pewno będzie węgiel.

Chełmce nie różniłyby się niczym szczególnym od oddalonego o szesnaście kilometrów Piołunowa, gdyby nie biegnąca przez wieś magistrala węglowa Śląsk – Gdynia. Pociągi towarowe przejeżdżały tamtędy średnio co osiem minut, na czym od kilku miesięcy korzystali ojciec Jana i jego dwaj przyjaciele. Wskakiwali na wagony i zrzucali z nich wszystko, co dało się zrzucić, a potem ładowali to na wóz i składowali w stodole. Najczęściej ich łupem padał węgiel, ale coraz częściej trafiały się puszki z jedzeniem, koszule, zabawki i garnitury.

– Na tego wskakujemy – oznajmił w ciemności głos Wawrzyńca, a spracowana dłoń poklepała Jana po ramieniu.

– Wszystko dobrze?

– Wszystko dobrze – odpowiedział mężczyzna szeptem.

Pociąg musiał zwolnić na łuku pod lasem i mozolił się teraz tuż przed nimi, ciemny i ciężki. Wskakiwali po kolei.

Wawrzyniec szarpnął za metalowy uchwyt, drzwi ustąpiły. Jan zrobił to samo. Wszedł do wagonu i czekał, aż oczy przyzwyczają mu się do nowej ciemności.

– Co to jest?

– Nie wiem. Psiamać, Wawrzyk, co to jest?

– Radio. Jak Boga kocham…

Jeden z braci ostrożnie wyrzucił urządzenie w stronę zarośli. Rozległ się trzask pękających części.

– Psiamać.

– Wyskakujemy – polecił Wawrzyniec i niedługo potem cała czwórka znowu stała w lesie. Palili i na zmianę pochylali się nad roztrzaskanym radioodbiornikiem.

Przepuścili trzy kolejne składy. Wagony w większości były pootwierane, ich wnętrza wyglądały na puste.

– Te patałachy z Piotrkowa nie mają wstydu. Do gołego tak opierdalać? Wawrzyk, powiedz, jak Boga kocham, czy myśmy kiedyś tak jakiś do gołego okradli?

Wawrzyniec Łabendowicz palił papierosa i milczał.

– Wskakujemy do następnego i jak nic nie będzie, jedziemy – powiedział w końcu. – I tak już za długo tu sterczymy.

Osiem minut później znów szarpali za drzwi wagonów. Zanim Jan zdążył wejść do swojego, usłyszał za plecami potężne, gromkie:

– Psiamać!

– Co jest? – Jan biegł, przygotowany do skoku.

Mężczyzna wychylił się i machnął czymś miękkim w powietrzu, a potem warknął:

– Garnitury.

* * *

Niebo było już czarne, a gwiazdy powoli zlepiały się w Drogę Mleczną. Johann Pichler wspiął się po stromym zboczu rowu i chwycił kępę chwastów. Myślał o ciepłej celi w klasztorze.

Stanął na drodze, odetchnął i ruszył. Kiedy stawiał pierwszy krok swojej długiej wędrówki do ojczyzny i do nowego, innego życia, coś ciężkiego uderzyło go z boku. Upadł i potoczył się z powrotem do rowu. To coś razem z nim.

– Chciałeś zastrzelić mojego tatę – jęknęło w ciemności, przerażone.

– Wiktusz.

– Chciałeś?

– Chciałem.

Poczuł, jak ogień wkrada mu się między żebra. Wiktor Łabendowicz wpychał długi nóż do krojenia chleba w ciało Strzępka i czuł, że kręci mu się w głowie. Ostrze zsunęło się po jednym z żeber. Wyjął je i wepchnął raz jeszcze, trochę wyżej.

Strzępek zaczął się dławić i wykrztusił krew. Wiktor cofnął się i patrzył na niego, a potem uklęknął w trawie, uniósł nóż nad głowę i mocno uderzył. Strzępek zadudnił pod nim, ale ostrze nie weszło. Spróbował raz jeszcze. Tym razem nóż zagłębił się po rękojeść i zazgrzytał o kość.

Mężczyzna zwiotczał. Zamknął oczy i oddychał nierówno, chrapliwie. Nie był już Johannem Pichlerem, komendantem policji, doskonałym strzelcem, synem, bratem i mężem, nie był już kochankiem, przyjacielem, miłośnikiem motyli i mordercą, nie był nawet Strzępkiem i robakiem, był tylko kroplą w bezbarwnej rzece, która przelewała się teraz głośno wokół niego. Słyszał w niej głosy, stare i młode, męskie i żeńskie, niemieckie i wszystkie inne. Czuł, jak ciepłe fale wsuwają mu się pod plecy. Zamknął oczy i popłynął z nurtem.

* * *

Jan wrócił do domu pijany i z pięcioma garniturami przewieszonymi przez ramię. Garnitury rzucił na podłogę, sam rzucił się na łóżko.

Zasnął niemal od razu.

Śniła mu się *Frau* Eberl.

* * *

Wiktor stał nad nieruchomym Strzępkiem i czekał, aż ten się obudzi.
– Strzępek? – zapytał cicho.

Nic.

– Strzępek – powtórzył, szturchając go lekko nogą.

Nadal nic.

Usiadł na trawie i wbił nóż w miękką ziemię. Wciąż kręciło mu się w głowie. Czuł się tak, jakby dopiero się urodził. Nie wiedział, co robić. Chciał, żeby Strzępek wreszcie się obudził. Żeby otworzył oczy i uciekł, przerażony, tak jak wtedy kot.

– Bardzo pięknie, Wiktusiu mój, bardzo pięknie – odezwał się jakiś głos w ciemności.

Wiktor pomyślał najpierw, że to może Strzępek. Ale nie. Nie on.

– Ale odważny chłopiec.

Nic nie widział. Rozglądał się, ale wszędzie tylko czerń. Wreszcie ją zobaczył. Stała po drugiej stronie rowu. Krępa. Przygarbiona.

– Czy ci było miło? – zapytała Dojka, a potem dodała, obejmując się ramionami: – No pewno, że tak!

Wiktor przyglądał się jej przez chwilę, a potem mruknął, wzruszając ramionami:

– Nie chce się obudzić.

– To nic – odpowiedziała Dojka i zsunęła się niezgrabnie do rowu. Z bliska bił od niej mocny, kwaśny smród. – Babcia ci pomoże. Chodź, pójdziemy po szpadelek. Potrzebny nam szpadelek.

Chwyciła go za rękę i pociągnęła za sobą.

– Taki z ciebie niegrzeczny chłopiec. Nigdy nie odwiedził babci. A babcia czekała tyle razów. Twój braciszek raz babcię odwiedził i patrzał na nią przez okno, ale to nie był dobry dzień na takie patrzenie. Bo babcia miała gościa.

Wiktor oglądał się za siebie i zerkał na czarny rów, w którym leżał Strzępek. Próbował wyrwać się Dojce.

– No co? Boisz się babci? – zapytała.

– Trochę.

– A co to babcia taka straszna? Co?

Nie odpowiedział.

– Gadajże. Co w babci takie straszne?

– Włosy – jęknął, wskazując na przylepione do jej czaszki kołtuny. Były tłuste i pozlepiane. Przypominały żywe stworzenie przyczajone na głowie.

– Oj, wnusiu. Babcia już jest stara i chora, nie ma siły, żeby o włosy dbać. A ty nawet babci nie odwiedzisz. Pamiętaj o babci czasem. Ty mocy masz w sobie tyle a tyle, byś mógł babci pomóc, pomóc, ozdrowić babcię, wystarczyłoby troszeczkę krwi twojej, bo ty jesteś specjalny chłopiec, bielutki, ty możesz pomagać. Rozpruć brzuszek i porozdawać chorym to, co w brzuszku! A ty nawet babci kochanej nie odwiedzisz. Brzydko bardzo.

Doszli do chaty z zapadniętym dachem, Dojka zniknęła w środku i po kilku chwilach wyłoniła się z krótkim szpadlem o ułamanym trzonku.

– Nada się – oznajmiła.

Kiedy wrócili do rowu, Strzępek leżał tak, jak go zostawili.

– Strzępek? – zawołał Wiktor, zsuwając się po zboczu. – Strzępek, wstawaj. Już ci wybaczam.

Strzępek nie wstawał.

– Mnie się widzi, że twój kolega chyba woli jeszcze poleżeć. Ale żeby był bezpieczny, to go trza nieco przykryć. Dalejże, pomachaj no tym trochę. Tu, gdzie miękko. W tym błocie.

Wiktor kopał, słuchając poleceń Dojki. Patrzył na spokojną twarz Strzępka i na jego zakrwawiony brzuch. Niebo zaczynało powoli blednąć na wschodzie.

– Oj, już przecie wystarczy – stwierdziła Dojka, pochylając się nad dołem. – Bardzo śliczna dziura, wnusiu. Bardzo śliczna. Twojemu koledze powinna się spodobać.

Zanim chłopiec zdążył zaprotestować, chwyciła Strzępka za nogi i wepchnęła go do dołu. Zgiął się w pasie, jakby chciał dotknąć głową kolan.

– A teraz śliczną dziurkę zakopiemy. Hop, hop. Ruszaj się, wnusiu, bo zaraz nowy dzionek wstaje.

Wiktor zakopał Strzępka, a potem wspólnie z Dojką ugnietli ziemię nogami i rozsypali po wierzchu narwanej trawy i trochę patyków.

– Bardzo ślicznie, wnusiu. A teraz daj koszulę. Babcia spali.

Zrobił, co kazała.

– Ja już pójdę do domu – powiedział, wzruszając ramionami. Chciało mu się siku.

Dojka patrzyła na żebra i klatkę piersiową opięte ciasno śnieżnobiałą skórą. Gdzieś tam biło białe serce.

– Dobrze, wnusiu, biegnij do mamusi i tatusia – mówiąc to, podeszła do niego tak blisko, że od smrodu zebrało go na wymioty. – Ale pamiętaj też o babci. Odwiedź ją czasem, ona taka już stara. Dobrze, wnusiu bielutki?

– Nie jestem wnusiu, tylko Wiktor – powiedział, odsuwając się.

– A wcale nie – odparła i uśmiechnęła się szeroko. – Jesteś krzyk, jesteś dygot, jesteś kropla w rzece.

* * *

Obudził się rano i wszystko było jak dawniej, ale nic nie było jak dawniej. Rodzice nie zorientowali się, że uciekł w nocy. Przez okno, które wyglądało tak samo, ale inaczej. Miało taki sam kształt jak wcześniej, ale wyglądało jak obraz, z którego powoli zaczyna odłazić farba. Kiedy patrzył dłużej, wszystko wracało do normy. A potem widział to gdzieś obok. Rozmazany fałd na poduszce. Rozpływające się dno w szufladzie. Wielkie krople wiszące pod sufitem.

Na dworze było podobnie. Wokół leżących na podwórku kotów rozlewały się bezbarwne, pulsujące kałuże. Po gałęziach jabłoni spływało coś gęstego. W cieniu obok stodoły wiły się długie i czarne kształty.

Wiktor zaciskał powieki i tarł oczy pięściami, ale nic to nie dawało. Miał nadzieję, że z czasem mu przejdzie. Czekał cały tydzień, cały miesiąc, cały rok. Czarne kształty nie zniknęły. Zmieniło się za to wszystko inne.

Tata kilka razy w miesiącu wychodził na całą noc i wracał pijany.

Mama z czytania książek przerzuciła się na pisanie listów, w których relacjonowała wydarzenia kolejnych dni i tygodni, a potem wysyłała je członkom rodziny taty, nawet słynnej ciotce z Ameryki.

Durna przestała nocować w domu i czasami nie było jej nawet przez tydzień.

W czerwcu umarł dziadek (na płuca), a w listopadzie babcia (nie wiadomo na co).

Kaziu zaczął się umawiać z dziewczynami.

Kaziu zaczął się całować z dziewczynami.

Kaziu zaczął chodzić z dziewczynami na stóg.

A stara Dojka zwariowała do reszty.

Któregoś dnia wróciła z Radziejowa z zafarbowanymi włosami ułożonymi w coś, co przypominało gniazdo. Krzywe, smagane wiatrem gniazdo. Od tamtej pory wszystkie wyżebrane pieniądze przeznaczała na fryzjera.

Od zdarzenia w rowie Wiktor ani razu z nią nie rozmawiał. Miał zresztą na głowie zupełnie inne sprawy.

Ciotka z Ameryki – okazało się, że ma na imię Salomea i jest synową brata świętej pamięci dziadka Wawrzyka – podjęła ciężar korespondencji z Ireną. W jednym z wyczekiwanych listów znajdowała się kartka zaadresowana: „Wiktor". Pod imieniem widniał finezyjnie zakręcony zawijas. Kartce towarzyszył banknot.

Drogi Wiktorze!

Nie mieliśmy okazji się poznać, ale być może wiesz, że jestem kuzynką Twojego Tatusia i mieszkam bardzo daleko. Pomyślałam, że skoro jesteś już takim dużym chłopcem, może będzie Ci miło, jeśli do Ciebie napiszę.

Jeśli nie radzisz sobie jeszcze z czytaniem, mam nadzieję, że któryś z Rodziców pomoże Ci w lekturze.

Jestem ciekawa, jak się miewasz i czy w szkole powodzi Ci się już lepiej (Mama pisała mi, że kiedyś Ci dokuczano). Musisz wiedzieć, że ludzie zazdrośni zdolni są do wielu przykrych rzeczy, ale nie wolno Ci się nimi przejmować.

Z relacji Twojej Mamusi wiem, że jesteś chłopcem niezwykłym – zarówno pod względem intelektu, jak i urody. Być może półgłówki, z którymi chodzisz do szkoły, nie potrafią zrozumieć, że Twoja oryginalność to atut, a nie przywara. Twój wujek, a mój mąż, który jest lekarzem, prenumeruje rozmaite pisma dotyczące zdrowia i człowieka. W jednym z nich znalazł ostatnio artykuł pewnego pana (nazywa się trochę śmiesznie, Fitzpatrick) na temat osób takich jak ty i zainspirowało go to do przyjrzenia się kwestii tak zwanego ALBINIZMU. Mój drogi, okazuje się, że jesteś kimś doprawdy wyjątkowym!

Otóż Tolek (mój mąż) twierdzi, że w Ameryce ktoś taki jak Ty rodzi się tylko raz na dwadzieścia tysięcy przypadków. Osoby takie nazywane są Albinosami.

Niestety w wielu krajach Albinosów się prześladuje (widać mieszkają tam podobne półgłówki jak te, które chodzą z Tobą do szkoły). Równie często jednak uważa się ich za ludzi obdarzonych tajemnymi mocami, za półbogów! Aby mieć lepszy połów, rybacy wplatają w swoje sieci włosy Albinosów. Znachorzy używają śliny Albinosów jako lekarstwa. W wielu krajach panuje przekonanie, że dotyk Albinosa ma cudowne właściwości.

Tolek prosił, aby przekazać Ci, żebyś dbał o oczy, bowiem Albinosi często na nie chorują i już w młodym wieku cierpią na silne wady wzroku (jest to podobnież związane z tak zwanym pigmentem).

Jestem pewna, że pisane Ci są wielkie rzeczy. Przekaż serdeczne pozdrowienia swojemu bratu, Kazimierzowi. W kolejnym liście napiszę tym razem do niego i prześlę mu upominek.

Tymczasem wysyłam Wam obu pięciodolarowy banknot. Kupcie sobie cukierków lub innych słodyczy. W życiu trzeba koniecznie jeść słodkości i smakołyki! (Choć czasem to podobnież niezdrowe na zęby, jak mawia Tolek, ale nie wiem, czy mu w tej kwestii ufać).

Ściskam!

Ciocia Salcia

PS Tolek prosi, żeby przekazać Ci, iż Albinosem był podobno Noe, ten z Biblii. Zapewne o nim słyszałeś — to jego Bóg postanowił ocalić w arce, kiedy zesłał na ziemię potop. Jesteś zatem w znakomitym towarzystwie!

* * *

Był Albinosem.

Choć mama sprawdziła gdzieś, że podobno albinosem, małą. Przyjemniej było jednak myśleć o sobie jako o Albinosie z wielkiej.

Albinos. Jak jakiś wojownik z książki. Jak bohater albo ogromny mówiący ptak. Ewentualnie ktoś normalny, tylko że z bardzo, bardzo daleka.

Ale najbardziej jednak wojownik z książki.

„Tolek prosił, aby przekazać Ci, żebyś dbał o oczy, bowiem Albinosi często na nie chorują i już w młodym wieku cierpią na silne wady wzroku".

Wydawało mu się, że po lekturze tego zdania rozmyte kształty widywał trochę rzadziej. Jakby zrozumiały, że przejrzał je na wylot.

Miesiąc po otrzymaniu listu odważył się pójść do Strzępka. Usiadł w rowie i chrupiąc twardą, słodką marchewkę, mówił o wszystkim, co się ostatnio u niego wydarzyło. Na koniec zrelacjonował treść listu od cioci Basi.

Od tamtej pory przychodził tam przynajmniej raz w tygodniu i opowiadał. O starym rowerze od pani Niemki, który sam odnowił i na którym jeździł teraz po okolicznych wioskach, a nawet po Radziejowie. O kolejnych dziewczynach Kazia. O kolejnych upokorzeniach w szkole. O puszkach z pomidorami, o garniturach, o koszulach kolorowych i o zabawkach, które tata przynosił co jakiś czas do domu. I o tym, że zabijanie to chyba jednak nie jest najcudowniejsza rzecz na świecie.

* * *

Siedział na schodach, kiedy rozchwiana sylwetka ojca wyłoniła się z ciemności po lewej stronie. Tato stęknął, rzucając na ziemię jakiś pakunek.

– Czapki, zimowe, proszę ja ciebie – usłyszał.

Ojciec klapnął obok niego. Śmierdział potem i gonichą. Objął go ramieniem i zaraz je cofnął.

Siedzieli w ciszy. Nisko nad kurnikiem księżyc wypinał blady brzuch. Gdzieś w oddali szczekał pies.

Wiktor chciał coś powiedzieć, ale nie bardzo wiedział, co by to mogło być. Przygryzał wargę i stukał palcem w kolano.

– Ja idę spać – powiedział, kiedy już dłużej nie dał rady, a potem wstał i ruszył w stronę drzwi.

– Wiktor!

– Słucham.

– Do mnie, proszę.

Podszedł, usiadł.

– Masz mi coś do powiedzenia? – Ojciec patrzył gdzieś przed siebie.

– Ale co?

– To ja się pytam co.

– Nie wiem.

– Wiktor, bo zaraz pasek zdejmę.

– Kiedy ja nie wiem, o co tacie chodzi!

– Zabiłeś, tak? W końcu zabiłeś.

– Ja?

– A z kim ja, do ciężkiej cholery, rozmawiam? Proszę cię, nie zgrywaj durnia!

– Tato, ja naprawdę… to…

– Co ona ci zrobiła, powiedz. Czy ty jesteś nienormalny?

– Ale kto?

– Jak to kto? Gdzie ona jest? Udusiłeś ją, tak? Z kotem ci się nie udało, ale musiałeś dopiąć swego.

Cisza.

– Udusiłeś Durną?

– Durną?

– Czy ja, psiakrew, niewyraźnie mówię?! Co ci ten biedny ptak zrobił? Serca nie masz?

– Tato, ale to nie ja! Ja nie wiem, co się stało z Durną. Kaziu mówi, że ją ostatnio widział z daleka. Może ona tylko tak na trochę uciekła.

– Kazia w to nie wciągaj.

– Ale to nie ja, no mówię.

– Jak się dowiem, że udusiłeś tego ptaka, to popamiętasz.

Wiktor chciał jeszcze coś powiedzieć, ale ojciec niezdarnie wstał ze schodów i zniknął we wnętrzu domu. Chłopak siedział dalej w milczeniu i przygryzał wargę.

Na schodach przed nim pełzały rozmyte smugi.

* * *

Jan obudził się wygnany ze snu błagalnym krzykiem *Frau* Eberl. Usiadł na łóżku. Drżący. Spocony. Najchętniej by zniknął. Spojrzał na Irenę ukrytą pod kołdrą, a potem na pełną czapek, pełną pierdolonych czapek torbę, którą położył w rogu. Czapki. Garnitury. Puszki z pomidorami, na które nie mógł patrzeć. Od kilku tygodni wszyscy mówili tylko o biżuterii, na którą podobno trafiło kilku chłopaków z Osięcin.

Dlaczego on nigdy nie trafił na biżuterię?

Czuł się tak, jakby ktoś mu nawpychał do głowy szorstkich szmat.

Powlókł się do kuchni, wyciągnął gonichę. Ogień w brzuch, prosto z butelki. I jeszcze raz. Już lepiej.

Ubrał się, stanął przed domem.

– Czapki pierdolone – mruknął i ruszył przez podwórko.

* * *

Kaziu miał już wprawę.

Skok przez okno, buty na nogi, wokół domu i do stodoły, stamtąd przez pole, z rowerem na plecach, i na drogę, a z drogi już łatwo. Do Krysi miał dwanaście kilometrów. Do Gieni osiem, ale Krysia miała większe cycki. Bardzo lubił też Anię, ale ją trudno było namówić do czegokolwiek poza rozmową, a akurat w rozmowie Kaziu specjalnie nie gustował.

Na dziś umówił się z Krysią.

Droga mleczna ocierała się o czubki drzew przy drodze. Pachniało bzem. Kaziu urwał kilka gałązek i wsunął je za pasek. W stodole podwinął prawą nogawkę i podprowadził rower do drzwi. Cichy, naoliwiony jak trzeba. Wiktorek. Wiktorek zadbał.

Nagle usłyszał kroki.

Szybko odstawił rower i przykucnął za broną. Drzwi zaskrzypiały cicho, pod dach uniósł się siwy obłok. Kaziu patrzył, jak ciemna sylwetka zbliża się do miejsca, w którym sam stał jeszcze przed chwilą, a potem wychodzi ze stodoły, powolna i zasapana.

Ostrożnie przeszedł po klepisku i wyjrzał na zewnątrz. Poczuł, jak żołądek zamienia mu się w kamień. Żegnaj, dwunastokilometrowa podróży, i żegnaj, piersiasta Krysiu.

Powstrzymując łzy, patrzył na rozsypane po niebie gwiazdy i ojca, który właśnie zwinął mu rower.

* * *

Stary rower po *Frau* Eberl, ten sam, którym kiedyś wiózł uduszoną świnię przekonany, że straci nogę, tym razem w ogóle nie skrzypiał. Płynął przez noc, jakby nie dotykał ziemi. A tak, Wiktor go naoliwił.

Jan czuł, jak krew napływa mu do ud i rozpala je od środka. Pamiętał tamtą noc, kiedy wracał z zabitą świnią do Ireny, wtedy jeszcze Irenki, i jak potem leżał w łóżku przez kilka dni, myśląc, że umrze. Nie umarł, została mu tylko blizna w kształcie znaku zapytania.

Jechał teraz wolniej, pozwalał, żeby wiatr unosił mu włosy i koszulę na plecach. Kiedy dotarł na miejsce, był już przyjemnie zmęczony i nieprzyjemnie trzeźwy. Wyciągnął zza spodni butelkę i wypił wszystko na raz. Otarł usta. Szkło poleciało w krzaki.

Dwa pierwsze składy przepuścił, bo myślał, że zwymiotuje. Trzymał się rękoma chropowatego, rozkołysanego drzewa i czekał, aż wszystko zwolni. Kiedy zwolniło, odetchnął głęboko i powiedział:

– Będzie biżuteria.

Sprzeda ją i pojedzie do Niemiec, a tam znajdzie *Frau* Eberl, przeprosi ją, wybłaga przebaczenie i będzie mógł żyć, wreszcie żyć jak człowiek.

Skoczył na wagon, chwycił poręcz, chwyta, to znaczy chwyci, już, zaraz chwyci, ale nie chwyta, palce tylko muskają metal, drugą ręką zahacza o krawędź wagonu i przekręca się, próbując złapać równowagę, i prawie mu się to udaje, prawie, bo rozbujane nogi już między wagonami, więc krzyczy, próbuje chwycić się czegoś, czegokolwiek, mój Boże, czegokolwiek, czegokolwiek, ale nie, uderza nogami o szynę, a przed oczyma nagle mu wybucha. Krzyczy, kiedy rzeka przepływa obok niego z hukiem i mówi mu, żeby z nią popłynął, ale on nie chce płynąć, chce krzyczeć, więc krzyczy, krzyczy na kobiety w fartuchach i mężczyzn, którzy są jak bogowie, a potem pełznie, płacząc, lecz wciąż krzyczy, bo widzi go, widzi go, choć myślał, że go już nie zobaczy, i krzyczy dalej, rozpostarty na własnym polu pod pożartym księżycem, krzyczy.

– Niech pani nie krzyczy.

– To jest mój mąż i będę krzyczeć!

Otworzył oczy – spróbował otworzyć oczy, ale znowu zalały go głosy i czerń.

Kiedy się obudził, była przy nim tylko Irena. Słońce grzało go przez okno w skroń i w ucho.

– Janek – powiedziała, siadając obok niego na łóżku. Czerwona, zapłakana. Jak nie ona.

– Ja nic... co się...

– Przeżyłeś, Janek, przeżyłeś.

– Ale poczekaj…

– Przeżyłeś, to jest najważniejsze.

Pochyliła się, przytuliła go i pocałowała, a on zobaczył wtedy, że nie ma już nóg.

ROZDZIAŁ SZÓSTY

Jakoś wyciągniemy.

Jakby mówił o wyławianiu kartofla z żuru.

– A czy to się może nie udać? – zapytał Bronek, gniotąc szczupłą dłoń żony.

– Proszę pana, zawsze się może coś nie udać.

Lekarz był łysy i wyglądał jak dobry wujek, z którym chciałoby się pojechać na ryby. Siedział naprzeciw Bronka i zaglądał mu w ślepe oko. Masywny brzuch opierał mu się na udach.

– Pan doktor z Koła powiedział, że trzeba wydłubać oko – poinformowała go Helena.

– To jakiś rzeźnik, proszę pana, jak Boga kocham – tłumaczył Bronek. – No jak to: wydłubać? Oko? Ale dlaczego? Nie zgodziłem się.

– Nie zgodził się pan – powtórzył lekarz w zamyśleniu i pokręcił głową.

– Nie.

– Proszę pana, ja panu teraz powiem, jak sprawa wygląda. – Wyprostował się, wciągnął powietrze i założył ręce na piersi. – Na to oko pan już do końca życia widział nie będzie.

– Tamten też tak mówił – potwierdziła Helena.

– Wyjęcie gałki ocznej rzeczywiście się stosuje, ale mógłbym też spróbować panu ten opiłek wyciągnąć magnesem.

– To znaczy jak?

– Normalnie. Przyłożę do oka i opiłek sam wyjdzie. Znaczy: powinien. Jeszcze tego nie praktykowałem.

Przez chwilę nikt nic nie mówił i słychać było tylko deszcz tłukący o parapet.

– A drugie oko? – zapytał Bronek, przerywając jednostajny brzdęk.

– A co z drugim okiem?

– Nie wiem… Wszystko w porządku?

– Tak, wszystko w porządku. Czy czuje pan, żeby było inaczej?

– Nie, właściwie… Dobrze, niech pan już to wyciąga.

* * *

Z Łodzi wrócili autobusem, który trząsł się, jakby jemu też było zimno w tę deszczową pogodę. Przez całą drogę trzymali się za ręce. To znaczy: on ją trzymał. Ściskał. Gniótł. Przez trzy godziny. Helena patrzyła za okno, Bronek nie patrzył nigdzie. Zabieg się udał, lekarz dał mu nawet ten mały, błyszczący opiłek, który zabrał połowę jego wzroku.

W ciągu dwóch miesięcy tęczówka w prawym oku niemal zupełnie zbielała. Różnica w polu widzenia była jednocześnie mała i duża, nie potrafił tego wytłumaczyć. Czasami wydawało mu się, że wciąż ma dwoje sprawnych oczu, innym razem gotów byłby przysiąc, że zaraz nie będzie widział już nic.

Przestał jeździć do Koła i zrezygnował z pracy w PSS-ie. Milka na próżno pytała go o pomarańcze.

Interesował go jedynie Pies. Chodził do niego po kilka razy dziennie i szczotkował mu sierść albo tylko siadał na zydlu i patrzył jedynym okiem gdzieś w ścianę. Któregoś razu w kąciku rolniczym „Gazety Kolskiej" przeczytał, że gospodarz prawdziwie miłujący swoje zwierzęta powinien dla nich przygotować specjalne maski, które mogłyby nosić w razie kolejnej wojny i rozpylenia gazu bojowego, więc zrobił taką Psu, a potem zrobił jeszcze jedną, na wszelki wypadek.

Zastanawiał się, kiedy straci drugie oko. Nie powiedział nikomu o rozmowie z Cyganką, pojechał za to do obozu pod lasem, ale obozu najwyraźniej od dawna tam już nie było.

Patrzył czasem na córkę, kiedy wspinała się na najwyższe drzewa za domem, i były to jedyne momenty w ciągu dnia, kiedy czuł się spokojny. Siadał na rozkładanym krześle z gazetą, której nawet nie otwierał, i śledził wzrokiem zwinne ruchy śmigającej między konarami dziewczynki. Czasami podchodziła do niego, żeby mu coś pokazać – zbity łokieć, wielkiego pająka, zeschniętą żabę – i dawała mu szybkiego buziaka, a potem wracała do swojego podniebnego świata. Kiedy biegła, Bronek widział jej pomarszczone łydki i zastanawiał się, jaki mężczyzna będzie chciał kiedykolwiek przytulić się do tego ciała, jaki mężczyzna będzie chciał to ciało oglądać dłużej niż przez dzikie pięć minut po pijackiej zabawie w remizie, kiedy i tak jest wszystko jedno.

Po południu parzył herbatę, siadali wspólnie przy stole, on na swoim, córka na swoim miejscu, i opowiadał jej o młodości babci, o pierwszym spotkaniu z mamą, o ślubie, o wojnie, o rozstrzelaniu braci i o przygodach Konia. Opowiadał o wszystkim, co mu przyszło do głowy, i zastanawiał się, kiedy Milka powie mu, że już nie chce tego słuchać, że to nudne, stare historie człowieka, który żyje już tylko nudnymi, starymi historiami.

Wieczorem zazwyczaj przygotowywali kolację, a kiedy skrzypiący rower zwiastował przyjazd Heleny, chowali się za drzwiami, za piecem, za szafą lub za zasłoną, żeby wyskoczyć nagle z krzykiem. Bronek trochę się tego wstydził, a trochę mu się to podobało.

114

Podczas kolacji głos należał do Heleny. Utargi, klienci, spotkania, rozmowy, wydarzenia, plotki. Milka patrzyła na zmęczoną matkę, i widziała człowieka, jakim chciałaby się stać. Marzyła o podkrążonych oczach i gwałtownym, kolorowym życiu, o którym mogłaby opowiadać komuś codziennie przy kolacji.

Helena marzyła tylko czasami, ale kiedy już to robiła, niezmiennie wyobrażała sobie, że jest kimś zupełnie innym.

Wstawała wcześnie rano i wsiąkała w codzienność złożoną z garnków, talerzy, ogródka, warzyw, roweru, klientów – również łysiejącego pana Zygmunta, który prezentował podziwu godną wytrwałość – pieniędzy, opłat i zmęczenia.

Niektóre wieczory spędzała u sąsiadów. Zostawiała w domu Helenę-matkę, Helenę-żonę i Helenę-właścicielkę sklepu, zmieniając się w Helenę, która ze wszystkich Helen podobała jej się najbardziej.

W towarzystwie sąsiadów czuła, jakby krew szybciej krążyła jej w żyłach. Grali w karty albo w ciuciubabkę. Najczęściej w to drugie. Najczęściej podpici. Któregoś razu z zawiązanymi oczami potknęła się o nogę leżącego pod stołem Przybylaka i runęła do przodu, machając rękoma. Zderzyła się z progiem, poczuła wybuch bólu w dziąśle, usłyszała trzask.

Trzy dni później, ze szczęką jak główka sałaty, usiadła w fotelu dentystycznym i powiedziała:

– Płohe wyhwak albo coh, bo ja zaah chyba umhe z bólu.

Lekarz był wysokim, przystojnym mężczyzną o szczupłych ramionach i palcach pianisty. Pogrzebał w szufladzie, brzęcząc narzędziami.

– Otworzyć – powiedział.

Posłuchała.

– Szerzej.

Posłuchała.

– Nie ruszamy się teraz.

Była już tylko bólem. Pulsowała i płonęła, kiedy próbował wyrwać jej twarz z twarzy, aż nagle otoczyła ich czerń, a w dziąśle coś jej pękło.

– Ożeż… ! – syknął dentysta, wyjmując jej z ust obcęgi i odwracając się do okna. – Prąd wyłączyli. Trzeci raz w tym tygodniu. Kurwa mać, za przeproszeniem. Wyobraża pani sobie?

Nie wyobrażała sobie. Nie miała w głowie żadnej myśli. Nie była już Heleną Geldą, żoną Bronka, matką Mili, sąsiadką i właścicielką sklepu Zieleniak, była tylko bólem, który powoli przegryzał się przez czas.

– Coh hę ułamało… – spróbowała, próbuje zapytać, ale w tej samej chwili wybucha od środka, jest biała i pulsuje, a potem leży w łóżku i pulsuje dalej, trzyma go pod rękę i opowiada mu świat, który dla niego nie istnieje, a potem patrzy na tańczących w bieli i pulsuje, kołysząc w rękach chłopca z jej krwi, pulsuje, pulsuje, pulsuje, chodząc co niedzielę tam, gdzie mieszka jej małe, coraz większe szczęście, a nocami już tylko głośny szum bezbarwnej rzeki w głowie, i głosy w tej rzece, głosy.

– No, włączyli.

Głos. Jeden.

Otwiera, otworzyła oczy. Mężczyzna. Sufit. Światło. Ząb.

Wzdrygnęła się, obserwując, jak rzeczywistość powoli wskakuje na swoje miejsce.

– Już wszystko w porządku – oznajmił dentysta z uśmiechem. – Możemy kontynuować.

– Nhee! – ryknęła, zeskakując z fotela.

Spojrzała jeszcze na lekarza wzrokiem zwierzęcia schwytanego we wnyki i zniknęła za drzwiami.

* * *

Okłady, kompresy, owijanie głowy. Masowanie, płukanie, a nawet pieprzówka.

Bronek biegał wokół żony, która wyglądała, jakby miała dwie głowy, i która mówiła niemal wyłącznie o stratach, jakie poniosą w związku z zamknięciem sklepu na dłużej.

Jeździł do miasta wcześnie rano, odbierał towar, sprzedawał tyle, ile mógł, a potem wracał do domu, i od nowa: okłady, kompresy, owijanie głowy, masowanie, płukanie, pieprzówka.

Kiedy wydawało mu się, że dłużej tak nie wytrzyma, przeziębiła się Mila.

Była rozpalona i drżała nawet pod dwiema pierzynami. Kiedy kasłała, dudniło jej w płucach. Bronek biegał więc teraz wokół ich obydwu. Jeździł po lekarza, załatwiał syropy, moczył cebulę w miodzie i próbował wszystkiego, co podobno dobre na gorączkę i kaszel.

Kiedy wydawało mu się, że dłużej tak nie wytrzyma, Pies zapadł na zołzy.

Z nozdrzy ciekł mu żółty śluz. Trzeba było inhalować go gorącą wodą z karbolem i olejkiem terpentynowym. Bronek wciskał rośliny i siano do worka, zanurzał to wszystko w wiadrze z wodą i zakładał je zwierzęciu na pysk. Dwa razy dziennie po dziesięć minut. Ledwie trzymał się na nogach. Wieczorami, kiedy Helena i Milka już spały, zachodził jeszcze do stajni i okładał Psu szczękę wilgotnymi szmatami maczanymi w siemieniu lnianym, a potem siadał na zydlu i zasypiał, oparty o chłodną ścianę.

Kiedy wydawało mu się, że dłużej tak nie wytrzyma, umarła Staszka, ostatnia z sióstr Pyziakowych, i trzeba było jechać z całą rodziną na pogrzeb.

Pies ledwo człapał, Milka kasłała, a Hela wyglądała, jakby za chwilę miała zasnąć. Opuchlizna jak jabłko przyklejone do twarzy.

Na pogrzebie był tylko ksiądz i ich troje. W połowie ceremonii dołączyła jeszcze wyżłobiona wiekiem kobieta, która, jak się później okazało, po prostu lubiła pogrzeby.

Dzień wcześniej Bronek dowiedział się, że Staszka Pyziakowa zapisała mieszkanie Milce. Kiedy poszedł tam po jakąś sukienkę, żeby mogli ubrać kobietę do trumny, zobaczył uchyloną szufladę stołu, a w niej całą masę jednakowych, częściowo pozlepianych ze sobą cukierków. Wszystkie je rozrzucił na jakimś podwórku kilka ulic dalej.

Wracając z pogrzebu, spotkali brata Heli, Felka, który kilka miesięcy wcześniej kupił sobie telewizor.

– Belweder – tłumaczył Bronkowi szwagier. – Tak się nazywa. Cudo, Bronek, zapraszam was, przyjdźcie kiedy obejrzeć. Najlepiej na *Tele-Echo* albo *Kronikę kulturalną*. Zresztą, na cokolwiek!

Bronek, ledwie przytomny ze zmęczenia, postanowił, że też musi kupić sobie takiego belwedera i kilka tygodni później, po wielu telefonach, rozmowach, wizytach i negocjacjach, w domu Geldów pojawił się telewizor. Wyglądał jak okienko do piekła. Włączony szumiał i trzeszczał. Wyłączony milczał złowieszczo, jakby na coś czekał. Milka zastanawiała się, co wtedy porabia.

Udało im się go uruchomić dopiero po kilku dniach.

Wrócili właśnie z wizyty na cmentarzu i usiedli w fotelach. Bronek bez większych nadziei włączył urządzenie i pogmerał przy pokrętłach. Ekran rozbłysnął obrazem, a z głośników ryknęły słowa prezentera.

– Działa! To działa! – wrzasnął Bronek, odwracając się do żony.

Puszczali program o jakiejś polskiej gwieździe za granicą. Na ekranie pojawiła się kobieca twarz. Tajemnicze oczy. Egzotyczna fryzura. Zamyślony wzrok. Pola Negri.

Helena powoli podeszła do telewizora i wyrwała wtyczkę z gniazdka. Uśmiechnęła się do męża i córki. Wzruszyła ramionami.

– Pora na kolację – powiedziała. – Dzisiaj jajecznica na cebuli.

Od tamtej pory, po niecałej minucie spędzonej przed szklanym ekranem, Helena Gelda nie oglądała telewizji przez ponad czterdzieści lat.

ROZDZIAŁ SIÓDMY

Dwa lata po wyjściu ze szpitala – w którym leżał przez ponad sześć miesięcy – Jan Łabendowicz wyjął z szuflady zawinięty w koszulę pistolet i przyłożył go sobie do głowy.

Miał włosy do karku i gęstą, bladorudą brodę. Był chudy w ramionach i tłusty na brzuchu. Palce pożółkłe od papierosów.

Był wtorek, godzina dwunasta, a może trzynasta, kogo to obchodzi. Kogo obchodzi godzina, dzień czy rok, kogo obchodzi, czy lewą, czy prawą ręką, kogo wreszcie obchodzi, czy udało się, czy się nie udało, myślał Jan, patrząc na drżące obrzydliwie kikuty.

Pociągnął, pociąga za spust.

Pociąga za spust i idzie po żniwach u wuja, a na polu leży ona, odmawia papierosa, leżą w deszczu, potem radio i wojna, którą zrobił, świnia, Pichler na drodze, ślub, kotlety, *Frau* Eberl, tak, pociąga za spust, a *Frau* Eberl podnosi jego pierworodnego syna nad głowę i w obcym języku mówi mu, jak go kocha, a jednocześnie stoi na wozie i przeklina całą rodzinę, i żeby ci się *Teufel* urodził, wrzeszczy, zrozpaczona, więc pociąga za spust i ogląda swojego drugiego, białego syna, a z łóżka dobiega go ciche: „Uduś go, Janek", którego już nie zapomni, a potem siedzi w więzieniu z fryzjerem Krzaklewskim i słucha kłamstw o jego chorym synu, potem dom i Durna, aż wreszcie ojciec i pociągi magistrali węglowej, na samą myśl smoła w sercu, więc pociąga, pociąga za spust.

Trzask. Cisza.

Żyje. Jan Łabendowicz żyje dalej, wszystko na nic, całe życie na nic, skoro nawet to do dupy.

Położył pistolet na kolanach i rozpłakał się głośno, koszmarnie, tak jak żaden człowiek nigdy płakać nie powinien. Potem leżał długo na podłodze i tęsknił za papierosem, po którego musiałby się czołgać do kuchni. Tęsknił za Ireną, która oprzątała bydło. Tęsknił za synami, którzy byli w szkole.

Po błękitnym kawałku nieba, który widział przez otwarte okno, przepłynął w oddali duży ptak, prawie nie poruszając szeroko rozpostartymi skrzydłami. Jan myślał o Durnej, której nie widział od tak dawna.

Przewrócił się na brzuch i podniósł na rękach. Obrzucił wzrokiem pokój i kuchnię. Wciągnął w płuca zapach tłustego rosołu. Wsunął pistolet za pasek spodni i jednak poczołgał się po schowane w szufladzie papierosy.

* * *

– Chcesz rzucić? – zapytał.

Stali we dwóch nad stawem w Szalonkach. Przyjechali motocyklem młodego Paliwody.

Wiktor miał metr siedemdziesiąt wzrostu, a szerokie plecy i kark sprawiały, że wyglądał na starszego, niż był w rzeczywistości. Głowa ogolona na łyso. Na przedramionach blizny jeszcze z czasów szkoły podstawowej.

Widział znacznie gorzej niż wtedy. Świat pływał mu przed oczami, a rozmyte pełzało wszędzie dookoła. Przyzwyczaił się.

– Czemu dopiero teraz go wyrzucamy? – zapytał, chwytając broń za lufę.

– Ważne, że w ogóle.

Wiktor popatrzył na ojca, wspartego na kulach, a potem wzruszył ramionami i cisnął pistolet do wody. Kiedy broń, obracając się, zalśniła w powietrzu, przypomniał sobie twarz Strzępka.

Strzępek. Jakby ktoś z poprzedniego życia. A może tamto wszystko tylko mu się śniło? Mógłby zapytać starą Dojkę, ale ona i tak nie powiedziałaby prawdy. Od lat interesowała ją tylko jej fryzura. Mówili, że dawno już powinna wyświadczyć wszystkim przysługę i umrzeć. Jej lepianka zawaliła się poprzedniej zimy i od tamtej pory Dojka znów żyła na polach. Spała owinięta w szmaty i koce, zimą chłopi wpuszczali ją do obór i piwnic. Jadła to, co znalazła lub wyżebrała. Cuchnęło od niej na kilka metrów. Mógłby też sprawdzić, czy w rowie rzeczywiście zakopane jest jakieś…

– Jedziemy – oznajmił ojciec.

Pojechali.

Znad jeziora kazał się zawieźć prosto do Radziejowa. Zatrzymali się na rynku, przed zakładem fryzjerskim. Wiktor czekał na ojca, chowając się w cieniu i udając, że nie widzi, jak przechodzący obok ludzie odwracają głowy. Czasami miał ochotę pokazywać im język albo robić głupie miny. Miał ochotę złapać kogoś za gardło i patrzyć, co się stanie.

Niecałą godzinę później z zakładu fryzjerskiego wyszedł jego ojciec młodszy o dekadę. Strąki na głowie zastąpiła grzywka zaczesana na bok i krótka szczecina na skroniach. Broda zniknęła. Towarzyszył mu uśmiechnięty mężczyzna.

Ojciec popatrzył na Wiktora i zapytał:

– Może być?

– Mama to chyba zemdleje.

– Mama znała mnie takiego trochę dłużej niż ty.

Po tych słowach Jan Łabendowicz obrócił się do mężczyzny, z którym wyszedł i który teraz udawał, że nie istnieje.

– Mój syn, Wiktor – oznajmił, a potem dodał, nadal nie odwracając wzroku od fryzjera. – A to jest pan Krzaklewski. Opowiadałem ci o nim.

– Dzień dobry. – Wiktor uścisnął masywną dłoń.

– Miło mi – odparł Krzaklewski.

Ojciec zamienił jeszcze parę słów z kolegą, a Wiktor, próbując nie przeszkadzać, cofnął się do motocykla i obrzucił wzrokiem niewielki zakład fryzjerski. Stary, wypucowany szyld, jedno z okien pęknięte. W środku lustra i kilka czerwonych foteli. Na jednym z nich siedziało coś w kształcie człowieka, tylko że powykręcane. Uniosło rękę z dłonią wygiętą ku dołowi i próbowało zamachać. Wiktor kiwnął głową i odwrócił wzrok.

– Jedziemy? – zapytał ojca.

Pojechali.

* * *

Tamtej nocy Wiktor śnił o zdeformowanym chłopcu. Siedział z nim przy stole w kuchni i próbował go karmić. Podpierał jego przekrzywioną głowę, usiłując wsunąć łyżkę między zaciśnięte zęby. Wokół stołu stali rodzice, Kazik i fryzjer Krzaklewski. W dłoniach trzymali sznury, których końce owijały się wokół szyi i rąk Wiktora. Kiedy pochylał się nad chłopcem, szarpali za nie, wytrącając mu łyżkę, a potem śmiali się z nich obu. Kazik rechotał najgłośniej.

W dalszej części snu jechał z ojcem motocyklem. Na zakręcie wpadli w poślizg i uderzyli w drzewo. Wiktor przeleciał nad kierownicą, runął w zarośla. Nadział się brzuchem na gałąź.

– Z ciebie i tak by nic nie było – oświadczył Jan, czołgając się w jego stronę. Wiktor próbował wyciągnąć sobie konar z ciała, zanim ojciec się do niego zbliży. Nie miał siły. Oddychał nierówno, czując, jak wszystko w nim słabnie. Położył głowę na ziemi i patrzył na grube pnie rosnących przy drodze akacji.

– Daj – mruknął w końcu ojciec i podniósł się na łokciu, zaciskając jedną dłoń na gałęzi.

Wiktor chciał mu powiedzieć, że się boi i żeby jeszcze chwilę poczekał, bo może ktoś będzie akurat przejeżdżał drogą, ale Jan naparł całym ciałem na konar i wbił go jeszcze głębiej. Potem zanurzył dłoń w ciele Wiktora i wyszarpnął ze środka coś ciemnego. Jedną ręką podkasał nogawki spodni, a drugą zaczął mazać kikuty nóg gęstą krwią.

– Te stare wariatki na majowych to jednak prawdę gadały – powiedział, obserwując odrastające golenie i stopy. – Widzisz, synuś? Nie ma się co martwić. W końcu się ojcu na coś przydasz.

Po tych słowach podniósł się z ziemi i chwiejnym krokiem podszedł do motocykla. Uruchomił silnik, a potem, nie odwracając się, wyjechał z powrotem na drogę.

Wiktor przebudził się i zrzucił z siebie pierzynę. Opuścił nogi na podłogę, usiadł. Odtwarzał w myślach sen, próbując przypomnieć sobie szczegóły.

Od tamtej pory często myślał o powykrzywianym chłopcu z Radziejowa. Pracując w polu albo leżąc w łóżku, wyobrażał sobie, że idzie do zakładu fryzjerskiego. Podnosi z blatu brzytwę. Podaje ją chłopcu. Ten podrzyna mu gardło i naciera sobie skórę jego krwią. Ręce powoli zaczynają mu się prostować. Odzyskuje władzę w dłoniach. Swobodnie porusza głową. Podnosi się z krzesła, przysuwając zdrowe ręce do twarzy.

Dzięki Wiktorowi chłopiec żyje i odzyskuje zdrowie. Sam Wiktor umiera na rękach fryzjera, a na jego pogrzebie są tysiące osób. Mieszkańcy Radziejowa powtarzają sobie historię o bohaterskim synu Łabendowiczów, który oddał życie, żeby pomóc schorowanemu chłopakowi Dionizego Krzaklewskiego. Kazik zaczyna za nim tęsknić. W Osięcinach ksiądz odprawia za niego mszę. Ojciec i matka są z niego bardzo dumni.

* * *

Jan zaczął wstawać wcześniej niż zwykle. Jak najciszej gramolił się z łóżka na ziemię i wycierał brzuchem podłogę na drodze między sypialnią a sienią. Na leżąco palił papierosa, a potem pełzł do kuchni, zamykał drzwi, zakładał protezę i brał się do robienia śniadania. Mordował się z nim zwykle półtorej godziny. Siadali potem we dwoje, we troje, a czasem nawet we czworo, żeby zjeść to, co przygotował i czego nie zepsuł.

Codziennie się golił. Codziennie układał włosy. W zamykanej kieszeni na piersi nosił grzebień i otwierane lusterko z Brigitte Bardot w stroju kąpielowym. Brigitte Bardot w stroju kąpielowym stanowiła jeden z głównych powodów, dla których jednak warto było żyć.

Proteza, którą dostał w szpitalu, nie lubiła się z tym, co zostało z jego lewej nogi. Klucha mięsa pod kolanem puchła w ciągu dnia. Na prawą nogę protezy nie dostał, ponieważ kończyła się ponad kolanem, a na takie nie dawali. Tak przynajmniej powiedzieli. Nie dopytywał.

Przed snem próbował się gimnastykować. Wymachy ramion, skręty tułowia, półpompki. Powoli nabierał ciała, a bruzdy na skórze wypełniały się mięśniami.

Bał się bliskości. Od kiedy wyszedł ze szpitala, spali z Ireną osobno. Bo bóle. Bo krew z kikutów. Bo bezsenność. Któregoś wieczoru przyszła do niego, bez słowa rozebrała się i usiadła na brzegu łóżka. Jej ciało wciąż miało ledwie wyczuwalny zapach mleka. Spojrzał na jej białe plecy i piegi rozsypane po szyi i łopatkach. Czuł, że jeśli zaraz czegoś nie zrobi, rozpadnie się na kawałki. Pociągnął ją na łóżko. Przyciskał ją całym sobą, coraz bardziej spocony i coraz bardziej spokojny.

Leżał potem, wsparty na łokciu, i patrzył, jak ubiera się przed szafą. Jej ciało porosło upływem czasu. Jakby miała dwie skóry, jedną zbyt luźno wciągniętą na drugą. Szyja zbiegała w dół pionowymi zmarszczkami, w których błyszczała jeszcze jego ślina. Piersi ciążyły ku miękkiemu brzuchowi. W mdłym świetle lampy rude włosy wydawały się płonąć.

* * *

Kule, które dostał w szpitalu, wyglądały, jakby ktoś całymi latami wkładał je w najbrzydsze miejsca na świecie. Jan próbował je czyścić i malować, w końcu uznał, że zrobi sobie nowe. Przez kilka dni strugał je z suchych i lekkich belek, które dostał od młodego Paliwody. Pomagał mu Kaziu.

– Masz papierosa? – zapytał syna któregoś wieczoru, kiedy zrobili sobie przerwę.

– A matka?

– A co matka?

– Mówi, że za dużo kaszlesz.

– Nie wygłupiaj się.

Podał ojcu paczkę.

– Co to jest?

– Amerykańskie – wyjaśnił. – Ciotka Salcia przysłała.

– I jak takie barachło palić? – mruknął do siebie Jan, niezdarnie odrywając filtr.

Kaziu zaciągał się, obracając w rękach gładką, prawie gotową kulę.

– A ten sęk to ojciec chce tak zostawić? – zapytał, wskazując na sterczącą wypustkę.

– A czemu nie?

– To wygląda jak sutek podnieconej baby.

– Ciekawe, co ty wiesz o podnieconych babach.

Trzy miesiące później okazało się, że trochę jednak wie.

Dziewczyną, która zaszła z nim w ciążę, była Krysia, do której jeździł kiedyś rowerem. Pobrali się szybko i z poczuciem dobrze spełnianego obowiązku.

Z wesela Kaziu zapamiętał pierwszy taniec i kilka pocałunków do „gorzko". Potem już tylko zupa z twarzy i krótkie, niewyraźne przebłyski. Jak wlewa w siebie wódkę ze szklanki. Jak tańczy z Krysią. Jak tańczy z matką. Jak tańczy z teściową. Jak tańczy z ciotką. Jak tańczy z koleżanką Krysi, Bogną. Jak rżnie Bognę za kurnikiem. Jak wymiotuje w krzakach całym sobą. Jak go prowadzą, nie wiadomo kto, do łóżka.

Zamieszkali u Łabendowiczów. Krysia zachowywała się, jakby jej nie było. Odzywała się tylko wtedy, kiedy musiała. Po domu chodziła jak duch. Słychać ją było jedynie nocami, kiedy spełniała małżeńskie powinności. W grudniu urodziła dziewczynkę. Jan, Irena, Kaziu i Wiktor zapakowali się na nowy wóz i pojechali do Radziejowa. Okutani w serdaki i kożuchy, przytulali się do siebie, rozpijając butelkę gonichy. Śnieg zalegał na drzewach i polach.

Wiktor nie znosił dobrze alkoholu. Zazwyczaj rzeczywistość nieprzyjemnie wymykała mu się ze zmysłów. Wiotczał i tężał na przemian, w głowie wiało ze wszystkich stron. Potykał się, mylił słowa i słyszał to, czego słyszeć nie powinien.

Tym razem wypił na tyle mało, by uniknąć większości nieprzyjemnych konsekwencji, i na tyle dużo, by większości przyjemnych konsekwencji doświadczyć. Siedział obok matki, obojętny na ludzi, którzy co jakiś czas podnosili na niego wzrok, i czuł przyjemną bezwładność ciała oraz głowy. Do momentu, kiedy podjechali przed szpital.

Przed szpitalem kołysało się morze rozmytego.

Gęste fale ziemi rozbijały się o ściany budynku. Okna spływały po ścianach. Co chwilę rozmyte chlustało z dachu i rozpościerało się w powietrzu, przysłaniając słońce, a potem rozwiewało się jak dym. Wiktor zeskoczył z wozu, zatoczył się, podparł. Ktoś się zaśmiał, ktoś klepnął go w plecy.

Słuchał. Szedł przed siebie i słuchał.

Z oddali niósł się ryk rzeki. Rozpoznawał w nim pojedyncze wrzaski. Rozmyte, niewyraźne. Jakby tysiące ludzi krzyczało naraz w tubę.

Przysiągłby, że słyszy w tym wszystkim głos Strzępka i słowa: „Zabijanie to jest najcudowsze, nawspaniasze rzecz na świecie". I zaraz potem: „Idziesz? Co ty, Wiktor, idziesz?".

– Co ty, Wiktor, idziesz? – pytał ojciec, wsparty na swoich drewnianych kulach. Uśmiechał się.

– Idę – powiedział. – Zaraz przyjdę. Muszę trochę…

Znowu śmiech i znowu klepnięcie.

Poszli.

Wiktor zamknął oczy i wsadził palce do uszu. Szum rzeki nie ucichł. Strzępek wrzeszczał najgłośniej.

* * *

Najgorzej było na korytarzach. Rozmyte po kolana. W sali, gdzie Kaziu kołysał swojego małego różowego człowieczka, wszystko nagle ucichło.

– No mówiłem, że przetrzeźwieje raz-dwa! – stwierdził ojciec, wskazując na dziecko. – Zobacz. Twoja bratanica. Zosia.

Wiktor posłusznie wziął dziewczynkę na ręce. Przez becik czuł bijące od niej ciepło. Miała włosy przyklejone do głowy i cała była w zmarszczkach.

Pozostali rozmawiali o porodzie i imieniu dla dziewczynki. Kaziu wyciągnął butelkę i pociągnął łyk, na co Irena powiedziała, że to nieelegancko. Wiktor oddał zawiniątko Krysi, która nie spuszczała dziecka z oczu.

Kiedy godzinę później opuszczali salę, na korytarzach wciąż pływało rozmyte. Kaziu wyglądał, jakby przybyło mu wzrostu. Szli w milczeniu. Ludzie odwracali głowy. Wiktor nie patrzył. Rozchlapywał czerń i oddychał głęboko.

Na schodach Jan zaniósł się kaszlem. Charczał, oparty o ścianę, a zęby miał czerwone od krwi. Młody i zezowaty lekarz, który wchodził właśnie na piętro, przystanął przy nim i zapytał, czy dobrze się czuje.

– Trochę swędzą mnie stopy – odparł Jan, dusząc się od kaszlu. – Ale poza tym nie najgorzej.

– A, czyli żartowniś – stwierdził lekarz. – To życzę wszystkiego dobrego.

Wyszli wreszcie przed szpital, gdzie poczekali, aż Jan przestanie kasłać.

Dłoń, brudną od krwi, wytarł o wóz, a potem wrócili do domu.

* * *

Kazik siedział na schodach i patrzył na stodołę przysypaną śniegiem. Niebo jak kawał szkła. Słońce odbijało się w zamarzniętych kałużach na polu.

– Słuchaj… – powiedział Wiktor, siadając obok niego i opierając dłonie na udach.

– No co jest? – Kaziu pociągnął z butelki i otarł usta przedramieniem. – Chcesz?

– Nie. Posłuchaj, muszę z tobą pogadać.

– Rany, czy to nie jest wspaniałe?! – Kaziu odwrócił się do niego: twarz poczerwieniała, oczy jak poziomie bruzdy w ciele. – Kurwa, mam córeczkę!

Wiktor pokiwał głową, uśmiechnął się.

– Ładniutka jest – powiedział.

– Żebyś wiedział. Najładniejsza.

– Słuchaj, Kaziu, takie coś mnie gnębi. Chodzi o to, że…

– Jak przy niej zobaczę chłopaka, to ci przysięgam, że nogi z dupy wyrwę, uwierz mi, że tak zrobię. Nie pozwolę na żadne takie. To będzie porządna dziewczyna.

– Chodzi o to, że ja różne rzeczy widzę i słyszę i nie wiem, może mi odbiło czy coś. Ja chyba jestem jakiś nienormalny. Aż mi się czasami… Nie wiem.

– Wiesz, co ci powiem? Powinieneś sobie zdrowo zaruchać. Od razu ci przejdzie. Jak sam się wstydzisz, to ja ci jakąś znajdę. O, na przykład tę Bognę, co była na weselu. Ma takie wspaniałe, wielkie dupsko, a jęczy, że mój Boże. Dobra, załatwię ci. Wszystko ci załatwię.

Mówiąc to, przytulił brata i napił się jeszcze.

– Kocham cię, wiesz? Kocham cię, ty niewydarzona fajo.

Wiktor uśmiechnął się tylko i poklepał brata po plecach, a potem wstał i ruszył do drzwi. Zanim wszedł do domu, zatrzymał się jeszcze, odwrócił i powiedział:

— Wiesz co, Kazik? Spierdalaj.

Niedługo później umarł po raz drugi.

ROZDZIAŁ ÓSMY

Emilia nie wiedziała, dlaczego tak często wraca w myślach do tamtej niedzieli i rozmowy z ojcem. Po latach najlepiej pamiętała mszę i zapach.

Pachniało szafą.

Klęczała pomiędzy rodzicami. Po cichu prosiła Pana Boga o to co zawsze. Mama ukradkiem poprawiała spódnicę. Tata próbował nie zasnąć. Szare, tłuste dzieci ze skrzydłami obserwowały wszystko ze ściany. Ludzie po cichu ruszali ustami. Łysy pan klęczał obok konfesjonału na rozłożonej chustce i chrząkał głośno, jakby coś mu wpadło głęboko do buzi. Gdzieś z tyłu ktoś szurał nogami.

Milka poprosiła Pana Boga, żeby jej wygładził skórę, a potem, na wszelki wypadek, poprosiła o to jeszcze Pana Jezusa. Pan Jezus na krzyżu miał bardzo ładną skórę i Milka podejrzewała, że mógłby ją lepiej zrozumieć niż Pan Bóg, który podobno był okropnie stary. Tata powiedział jej kiedyś, że nawet starszy niż pan szewc Rzepka, a on był już naprawdę bardzo, bardzo stary.

Wieczorem, jak co niedzielę, sprawdziła, czy już. Dotykała dłonią brzucha i nóg. Czuła, jakby jeździła palcami po wielkim baleronie, czyli że jeszcze nie. Później tata czytał jej czwarty rozdział książki o Tomku i kangurach. Siedział na krześle ze skrzyżowanymi nogami i śmiesznie poruszał stopą. Podnosił książkę wysoko do twarzy. Szybko się męczył. Przerywał pod koniec każdej strony i zamykał oczy.

– Tato, a ty widziałeś kangura?

– Nie – powiedział, wciąż z zamkniętymi oczami.

– A mama?

– Też nie.

– Szkoda.

– Może ty kiedyś zobaczysz.

– To wam opowiem.

– Tylko nie przywoź żadnego do domu. Gdzie ja go będę trzymał?

– No tak.

Milka złożyła usta w dziubek.

– Tato?

– Hmm?

– A jak ty i mama byliście mali, to byliście nie tacy jak ja, tylko gładcy, prawda?

Bronisław otworzył oczy i uśmiechnął się krzywo. Przez chwilę nic nie mówił. Powoli zamknął książkę, wsuwając palec między strony. Nachylił się w stronę łóżka.

– Tak, córuś, ale to nic nie znaczy. Bo widzisz, ja na przykład strasznie byłem brzydki.

Milka zaśmiała się i przykryła twarz kołdrą, a potem szybko wystawiła głowę i zapytała:

– Jak to strasznie brzydki?

– No tak, że twoja babcia musiała mi wieszać kiełbasę na szyi, żeby się chociaż psy chciały ze mną bawić.

– Naprawdę?

– Naprawdę. I widzisz, jaki teraz jestem ładny?

Znowu chichot i nurek pod kołdrę.

– Śpij już – powiedział Bronisław, prostując się. Syknął, rozmasowując krzyż. – Jutro poczytamy dalej.

Za drzwiami przystanął i oparł się o ścianę. Oddychał powoli, zaciskając i rozluźniając wolną rękę. W końcu poszedł spać i śniło mu się, że ginie w płomieniach.

* * *

W wieku dziesięciu lat Milka po raz pierwszy zakochała się na śmierć i życie. Obiektem jej westchnień był listonosz. Był od niej cztery razy starszy, miał wąsy i bardzo dużą torbę. Ładnie się ubierał i jeździł na rowerze.

Milka sama odbierała od niego listy. Zazwyczaj mama stała tuż za nią. Milka patrzyła wtedy na swoje łapcie, ewentualnie na buty listonosza. Nie odzywała się ani słowem. Zaciskała rękę na kopercie i uciekała do domu.

Kiedy okazało się, że listonosz ma żonę i na dodatek dziecko, uznała, że już go nie kocha. Tydzień później zadurzyła się w koledze z klasy, Waldku, który podobno umiał pływać najlepiej ze wszystkich chłopaków w szkole.

W ostatni tydzień maja poszła po lekcjach z resztą klasy nad rzekę. Waldek skoczył do wody na główkę, a ona pomyślała, że gdyby chciał, toby się z nim ożeniła.

Pozostali rozbierali się w pośpiechu. Co chwilę rozbrzmiewał plusk i wrzaski ochlapywanych dziewcząt. Zmoczone głowy znikały pod wodą i wynurzały się z powrotem. Rudy Maniek udawał topielca. Milka podeszła do brzegu i zanurzyła stopy w wodzie. Zimno. Krzyki umilkły, chlapanie też nagle ustało. Podniosła głowę. Wszyscy patrzyli.

– No co? – powiedziała, wzruszając ramionami.

Cofnęła się i kucnęła, szukając ubrania. Klapnęła na tyłek. Nikt się nie śmiał, a ona marzyła, żeby się śmiali, żeby zrobili cokolwiek.

Wróciła biegiem do domu i nigdy nie poszła już z kolegami i koleżankami nad rzekę. Kochała potem Waldka jeszcze przez jakiś miesiąc, ale w końcu przestała, a jego miejsce, już po wakacjach, zajął nowy nauczyciel matematyki, który wyglądał tak, jak powinien wyglądać Tomek Wilmowski. Po nauczycielu przyszła kolej na starszego o rok kolegę o niebieskich oczach, szybko jednak okazało się, że okropnie jest mrukliwy.

Były takie okresy, że Milka zakochiwała się średnio raz w miesiącu, dlatego z czasem wyczerpała niemal wszystkie możliwości. Nigdy nie oczekiwała odwzajemnienia miłości. Gdyby tak się stało, zapewne czułaby się rozczarowana. Kochanie podobało jej się samo w sobie i dobrze czuła się z tym w samotności. Czasami jednak zastanawiała się, dlaczego jeszcze nikt nie zakochał się w niej. Zapytała o to mamę i usłyszała, że na wszystko przyjdzie pora.

Kiedy miała czternaście lat, Romek z jej klasy powiedział wszystkim na przerwie, że Pana Boga wcale nie ma. Romek zawsze wiedział dużo rzeczy, na przykład jak zrobić petardę z saletry albo jak splunąć na sufit, żeby na drugi dzień został na nim suchy sopel, dlatego Milka mu uwierzyła. Nadal jednak modliła się co niedzielę o gładką skórę, tak na wszelki wypadek.

* * *

W wieku siedemnastu lat po raz pierwszy całowała się z chłopakiem. Miała na sobie nową sukienkę przywiezioną z Łodzi, a on był trochę pijany. Poznała go dwa miesiące wcześniej, na dworcu autobusowym.

Stali przy wiadukcie, obok błyszczał czerwony bak motocykla. Chłopak miał na imię Michał i śmierdział papierosami. Mocno przyciskał ją do siebie. Potem trochę rozmawiali, głównie o niczym, a ona kazała mu obiecać, że jeszcze przyjedzie. Umówili się na spotkanie w sobotę.

Michał nie przyjechał, ani w sobotę, ani w żaden inny dzień. Widziała go kilka tygodni później na przystanku. Stał z kolegą i odwracał głowę. Już nigdy z nim nie rozmawiała.

Z wiekiem coraz więcej się uczyła. Czytywała podręczniki dla wyższych klas. Za normalnymi książkami nie przepadała. Lubiła matematykę, fizykę jeszcze bardziej. Lubiła, kiedy wszystko dało się przewidzieć. Wynik równania zawsze był jeden. Na prawach fizyki można było polegać. Wzór na objętość stożka nigdy się nie zmieniał.

Nie miała pojęcia, co dalej. Wiedziała tylko, że nie chce do końca życia sprzedawać ziemniaków. Ojciec stwierdził, że wcale nie musi i że on też nie chciał, ale w jego czasach to, czego się chciało, nie miało znaczenia. Uśmiechnął się tym swoim smutnym uśmiechem człowieka, którego coś boli, i pocałował ją w czubek głowy.

– Rób, co chcesz, dziecko – powiedział.

Chciała zostać nauczycielką. Zaczęła studia w Łodzi, wybrała fizykę. Wstawała o czwartej rano i szła na przystanek. Po kilku miesiącach znała już z wyglądu wszystkich w autobusie. Po drodze przysypiała, kołysząc głową na nierównościach. Miała dobre stopnie, wykładowcy ją chwalili. Nawet matka w końcu się przekonała.

– Ja skończyłam sześć klas, a moja córcia nauczycielką będzie – powiedziała któregoś popołudnia, obierając ziemniaki. – Kołowacizna.

Emilia zakochiwała się coraz rzadziej i miała nadzieję, że kiedyś całkiem przestanie. Wiedziała, że kobieta o ciele złożonym z blizn może liczyć co najwyżej na jednodniowe schadzki z podpitymi Michałami tego świata.

Podjęła pracę w Szkole Podstawowej numer 5 w Kole i pierwszy rok okazał się nie najgorszy. Kilku klasowych chuliganów próbowało dawać jej się we znaki, ale już na samym początku pokazała im, że nie pozwoli sobie wejść na głowę. Była surowa i wymagająca. Starała się nikogo nie faworyzować. Mieszkanie po ciotkach Pyziakowych nadal zajmowali najemcy, ona mieszkała więc z rodzicami i powoli przyzwyczajała się do samotności.

Kiedy doszła do wniosku, że nigdy nikogo nie spotka, nadszedł wieczór, który miała zapamiętać na zawsze. Wszystko zaczęło się tej nocy, kiedy ludzie wylądowali na Księżycu.

ROZDZIAŁ DZIEWIĄTY

Jak to nie ma? – zapytał Jan, zajęty gonieniem po talerzu śliskiego strzępu jajecznicy. – Co to znaczy, że nie ma?

– Nie ma go od rana – wyjaśniła Irena, grzejąc dłonie od kubka ze świeżo zaparzoną herbatą. – Przecież spał w domu.

– Niedziela jest. Poszedł pewnie do Paliwody po motocykl, czy coś.

Do kuchni wtoczył się Kaziu. Poruszał się powoli, ostrożnie. Włosy sterczały mu na cztery strony świata. Opadł na krzesło, ręce wyciągnął na stół.

– Czy można odrobinkę? – wymamrotał, szczerząc się smutno do matki i sięgając po leżącą na parapecie gazetę.

– Gdzie Wiktor? – zapytał go Jan, który kończył właśnie czyścić talerz skórką chleba.

– A co, ja z nim śpię?– zaśmiał się Kaziu, a potem dodał, zgarbiony nad gazetą. – O! Wiecie, że za dwa miesiące będzie zaćmienie księżyca? Całkowite, piszą. Że niby na chwilę zniknie.

Ojciec i matka patrzyli na niego bez słowa, kiedy wpychał do ust pół suchej kromki.

– Co znowu? – westchnął.

– Ojciec cię pytał, czy widziałeś Wiktora – powiedziała Irena.

– Nie widziałem – westchnął. – Stało się coś?

– Matka twierdzi, że zniknął.

– Przecież wczoraj wieczorem był.

– Proszę. – Irena podała mu talerz i wyszła do sieni.

– Chryste, dorosły chłop na trzy godziny wyszedł z domu, a tu afera jak sto pięćdziesiąt – mruknął Kaziu.

– A ty byś mógł dla odmiany któregoś ranka nie śmierdzieć jak gorzelnia – powiedział ojciec i wziął się do ekwilibrystyki związanej ze wstaniem od stołu.

– Rower jest? – mruknął Kaziu.

– Jaki znowu rower?

– Pewnie Wiktor wziął rower i gdzieś pojechał. Może do jakiejś dziewczyny?

Sprawdzili. Roweru nie było. Tak samo jak ubrań Wiktora i słoika, w którym zawsze trzymał pieniądze zarobione na żniwach u sąsiadów.

Przez pierwsze dwa dni byli tylko zaskoczeni. Później przyszła złość. Po tygodniu zaczęli się martwić, a po dwóch nawet Kaziu odstawił na bok żarty.

– Może on umarł – powiedziała któregoś dnia Irena. – Może pojechał gdzieś i chciał szybko wrócić, ale coś mu się stało.

– Żyje – odparła Krysia. – Na pewno żyje.

– Jeśli tak, to dla mnie i tak już umarł – oświadczył Jan i zaczął to regularnie powtarzać.

Zbliżały się święta. Mróz aż szczypał w skórę. Łabendowiczowie spodziewali się, że Wiktor wróci na Boże Narodzenie.

Zanim nadeszły święta, Jan dowiedział się, że ma raka płuc.

* * *

Zawieźli go do Radziejowa, kiedy stało się jasne, że to już nie jest zwykły kaszel.

Tydzień później stało się jasne, że to już nawet nie jest zwykły rak.

Nowotwór najpierw przeżarł mu płuca, a potem całą resztę. W ciele pięćdziesięciodwuletniego Jana Łabendowicza niewiele było podobno miejsc wolnych od przerzutów.

Jan przyjął tę wiadomość nad wyraz spokojnie, prosił tylko, żeby go wypuścić ze szpitala, na co lekarz z rosnącym zniecierpliwieniem udzielał tej samej odpowiedzi:

— Jeśli pana wypuścimy, nie przeżyje pan tygodnia.

Irena ubłagała go, żeby trochę został.

— Trochę, to znaczy ile? — dopytywał.

— Tylko trochę — tłumaczyła mu, przygryzając końcówkę warkocza.

Leżał w łóżku przy oknie i całymi dniami patrzył na chmury pełznące wolno za szybą.

— Myślisz, że ona przeżyła? — zapytał ją któregoś razu, kiedy pocałowała go na odchodne i zbierała się do wyjścia.

— Kto?

— *Frau* Eberl. Ona była dla nas taka dobra. A ja ją zostawiłem, tam, w tej Kruszwicy.

— Na pewno przeżyła.

— Boję się, Irenka.

— Nie wygłupiaj się — odparła i szybko wyszła z sali.

Po kilku bezsennych nocach w budynku, gdzie ludzie powoli psuli się z dala od swoich rodzin i domów, Jan Łabendowicz doszedł do wniosku, że nie ma na świecie nic gorszego, niż umrzeć w taki sposób. Chciał umrzeć u siebie. Na własnym polu, czując pod plecami ziemię, po której chodził przez całe życie.

— Odwieźcie mnie do domu — błagał.

Błagał Irenę i Kazia. Błagał pielęgniarki. Błagał lekarzy. Błagał innych pacjentów i odwiedzających ich gości. Błagał sprzątaczkę. Błagał wszystkich. I wszyscy mieli go gdzieś.

Irena odwiedzała go codziennie. Kiedy powiedziała, że na razie nie zabierze go do domu, przestali rozmawiać, tylko patrzyli razem na te szare chmury. Prawie już nie wstawał. Oddychał z coraz większym trudem. Rano znajdował na poduszce duże plamy krwi.

Jedzenie miało smak siana. Dziobał widelcem po talerzu i oddawał posiłki prawie nietknięte. Kiedy przesuwał dłońmi po brzuchu i ramionach, wydawało mu się, że dotyka ciała obcego człowieka. Przecież nie mógł być tak chudy. Najbardziej brakowało mu papierosów. Marzył o tym, żeby mocno, głęboko zaciągnąć się kojącym dymem. Poczuć zapach tytoniu. Oparzyć opuszki palców wędrującym po bibule żarem.

W nocy budził się, rozrywany od środka nagłym bólem. Płuca? Żołądek? Czasem wydawało mu się, że boli go wszystko. Tłukł głową o łóżko, czekając, aż mu przejdzie. Czasami nie mijało przez pięć minut, innym razem przez godzinę. Kiedy nie bolało, czuł się otępiały. Jakby ulatywał sam z siebie. Jakby coraz mniej w nim było Jana Łabendowicza.

Kiedy pogodził się z myślą, że przyjdzie mu pożegnać się ze światem ze szpitalnego łóżka, odwiedził go Wiktor.

Była niedziela. Wieczór. Chłopak stanął w drzwiach i czekał, aż ojciec na niego spojrzy.

W końcu ojciec spojrzał. I odwrócił wzrok.

– Wynoś się stąd – wycharczał.

Wiktor podszedł do niego i usiadł na łóżku.

– Ja ci wszystko wytłumaczę.

Ojciec długo patrzył na niego bez słowa.

– Zabierz mnie do domu – powiedział.

* * *

Szli powoli, przystawali często. Ojciec wisiał na nim, a drewniane kule ciągnęły się po ziemi. Autobus jechał dwa razy dłużej niż powinien, ale w końcu dojechał. Od przystanku do domu mieli zazwyczaj półtora kilometra, teraz jakby pięćdziesiąt. Momentami przez ścianę śniegu nie było nic widać. Wysokie hałdy piętrzyły się po obydwu stronach drogi. Drzewa uginały się pod białym ciężarem.

– Jeszcze tylko kawałek – powtarzał Wiktor. – Jeszcze trochę.

Mróz rozdzierał mu nos, policzki i uszy. Buty dawno przemokły. Wielki kudłaty pies zaszczekał na nich od niechcenia, kiedy przechodzili obok płotu, i zaraz schował się z powrotem do budy. Wszystko schowało się, gdzie mogło, i tylko oni dwaj, zgarbieni, posuwali się powoli śliską drogą.

Jeszcze tylko kawałek.

Minęli miejsce, gdzie stała kiedyś chata Dojki, i to, w którym Pichler salutował Janowi. Minęli rów, w którym Wiktor zabił Strzępka. Wiatr smagał po policzkach śniegiem i piaskiem niesionym z pól. Świat wył i świszczał.

Jeszcze tylko kawałek.

Ojciec charczał, jakby próbował łapać oddech całym sobą. Kasłał i dygotał. Mróz próbował ze wszystkich stron wwiercać się w ciało i Wiktor miał wrażenie, że płoną mu dłonie.

W końcu zobaczyli dom. Wyglądał, jakby też kulił się z zimna. Z komina tryskała ledwie widoczna strużka szarego dymu. Po czarnych oknach wspinały się wzory z lodu.

– Ja pobiegnę po Kazia – szepnął Wiktor, czując, jak ciało ojca wyślizguje mu się z rąk. – Zaraz będziemy w domu.

– Nie chcę do domu. Chcę na pole.

Jan próbował powiedzieć coś jeszcze, ale szarpnęła nim kolejna salwa kaszlu. Dusił się i rzęził. Parskał krwią.

– Dobrze, na pole – zgodził się Wiktor.

Ostatnie metry pokonał, idąc tyłem i ciągnąc przed sobą kościstego ojca. Człowiek, który niegdyś wydawał mu się olbrzymem, był teraz drobną, twardą kukłą. Wystraszone oczy patrzyły na wszystkie strony. Z rozchylonych ust buchały obłoczki pary. Wiktor żałował, że widzi ojca takiego. Nikt nie powinien widzieć jego ojca takiego.

– Już, już – powiedział, a potem poprawił uchwyt i dodał:– Nie bój się.

Kiedy zszedł z drogi, Jan upuścił kule. Oblepiające ziemię wydmy błyszczały w świetle księżyca. Gdzieniegdzie spod śniegu wyzierały czarne plamy pola.

Jan patrzył zachłannie na boki, wijąc się w uścisku Wiktora.

– Tu mama twoja… – mówił cicho. – Tu się poznaliśmy. Dom, patrz, jak dobrze wygląda, sam go budowałem, nie pamiętasz, malutki byłeś. A oborę? Pamiętasz, jak oborę żeśmy stawiali? Wiadra mi z Kaziem nosiliście. Ale wam się podobało!

Wiktor odwrócił wzrok. Otworzył usta, lecz milczał.

– Patrz, jak to szybko wszystko… – Jan chwycił go mocno za nadgarstek. – Wiesz, synek, myślałem, że nie dojdziemy.

Znowu kaszel, znowu charkot, znowu krew spływająca po brodzie.

– Połóż mnie tu.

Wiktor uklęknął i ułożył ojca na śniegu. Jan obrócił się na brzuch. Długo patrzył na dom, aż w końcu zatrząsł się, jakby mu coś właśnie wybuchło w tym chudym, pomarszczonym ciele.

Podpełzł dalej.

– Na wiosnę pszenicę trzeba obsiać. Obsiejesz?

– Tato…

– Obsiejesz, dobry z ciebie chłopak – powiedział, nie czekając na odpowiedź, a potem odwrócił się i spytał: – Ale powiedz mi. Gdzieś ty był przez cały ten czas?

Wiktor pokręcił głową i przyłożył sobie dłonie do twarzy. Wiatr sypał w niego śniegiem, a świat wył coraz głośniej.

– Nieważne – stwierdził Jan. – Nieważne, synuś. Tylko obsiej, i żniwuj nie za późno. No… Nie idę dalej.

Stęknął i obrócił się na plecy. Zamknął oczy, uśmiechnął się. Wiktor wstał. Chodził wokół ojca i kręcił głową. Wreszcie podszedł, chwycił go za rękę.

– Tata, ja nie zabiłem Durnej – powiedział.

– Co?

– Nie zabiłem jej, wierzysz mi?

Jan chwytał powietrze i bezgłośnie poruszał wargami. Trząsł się coraz bardziej. Patrzył długo na Wiktora, aż w końcu wydusił z siebie:

– Wszystko dobrze.

Zakasłał, przekręcił się i znowu spojrzał na dom.

– Pójdziesz po matkę?

Wiktor przytaknął. Zerknął jeszcze na ojca, a potem ruszył w stronę domu. Biegł, machając przy tym ramionami. Z każdym oddechem czuł, jak mróz kroi mu gardło na kawałki. Nos i uszy przebijały mu igły lodu. Dłoni prawie już nie czuł. Chciał zawołać matkę, ale nagle zrobiło się ciemno. Spojrzał w niebo.

Księżyc pożerało rozmyte. Nachodziło z jednej strony, jak tarcza.

Puścił się biegiem z powrotem. Całe pole w czerni. W uszach szum i głosy. Księżyc pożarty.

Wziął ojca za rękę i krzyczał, że przeprasza.

– Tata, bo ja tego kota… a potem Strzępka… ale Durnej nie, ja Durnej nie zabiłem. To jest wszystko przeze mnie?

Ojciec nie odpowiadał. Zrobiło się cicho. W oddali rysowały się drzewa. Wiktor z powrotem zobaczył kontur swoich dłoni. Podniósł wzrok. Czerń zaczęła powoli oddawać księżyc, aż w końcu wszystko, prawie wszystko, było jak dawniej.

ROZDZIAŁ DZIESIĄTY

Pękaty duch podskakiwał w zwolnionym tempie, a w tle błyszczała konstrukcja z metalu. Bronek siedział przed telewizorem z siódemką sąsiadów i wstrzymywał oddech.

– Nie wierzę w to – oznajmił Frąc tonem człowieka, który święcie wierzy. – Na telewizorze to można pokazać wszystko.

– Cii – syknęła Turkowska, wbijając mu łokieć w to nieokreślone miejsce na ciele, w które najlepiej jest go wbijać.

Milka siedziała na podłodze, oparta o fotel. Głowa kołysała jej się na boki, powieki opadały. Dwie córki Przybylaków i syn Turkowskich wpatrywali się w ekran, jakby zależało od tego ich życie. Helena spała. Po zakończeniu transmisji Bronek wyjął z kredensu butelkę wódki i razem z sąsiadami usiadł przy stole. Była piąta rano i nikt nie potrafił wymyślić lepszego sposobu na spędzenie tych dwóch godzin, które nie były już nocą, ale dniem też nie.

– Ja tylko nie rozumiem jednej rzeczy – powiedziała Władzia Turkowska. – Jak oni się tam trzymali? Dlaczego nie spadli?

– Widziałaś, że normalnie tam chodzili, tak jak tutaj – stwierdził Frąc. – Normalnie, po prostu.

– No przecież widziałam. Ale czemu nie spadli?

– Może się czegoś nażarli i ich wzdęło.

– Poczytalibyście Lema, tobyście wiedzieli – wtrącił Turkowski.

– No to spróbuj pochodzić po suficie, jak jesteś taki mądry – broniła się jego żona. – Proszę bardzo.

– Lem jest dla dzieci – dodał Przybylak.

– Tam też jest grawitacja – próbował tłumaczyć Turkowski. – Księżyc to jest coś takiego jak Ziemia, tylko że mniejsze. A jak mniejsze, to słabiej przyciąga. Dlatego tak skakali, jakby w wodzie byli.

– Mnie ta cała sprawa z tym Księżycem to się zdaje jakimś szatańskim wyczynem – oznajmił Bronek. – Po co to komu? Mówię wam, do niczego dobrego to nie doprowadzi.

Frąc rozlał alkohol do kieliszków. Wypili w milczeniu.

Siedzieli tak, zerkając na siebie nawzajem, stary zegar wiszący przy drzwiach przebijał wskazówką kolejne sekundy, a w trawie za oknem zaczynała błyszczeć rosa.

– Widziałam dzisiaj tego antychrysta, co o nim tak wszyscy mówią – oświadczyła w końcu Turkowska. – Wcale nie taki straszny. No, może te oczy.

– Nie straszny? – zdziwił się podparty na łokciu Przybylak. – To chyba mu się nie przyjrzałaś. Ja bym go do domu w życiu nie wpuścił.

– Po tym, co mi Braciakowa opowiadała, to myślałam, że on ma co najmniej cztery pary ślepi albo rogi na głowie.

– Braciakowa pieprzy jak potłuczona. Ja się dziwię, że mu ktoś pozwolił się tu przeprowadzić. Powinni takich gdzieś zamykać. Kto wie, co takiemu odbije?

Bronek nie widział jeszcze antychrysta, ale kilka razy o nim słyszał. Przyprowadził się do Koła dwa tygodnie wcześniej, podobno z matką, podobno w pośpiechu. W mieście kiełkowały coraz to odważniejsze teorie na temat tego, skąd właściwie przyjechał, i przede wszystkim dlaczego.

Mówili, że tam, gdzie mieszkał wcześniej, ludzie mieli go już dosyć, bo nocami zakradał się do kurników, żeby wysysać z kurcząt krew. Mówili, że jego matka to wcale nie matka, ale kochanka, którą okrada z młodości, aby w końcu porzucić ją i wziąć sobie nową. Mówili, że ktoś, kto z zewnątrz wygląda tak biało, musi być w środku czarny niczym smoła. Mówili, że ksiądz na jego widok przeżegnał się i uciekł na drugą stronę ulicy. Mówili, że jest ofiarą eksperymentów, które naziści prowadzili w trakcie wojny na więźniach obozów koncentracyjnych. Mówili, że każdy, kto spróbuje wątroby białego człowieka, będzie żył wiecznie. Mówili, że jego krew ma cudowne właściwości i potrafi leczyć rany. Mówili, że nic nie je i nie pije, bo nie musi. Mówili, że to szatan we własnej osobie.

Zwolenników tej ostatniej teorii było w Kole zdecydowanie najwięcej.

* * *

Następnego dnia Helenę znowu bolało. Zęby, dziąsła, podniebienie – czasami sama już nie wiedziała. Wiła się w łóżku, przyciskając głowę poduszką i masując szczęki, a grube żyły wędrowały jej po szyi. Pościel śmierdziała wilgocią. Kołdra wyzierała z poszwy.

Bronek dotknął twardego, spoconego ciała żony.

– Chcesz okład?

Pokręciła głową, nie odrywając twarzy od poduszki.

– Pojadę do miasta.

Cichy, przerywany jęk.

Wstał, ubrał się, wyszedł.

Był poniedziałek, druga połowa lipca, słońce już na niebie. Rozejrzał się. Drzewa od dawna zlewały się ze sobą, a krzaki za domem wyglądały jak plama. Zniknęły źdźbła trawy i cegły na ścianie stodoły. Widział coraz gorzej.

Pachniało nadchodzącym upałem.

Na Toruńskiej jak zwykle przewalały się tłumy. Bronek odstawił rower i zniknął w Zieleniaku. Potem przez cały dzień kolejka. Znajome twarze, znajome uśmiechy, znajome głosy, prośby, pozdrowienia, zagadywanie, znajomy wyraz rozczarowania na twarzy łysiejącego pana Zygmunta, znajome odgłosy ulicy, znajomy ból głowy. Około czternastej kolejka nareszcie stopniała, mógł usiąść, ugryźć podpłomyk i kiełbasę z zeszłotygodniowego świniobicia u Frąców, odetchnąć, ale tylko chwilę, bo kiedy po raz drugi rozerwał flak zębami, dotarło do niego zmęczone, zrezygnowane:

– Trzy pomidory i gruszkę, właściwie dwie gruszki.

Wstał, przeżuwając złość i kiełbasę, otrzepał dłonie, położył towar na ladzie.

– Coś jeszcze? – zapytał, mrużąc oczy przed słońcem.

– Bronisław? – zapytała kobieta.

Gruszki potoczyły się po podłodze.

Patrzyła na niego tym swoim bezczelnym, a jednocześnie rozczarowanym wzrokiem, jakby czekała, że zrobi coś, co jej wreszcie zapewni jakąś rozrywkę.

Zrobił niewiele. Schylił się, żeby zebrać gruszki, ale zaraz wyprostował się i położył ręce na ladzie.

– Irena?

Imię, które usłyszał od Cygana, wypowiadał w głowie wiele razy, ale na głos jeszcze nigdy. Poczuł, że się wygłupił.

– Dzień dobry – uśmiechnęła się.

– Irena... – powtórzył niepewnie i zaraz dodał: – Ale co ty tutaj robisz?

– Kupuję trzy pomidory i dwie gruszki. Zobacz, ile to przy tym zachodu.

Popatrzył na nią. Ten sam warkocz, te same usta. Mniej życia w oczach. Więcej zmarszczek.

– Wydawałaś mi się bardziej sympatyczna – powiedział.

– Jak się denerwuję, to okropna zołza ze mnie.

Zapakował towar i oparł łokcie o ladę.

– Przyjechałaś tu do kogoś?

– Przeprowadziłam się – odparła szybko.

– Tutaj?

– Mieszkamy na wyspie. Przy Grodzkiej. Wynajmujemy.

Uniósł brwi.

– Od dwóch tygodni.

– Z mężem?

– Z synem.

Wzięła od niego towar.

– To długa historia.

– Nie mam nic przeciwko długim historiom.

* * *

Siedzieli w Ptysiu w Koninie. Bronek przyjechał autobusem. Czekała na niego przy stoliku obok okna.

– Rak płuc – powiedziała, wpatrując się w filiżankę. – To się stało bardzo szybko. Umarł na polu, tuż za domem. Szalałam z wściekłości, bo nic nie wiedziałam. Nie miałam pojęcia, że zamierza uciec ze szpitala. Ugniatałam w sieni ciasto na drożdżowiec, a on umierał, kawałek dalej. Po pogrzebie wydawało mi się, że jakoś to będzie, ale nie było. Codziennie rano patrzyłam na to pole. Idzie zwariować.

Przerwała na chwilę, spojrzała za okno.

– Męczyłam się tak przez kilka lat, ale w końcu nie wytrzymałam. Gospodarkę zostawiłam starszemu synowi, a młodszy powiedział, że się wyprowadzi ze mną. Pamiętałam nasze spotkanie i to, jak mówiłeś, że pochodzisz z Koła. Chciałam uciec. Uznałam, że sześćdziesiąt kilometrów chyba wystarczy. Bardzo się boję, że tego wszystkiego pożałuję. Tej wyprowadzki.

Bronek westchnął i poprawił marynarkę.

– Nie wiem, co mógłbym ci powiedzieć.

– Ja też nie wiem, co mógłbyś mi powiedzieć.

Siedzieli w ciszy, a kiedy nie mogli już jej znieść, zamówili po kremówce. Bronek zjadł swoją, a później jej.

– Moja żona organizuje czasem tańce – powiedział wreszcie. – Na podwórku. Przychodzą sąsiedzi. Gdybyś miała ochotę.

Irena uśmiechnęła się i popatrzyła na niego nieobecnym wzrokiem. Przez chwilę gryzła końcówkę warkocza, a potem oznajmiła:

– Nie mam pojęcia, dlaczego ja cię wtedy zaciągnęłam na tę łąkę. Mój mąż to był dobry człowiek.

– Rozumiem.

Patrzył na nią, a ona patrzyła za okno, a może w ogóle nie patrzyła. Rozmawiali jeszcze przez chwilę o wszystkim, o czym nie mieli ochoty rozmawiać, a potem wyszli z Ptysia i ruszyli w stronę dworca. Uzgodnili, że on pojedzie pierwszy, a ona poczeka na kolejny autobus. Pożegnali się jak ludzie, którzy niezbyt się lubią.

– Bronek? – powiedziała, kiedy odwracał się już, żeby odejść.

– Tak?

– Mam nadzieję, że cholernie dobrze tańczysz.

Pokiwał głową i odparł z poważną miną:

– Nie mam sobie równych.

* * *

Spodziewał się, że Helena będzie drążyć, dociekać, naciskać i wypytywać, ale ona wzruszyła tylko ramionami i wyraziła nadzieję, że nie będzie padać. Nie padało.

Frąc przyniósł tym razem pięć butelek, bo dwa dni wcześniej obchodził urodziny, podobno już sześćdziesiąte. Przybylakowa upiekła murzynka, a Emilia nazrywała malin.

Bronek miał rozwolnienie.

Czuł się tak, jakby sam sobie wymykał się z uścisku.

Bał się.

Wpadał w euforię.

Liczył, że nie przyjedzie.

Modlił się, by przyjechała.

Żałował, że ją zaprosił.

Żałował, że ją poznał.

Żałował, że się tu przeprowadziła.

Żałował, że żałował.

Zatańczył raz z Heleną i raz z Przybylakową, która zdołała się upić w zadziwiającym tempie, a potem poszedł sprawdzić, co u Psa, co u Emilii, co u krów i co w chlewie.

Pies pił akurat wodę, Emilia czytała, krowy leżały, w chlewie też wszystko było po staremu. Bronek wrócił na ławkę i wypił wraz z gośćmi kolejkę.

Nie przyjedzie.

Na pewno jest zajęta. Pewnie zapomniała. Być może gorzej się czuje. Możliwe, że zrobił na niej fatalne wrażenie.

Nie przyjedzie.

Zatańczył jeszcze raz, pogadał z Frącem, zjadł garść malin i wypił znowu.

Nie przyjedzie, za późno już.

Zresztą, wcale mu nie zależy. Wolałby tak posiedzieć w spokoju. A oni niech tańczą.

Kiedy podjął skazaną z góry na niepowodzenie próbę odmowy wypicia następnej kolejki – Frącowi natychmiast przyszedł w sukurs

Przybylak i nie było możliwości, żeby nie wypić – za jego plecami rozległo się chrząknięcie.

Obrócił się, rozlewając sobie wódkę na spodnie.

Przyjechała.

* * *

Nie była sama. Towarzyszył jej mężczyzna biały jak śnieg, wysoki, krótko ostrzyżony, w trudnym do określenia wieku. Poruszał się powoli i ostrożnie, jakby bał się skaleczyć o powietrze. Oczy miał wąskie i czerwone.

– Chrystusie – szepnęła Turkowska.

Para stanęła nieopodal ławki. Bronek przywitał się z Ireną, a potem z jej synem, uśmiechnął się, podparł pod boki.

Wszyscy nagle zamilkli.

– Dobry wieczór – powiedziała Irena. – Przepraszamy za spóźnienie. Autobus nie chodził.

Odpowiedziały jej przerażone i zakłopotane spojrzenia. Przybylak rozglądał się, jakby czekał, kiedy ktoś mu wyjaśni, że to tylko wygłupy.

Cisza przedłużała się upiornie i kiedy wydawało się, że wszyscy będą tak stali już do końca życia, Helena podeszła do gości i przywitała ich życzliwie.

– Proszę wybaczyć – wyjaśniła z uśmiechem. – My tak skromnie. To tylko tańce. Proszę się częstować. Placek bardzo dobry. Napijecie się państwo?

Irena przyjęła podany kieliszek i bez słowa wychyliła jego zawartość, natomiast biały mężczyzna pokręcił głową i przywołując na twarz coś w rodzaju uśmiechu, powiedział:

– Dziękuję, ale źle znoszę alkohol.

Przez długą chwilę słychać było tylko cichy szum gramofonu. Przybylakowa wachlowała się na ławce, jej mąż stał tuż obok. Frącowie kręcili się po podwórku, jakby nie mogli się zdecydować, czy ich właśnie obrażono, czy zaintrygowano. Turkowski uśmiechał się z zakłopotaniem. Bronek zagadywał podniesionym głosem to Helenę, to któregoś z sąsiadów, w końcu zaczął grzebać przy gramofonie i po chwili zabrzmiały pierwsze dźwięki *Czy ty wiesz moja mała* Andrzeja Boguckiego. Na oczach wszystkich podszedł do Ireny i poprosił ją do tańca. Turkowscy zaczęli niepewnie podrygiwać, a Frąc poprosił Helenę. Przybylakowie przyglądali się nowo przybyłym z nieudolnie skrywanym zdziwieniem.

Bronek miał wrażenie, że każdy staw w jego ciele porusza się zgodnie z własnym harmonogramem. Jego taniec składał się głównie z szarpnięć.

– Nie kłamałeś – powiedziała Irena, kiedy nadepnął ją po raz trzeci. – Prowadzisz po mistrzowsku.

– Mało kto potrafi to docenić. Ludzie się zazwyczaj nie znają.

Bardzo chciał powiedzieć coś zabawnego, ale kiedy wydawało mu się, że wpadł na pewien pomysł, Irena znieruchomiała nagle, wpatrzona w coś za nim. Odwrócił się i zobaczył jej syna, który z rozrzuconymi rękoma i zamkniętymi oczyma wirował pośrodku podwórka.

Leciała *Moja Dorotka*, a on wydawał się unosić nad ziemią. Wyginał się, rzucał całym ciałem, wznosił ręce nad głowę i splatał je przed sobą. Miotał się. Rzucał. Podskakiwał, jakby słyszał jakąś własną melodię. Turkowscy przestali tańczyć. Frąc pogubił kroki. Bronek i Irena podrygiwali jeszcze przez chwilę, ale w końcu zatrzymali się i razem z pozostałymi przyglądali się Wiktorowi.

Emilia stała przed domem. Miała dwadzieścia siedem lat i nie przypominała ani matki, ani ojca. Jasne włosy sterczące na wszystkie strony i wyraźna szczerba między zębami. Mały nos. Piegi. Usiadła na schodach. Objęła kolana ramionami.

Wiktor tańczył. Dygotał. Dyszał i udeptywał ziemię. Ręce fruwały w powietrzu, prawie niewidoczne. Na głowie błyszczał pot.

W końcu przystanął. Pierś unosiła mu się szybko, a pot spływał po szyi. Popatrzył po zebranych ze zdziwioną miną i zatrzymał wzrok na Emilii.

– Synek… – powiedziała Irena, która nadal trzymała Bronka za rękę.

Nie odpowiedział.

Emilia podniosła się i wróciła do domu.

* * *

Leżała na plecach i patrzyła w sufit. Ręce zaciśnięte na kocu, paznokcie obgryzione. Środek nocy. Hałas w głowie. Leżała tak i czuła, że prawie nic już nie waży. Oddychała powoli i bała się, że uderzy o sufit.

Co kilkadziesiąt minut słychać było miarowy szum pociągu prześlizgującego się przez ciemność. Dolna warga krwawiła od zagryzania.

Na suficie tańczył biały mężczyzna o czerwonych oczach. Tańczył jak sam Bóg. Miał na imię Wiktor, tyle usłyszała, kiedy rodzice rozmawiali przed snem. Wiktor. Nigdy nie znała nikogo o takim imieniu. Od koleżanek z pracy słyszała o antychryście, który sprowadził się do Koła ze swoją seksualną niewolnicą. Emilia nie wiedziała, jak wyglądają antychrysty, ale była pewna, że inaczej. Nie tak krucho. Nie tak smutno. Wiktor przypominał jej dwutygodniowego szczeniaka, którego chce się przytulać i którego łatwo przy tym niechcący udusić.

W poniedziałek po pracy przeszła się ulicami Sienkiewicza, Toruńską, Kolejową i z powrotem, a potem zahaczyła jeszcze o wyspę i pokrążyła po parku. We wtorek zrobiła to samo. W środę miała rozstrój żołądka, a w czwartek dostała list.

Znalazła go przed domem. Na żółtej kopercie widniało jej imię. Rozejrzała się, ale nikogo nie zauważyła. Czytała w kuchni, na stojąco.

Szanowna Pani Emilio,
bardzo chciałbym Panią poznać, ale spodziewam się, że rodzice Pani być może woleliby, aby ktoś taki jak ja nie wystawał przed ich domem. Dlatego też ośmieliłem się podrzucić ten liścik, kiedy będzie Pani wracać z pracy.

Jeśli nie miałaby Pani nic przeciwko, żeby się ze mną spotkać, proszę założyć jutro tę samą spódnicę, którą miała Pani na sobie wczoraj, tzn. w środę. Tę beżową z czarnym pasem u dołu. Bardzo ładna zresztą. A najlepiej jeszcze proszę pomachać ręką po wyjściu z budynku szkoły – żeby uniknąć nieporozumień, bo nie wiem, ile posiada Pani spódnic.

To jest mój pierwszy list. Może trochę za krótki.

Pozwoli Pani, że aby zapełnić resztę strony, zamaszyście się podpiszę.

Wiktor

PS Wiem, że w dobrym tonie jest napisać coś takiego jak PS, ale nie mam pojęcia, co miałoby to być. Może więc coś takiego: Bardzo mi się Pani podoba.

W nocy miała koszmary. Kilka razy wstawała, żeby sprawdzić, czy beżowa spódnica na pewno nie jest niczym poplamiona.

Rano nabrała przekonania, że jest najbrzydszą osobą na świecie, a na pewno najbardziej niewyspaną. Jak zwykle pojechała do Koła autobusem, jak zwykle porozmawiała z woźnym, panem Donkiem, jak zwykle zaparzyła sobie kawę w pokoju nauczycielskim i jak zwykle w piątek przeprowadziła trzy lekcje z fizyki. Częściej niż zwykle odwiedzała toaletę – w sumie sześć razy – i przez większość czasu miała ochotę uciec ze szkoły, a najlepiej zniknąć.

Odczekała na odpowiedni moment i samotnie wyszła przed budynek. Nie było go nigdzie w pobliżu. Pomachała. Raz, a potem drugi. Kiedy dotarło do niej, że raczej nie wyrośnie przed nią nagle spod ziemi, ruszyła w stronę dworca autobusowego. Dogonił ją po kilku krokach.

– Bardzo ładnie pani macha.

– Jestem Emilia. – Wyciągnęła rękę.

– Wiktor.

Szli w milczeniu. Później nie pamiętała, jak właściwie zaproponował jej spacer po parku, którędy w nim chodzili, jak długo siedzieli na ławce i czy patrzył na jej pomarszczone ręce, czy nie. Nie pamiętała, o czym rozmawiali, jak często poprawiała włosy, kto więcej opowiadał i czy śmiała się zbyt często, zbyt rzadko, czy może w sam raz. Pamiętała, że miał czyste dłonie, prawie nie gestykulował, zabawnie mrużył oczy i nadużywał słowa „ogólnie". Pamiętała, że dobrze radził sobie z ciszą, często się rozglądał i miał wklęsłą bliznę na czole. Pamiętała, że przyglądali im się przechodnie.

Od tamtej pory spotykali się regularnie. Najczęściej chodzili po wałach przy Warcie i siadali w trawie naprzeciwko ruin zamku, wzniesionego przez Kazimierza Wielkiego. Potem ona szła na autobus, a on do fabryki materiałów ściernych, gdzie od niedawna pracował.

Opowiadał jej o tym, jak dwa razy umierał. Opowiadał o Piołunowie, o bracie, o sowie Durnej i o ojcu. O swoim jedynym przyjacielu, Strzępku, i o szalonej kobiecie, na którą mówili Dojka. O tym, jak zły człowiek próbował zabić mu ojca, i o tym, jak wyrzucił pistolet tego złego człowieka do stawu. O tym, jak uciekł z domu na dwa miesiące, i jak widział pożerany księżyc. Opowiadał jej, że nie lubi jeść ani spać, i że tamtego dnia u niej na podwórku po raz pierwszy w życiu tańczył. Opowiadał jej o czerni, która opływa świat.

Emilia opowiadała mu o swoich koleżankach ze szkoły podstawowej i o tym, jak zazdrościła im gładkich przedramion, pleców, łydek. Opowiadała o kąpieli w Warcie i kolejnych krótkich miłościach. O ojcu i matce, którzy bardzo ją kochali i o tym, jak marzyła czasem, żeby kochali ją mniej, bo wydawało jej się, że nie czułaby się wtedy aż tak bardzo żałosna. Opowiadała o rosnącym w niej przekonaniu, że zawsze będzie sama.

Od samego początku zastanawiała się, co zrobi Wiktor, kiedy zobaczy ją nagą. Próbowała przeciągać moment, kiedy wreszcie się przed sobą rozbiorą. Któregoś dnia przyjechali z Koła do Lubin, a rodziców nie było – poszli w odwiedziny do sąsiadów.

Emilia zaparzyła herbatę. Wiktor przez chwilę przeglądał jej książki, w końcu usiadł obok. Objął ją w pasie i pocałował. Kiedy zaczął rozpinać jej bluzkę, poczuła, jak całe ciało nagle jej sztywnieje. Oddychała coraz szybciej. Przed oczami zobaczyła ciemną plamę. Najbardziej na świecie chciała uciec.

Wyobrażała sobie ten moment tysiące razy. W jej marzeniach było ciemniej. W jej marzeniach Wiktor nie patrzył. W jej marzeniach zmarszczone ciało okrywał wygodny półmrok. Kiedy położył ją na łóżku i rozebrał do naga, czuła, jak zaczyna dygotać. Pochylił się nad nią i wyszeptał do ucha, że do końca życia zapamięta tę chwilę.

– Wiktor, ja wiem, że nie jestem piękna… – zaczęła, ale położył jej palec na ustach. Pocałował ją w jedną, a potem w drugą powiekę.

Czuła na sobie jego dłonie. Chciało jej się płakać. W końcu przycisnęła go do siebie i powtórzyła, że nie jest piękna, a on powoli i ostrożnie zaczął udowadniać jej, że jest.

Mijały kolejne miesiące. Pory roku wydawały się trwać tylko przez moment. Rodzice wiedzieli o nowej znajomości Emilii, ale najwyraźniej nie mieli zamiaru o nic pytać. Matka przyglądała jej się tylko częściej niż zwykle, a ojciec nie przyglądał jej się w ogóle. Któregoś razu Bronek poruszył wreszcie temat przy kolacji.

– Emilko, czy ty na pewno wiesz, co robisz? – zapytał.

– Rozumiem, że nie chodzi o smarowanie chleba wątrobianką? – Uśmiechnęła się, podnosząc kromkę i nóż.

Ojciec nie odpowiedział. Gapił się w talerz i kręcił młynek kciukami.

– Ja bym nie chciała, żebyś ty się spotykała z takim człowiekiem – oświadczyła matka, której ostatnio zęby nie dawały już żyć. Chuda i blada, wyglądała jak ułamek samej siebie.

– Z „takim", to znaczy jakim?

– Przecież wiesz.

– Otóż nie, mamo, nie wiem.

– Emilko… – Ojciec wyciągnął do niej rękę przez stół.

– Wy chyba nie mówicie poważnie – stwierdziła, cofając dłoń.

– Wiesz, co o nim wygadują – szepnęła matka.

– To akurat bzdury – wtrącił ojciec i zaraz dodał: – Ale reputacja jest ważna, tu mama oczywiście ma rację.

– Przecież go znacie. Lubicie go, sam mi, tato, powiedziałeś.

– Chodzi o to, że to nie jest odpowiedni mężczyzna dla ciebie – oświadczyła matka. – Ludzie nie dadzą ci spokoju. Czy ty wiesz, ile ja się muszę w sklepie nasłuchać?

Emilia odsunęła od siebie talerz i wstała bez słowa. Drzwiami od swojego pokoju trzasnęła tak głośno, że aż sama podskoczyła.

Chwilę później przyszedł ojciec. Usiadł obok niej na łóżku i uśmiechnął się krzywo.

– Wprowadziłaś Psa do stajni? – zapytał, zerkając za okno. – Będzie burza.

– Wprowadziłam – skłamała i odwróciła się do ściany.

– Nie gniewaj się. My się z mamą po prostu o ciebie boimy…

– Przecież to ty go do nas zaprosiłeś.

– No tak. To znaczy, nie do końca. W pewnym sensie.

Nie odpowiedziała i po chwili poczuła, jak ojciec wstaje z łóżka. Kiedy wyszedł, podniosła się i spojrzała przez okno. Pies niespokojnie chodził po zagrodzie. Uderzyła poduszką o łóżko, i jeszcze raz, a potem wstała i wyszła przed dom, żeby wprowadzić zwierzę do stajni.

Na progu leżał list. Koperta była częściowo zmoczona. Podniosła ją i cofnęła się do środka. Wróciła do pokoju.

Emilko,

łatwiej mi to chyba napisać, niż powiedzieć. Żyję w dwóch światach. Siedzę z Tobą nad Wartą i rozmawiamy o tym, czy lepsze są lody śmietankowe, czy o smaku truskawek, a pod stopami pulsuje mi rozmyte. Trzymam Cię za rękę podczas spaceru, a druga dłoń ścieka mi wzdłuż tułowia. Całuję Cię, a w uszach słyszę ryk rzeki, która nie jest rzeką, tylko ludźmi. Czy to brzmi jak wyznanie szaleńca?

To jest trudne.

Kiedy wiem, że za chwilę będę jadł, to w głowie już mam obrazy, pchają się na siłę. Próbuję myśleć o czymś innym, udaję, że wszystko jest w porządku, ale jak tylko usiądę do stołu, to już widzę rozdęte truchło kota i drugiego kota, który się tym truchłem zażera, i nie mogę przełknąć ani kęsa. Jak nalewam wody do szklanki, to widzę tylko szczyny i wiem, że będę te szczyny pił. Raz spałem z dziewczyną, to znaczy próbowałem spać, bo jak tylko ją zacząłem rozbierać, to nagie ciało trupa rozbierałem, aż łuszczyło mi się w dłoniach. Nic nie robić, to jest jedyne rozwiązanie. Poczekać, aż się umrze i już będzie to wszystko z głowy. Tak do tej pory myślałem. Ale teraz to wszystko się pozmieniało.

Nie potrafię żyć w dwóch światach równocześnie. Nie potrafię nienawidzić jedzenia i rozmawiać z Tobą o lodach. Nie potrafię kochać się z Tobą i czuć, jak ziemia dygocze pod falami rozmytego. Muszę wybrać, albo chociaż spróbować wybrać, bo inaczej pęknę i nic ze mnie nie zostanie.

Czy zostaniesz moją żoną?

Wiktor

Ostrożnie złożyła wilgotną kartkę i zamknęła oczy. Oczywiście, że o tym marzyła. Oczywiście, że to sobie wyobrażała. Oczywiście, że nie wierzyła, że to się kiedykolwiek stanie.

Oddychała głęboko i myślała o tym, co powiedzą rodzice.

Przewróciła się na bok i przeczytała list raz jeszcze. Deszcz grzmocił o szybę. Wydało jej się, że przez huk burzy dociera do niej dzikie rżenie. Spojrzała za okno i zobaczyła, jak w Psa wali piorun.

ROZDZIAŁ JEDENASTY

Chwyciła za obluzowany ząb i mocno pociągnęła.
Ból ukłuł gdzieś w środku głowy, a po języku rozlała się krew. Krysia Łabendowicz wyplula twardy kawałek siebie na rękę i przytknęła ścierkę do dziąsła.

Cham leżał na łóżku z wypiętym brzuchem, otwartymi ustami i ręką przerzuconą przez głowę. Chrapał. Śmierdział. Żył.

Wyjęła z szuflady srebrną papierośnicę, którą dostała od ojca, i schowała do niej wyrwany ząb.

Zajrzała do Zosi. Zamknięte oczy. Jasne włosy rozsypane na poduszce.

Wróciła do kuchni. Zapaliła papierosa. Ręce dygotały jej nad stołem. Bibuła czerwona od krwi. Wetknęła kawałek materiału w miejsce po zębie i zaciągała się kącikiem ust.

Spojrzała na łóżko. Cham obrócił się na bok. Tłusty brzuch wylewał się na koc, a włosy przyklejały się do czoła. Pod ścianą wznosiła się sterta pomiętych gazet i książek, które czytał, kiedy był w stanie. Teraz nie był. Teraz nie wiedział, co dzieje się wokół niego. Następnego dnia nie będzie nawet pamiętał, że podniósł na nią rękę. Zacznie przepraszać, obiecywać, zaklinać się, a ona mu uwierzy.

Najgorsze, że cham najczęściej wcale nie był chamem. Dbał o nią, Zosię kochał nieprzytomnie. Był inteligentny, potrafił każdego rozśmieszyć. Wcześniej nie wyobrażała sobie, że można tak dużo się śmiać. Nieraz, kiedy leżeli przed snem, naśladował różnych sąsiadów z Piołunowa. Odgrywał całe scenki i wcale jej się to nie nudziło. Dużo czytał i kiedy był trzeźwy, nigdy nie wstydziła się go przy ludziach.

Pracował jak wół. W obejściu zawsze mieli porządek. W pole często wychodził wcześniej niż inni, a do domu wracał już po zmroku.

Lubiła tego człowieka, czasami wręcz uwielbiała, dlatego nie mogła znieść, kiedy zmieniał się w chama. Nie rozumiała, jak jedna butelka wódki może tak łatwo zabijać w nim Kazimierza Łabendowicza.

* * *

Od czasu śmierci ojca Kazik nie miał już nikogo, kto mógłby przeszkodzić mu w piciu.

Matka próbowała, to prawda. Ale matki mogą sobie właśnie tylko próbować. Zresztą, o co właściwie jej chodziło? Pracował, zbiory miał bardzo dobre. Ziemia mu sprzyjała.

Kilka lat po śmierci ojca matka oznajmiła, że dłużej tak nie może. Powiedziała, że chce się wyprowadzić. Wiktor zdecydował, że wyjedzie razem z nią. Bo i co go tu trzymało?

Wynajęli mieszkanie w mieście o głupiej nazwie Koło i zaraz ich nie było. Został sam. To znaczy z Kryśką. I z małą.

Kryśka po ślubie stała się kimś innym. Stała się zwykłą żoną, a przecież oboje wyobrażali to sobie inaczej, wyobrażali sobie, że będą inni niż te wszystkie pary, które widywali na weselach i pogrzebach. Zmęczone sobą. Wkurwione. Mające siebie dość. Nie, on miał być jej Kazikiem, a ona miała być jego Krysią. Mieli się wygłupiać, mieli kpić z życia. Przecież czuli się ze sobą tak dobrze. Przecież się lubili.

A teraz Krysia nie była już Krysią. Była żoną, gospodynią, matką. Posmutniała. Rzadziej bawiły ją jego żarty. Nocami nie lgnęła do niego tak jak kiedyś. Jakby któregoś dnia ktoś mu ją podmienił.

Otworzył oczy i poczekał, aż z pokrywającej ścienny zegar mgły wyłonią się wskazówki. Wpół do dwunastej? Nie, wpół do pierwszej. A krowy niewydojone. Odchrząknął, przejechał dłonią po włosach.

Może wydoiła.

Powinien zaorać dzisiaj te dwa hektary za domem, tam, gdzie znaleźli ojca. Binias dwa razy mówił mu już, że to najwyższa pora.

Dobrze. Pójdzie do krów, a potem pożyczy ciągnik od Śrubasa. Nie, Śrubas powiedział, że mu już nie pożyczy. To od Witkowskiego.

– Kryśka, przepraszam – powiedział pół godziny później, nie patrząc jej w oczy.

Gotowała coś. Nie odwróciła się. Zerknął do garnka. Rosół.

– Ale pachnie.

Zabiłby za talerz tłustego rosołu z kluskami i gotowane udko.

– Wiesz przecież, że nie chciałem. Wiesz, że mnie bierze po alkoholu.

Podszedł bliżej.

– Pokaż. Wybity?

Odsunęła się, kiedy chciał jej dotknąć.

– No nie wygłupiaj się.

– Odejdę od ciebie – powiedziała szybko, odwracając od niego twarz.

– Krysia…

Nie odpowiedziała. Długo stał przed nią bez słowa, a w końcu wrócił do pokoju i wyjął schowaną za łóżkiem butelkę. Tylko łyczek. Dwa.

Wypił duszkiem połowę, odetchnął głośno i napił się znowu. Siedział i czekał. Nie musiał czekać długo.

Wrócił do kuchni. Wyjrzał przez okno i zaraz podszedł do Krysi.

– Odejdziesz, mówisz? Tyle razy już przecież odchodziłaś. W koło tylko obiecujesz. No co, będziesz ryczeć? Rycz, kurwa, głupia krowo.

– Zostawię cię, Kazik, przysięgam.

Podniósł ręce i odsunął się kilka kroków do tyłu.

– No to proszę. Dalej. Droga wolna.

Kiedy uciekła na podwórko, wziął jeszcze parę łyków, przykrył się kocem i zasnął.

Następnego dnia już jej nie było.

ROZDZIAŁ DWUNASTY

„Gazeta Kolska", kącik rolniczy.

PORAŻENIE PIORUNEM

W tych wypadkach zwierzęta tracą przytomność i padają od razu, przy czym niektóre zwierzęta natychmiast umierają, inne zaś poprawiają się i mogą być nadal użyteczne, często jednak pozostają u nich objawy porażenia nerwowego. W tych wypadkach zwierzę zaleca się odsyłać na rzeźnię.

W wypadkach utraty przytomności zaleca się rozcieranie zwierzęcia, oblewanie głowy zimną wodą, a przy osłabieniu podawać wewnątrz kamforę, alkohol, koffeinę. Należy dać zwierzęciu dobrą ściółkę, by uniknąć odleżyn, oraz przewracać chore zwierzę jak najczęściej z boku na bok.

Tylko że to wszystko nie bardzo działało.

Bronek nauczył się starego artykułu na pamięć i rozcierał, oblewał, poił, podawał i przewracał, a potem od początku, ale Pies najwyraźniej odniósł jakieś trwałe obrażenia. Nocami rżał tak głośno, że nie dało się spać. Ocierał się o ścianę w stajni, zrywając sobie skórę z boku. Potrząsał łbem, jakby obsiadały go roje much. Czasami wpadał w szał i kopał na oślep.

Helena, weterynarz i wszyscy sąsiedzi byli zdania, że zwierzę należy uśpić.

– Sami się uśpijcie – odpowiadał im Bronek.

Przez pierwszy miesiąc w ogóle nie rozmawiał z córką. Nie słuchał przeprosin i tłumaczenia.

– Co ci to biedne zwierzę zrobiło? – powtarzał tylko czasem.

Kiedy powiedziała mu, że chce wyjść za mąż, wzruszył ramionami i poszedł na spacer. Wrócił po godzinie. Usiadł przed telewizorem, założył nogę na nogę i oświadczył:

– Frąc powiedział, że pożyczy samochód. Trzeba go będzie jakoś ładnie przystroić. Jutro pojadę do miasta, żeby załatwić wódkę.

* * *

Emilia Łabendowicz. Nazywała się Emilia Łabendowicz. Trochę jak z rosyjskiej powieści. Może nie do końca, ale jednak trochę. Miała męża, była żoną. Czasami bała się, że to tylko jeden wielki żart.

Wesela nie było. Był ślub, a w domu kolacja i tańce. Przyszli rodzice, teściowa, dwie koleżanki ze szkoły, Przybylakowie i wuj Felek z ciocią Agatą. Brat Wiktora miał przyjechać, ale nie przyjechał. Na mszy było dużo ludzi, więcej niż w niedzielę. Kiedy wychodzili z kościoła, jakiś wariat podbiegł do nich i próbował czymś ich obrzucić, chyba odchodami. Ojciec go powstrzymał. Zrobiło się zamieszanie.

Fotograf zrobił im zdjęcia na tle Klasztoru Ojców Bernardynów, a potem jeszcze dwa na moście. Wkleiła je do albumu.

Wprowadzili się do mieszkania po ciociach Pyziakowych – tego samego, w którym kiedyś płonęła. Miesiąc wcześniej ojciec wypowiedział najemcom umowę. Pomalowali ściany, wstawili komodę i łóżko. W salonie pojawił się stół z szufladą, podobny do tego, w którym niegdyś ciocia Staszka chowała cukierki. Emilia trzymała w nim listy.

Wiktor pracował na trzy zmiany, ale najczęściej zamieniał się z innymi. Brał nocki. Wieczorem przeglądał się w lustrze, a potem całował Emilię i wychodził do Korundu. Wracał po wschodzie słońca. Nastawiała budzik i czekała na niego ze śniadaniem. Opowiadał jej o tym, co w pracy – zwykle nic – i co na ulicach – zwykle też nic. Po śniadaniu przeglądała się w lustrze, a potem całowała go i wychodziła do szkoły.

Niektórzy koledzy i koleżanki się zmienili. Witali się z nią, uśmiechali do niej na korytarzach, czasami nawet uprzejmie zagadywali, ale zaraz rozpływali się gdzieś za rogiem, znikali w pokoju nauczycielskim, pędzili do toalety.

Sama też coraz częściej tam chodziła. Mdliło ją po kawie. Mdliło ją po ciastkach. W końcu mdliło ją po wszystkim.

– Chyba jestem w ciąży – powiedziała Wiktorowi któregoś wieczoru. Leżała w poprzek łóżka na brzuchu i przesuwała opuszką palca po przezroczystych włosach na jego przedramieniu. – Ciągle mi niedobrze.

Lekarz wkrótce to potwierdził: drugi miesiąc.

Wiktor upił się po raz pierwszy, od kiedy go znała. Chodził po mieszkaniu i powtarzał w kółko, że nie wierzy, że to niemożliwe. Chwycił ją i tanecznym krokiem ruszyli przez salon do kuchni. Obracał się, wyginał i podskakiwał. Jej śmiech wydawał się go napędzać. Walił stopami w podłogę i odbijał się od ścian. Na koniec przytulił ją i powoli, w milczeniu kołysali się z nogi na nogę.

Potem odsunął się, usiadł na łóżku i wlepił wzrok w ścianę.

– A jak on będzie taki jak ja? – zapytał.

– To znaczy jaki?

– Wiesz jaki.

– To będę miała takich dwóch. Zresztą, przecież może być dziewczynka.

– Ale nie, tak nie wolno. Przecież nie można drugiemu człowiekowi robić czegoś takiego. Ty nawet nie wiesz, co to… Nie, nie wolno.

– Wiktor, dobrze wiesz, że to jest po prostu albinizm, a nie żadna klątwa czy nie wiadomo co. Sam mówiłeś, że w tym artykule z Ameryki było napisane, że dzieci bardzo rzadko to dziedziczą. A wszystkie te dziwaczne teorie, co ludzie wymyślają, to są bzdury. W ogóle się tym nie przejmuj.

– Ale tak nie można… – upierał się.

Kilka godzin później wytrzeźwiał i więcej już o tym nie rozmawiali.

* * *

W lipcu wylała Warta.

Rozpychała się przez kilka dni, najpierw powoli, później coraz gwałtowniej. Mieszkańcy wyspy zbierali się na wałach, zwozili ziemię taczkami i układali grube zapory z worków z piaskiem. Rzeka przesączała się przez umocnienia i zaglądała do piwnic. Podmywała fundamenty. Rozlewała się po podwórkach.

Miasto kurczyło się w oczekiwaniu na kres plagi. W klasztorze Bernardynów, w farze i w kościele przy Bliznej kapłani wznosili przed ołtarzem ręce z dramaturgią większą niż zazwyczaj. Ich prośby zostały w końcu wysłuchane. Poziom wody zaczął się obniżać, za to w mieście wybuchła epidemia grypy.

Szpital zapchał się już trzeciego dnia. Chorzy lądowali na korytarzach i w kaplicy. Niewyspani lekarze wyglądali jak duchy. W izbie przyjęć panował ścisk.

Łabendowiczowie spędzali coraz więcej czasu w domu. Wiktor dużo czytał. Dzięki Dance, szkolnej bibliotekarce, miał dostęp do tytułów, które inaczej trudno byłoby zdobyć. Wertował poradniki medyczne, reportaże z Afryki, stare publikacje o wiejskich przesądach i przede wszystkich teksty na temat albinizmu. Kiedy Emilia pytała go, czego tam szuka, najczęściej wzruszał tylko ramionami albo zmieniał temat.

* * *

Któregoś dnia Bronisław Gelda odwiedził swojego zięcia i omówiwszy z nim pokrótce kwestie zdrowia, pogody i polityki, poprosił go, żeby ten wziął urlop.

– Ale ja nie potrzebuję urlopu – powiedział Wiktor. – Nic mi nie jest.

– Tylko że widzisz… Chyba byłoby dobrze, gdybyś jednak wziął. Wiesz, ludzie nie są szczególnie mądrzy, zwłaszcza w trudnych czasach.

– Ale co ma tata na myśli?

– Przychodzą do sklepu. Gadają. Boże, no co mam ci powiedzieć.

– Co gadają?

– Że to niby twoja wina, te wszystkie nieszczęścia – Bronek uśmiechnął się przepraszająco i wzruszył ramionami. – Uszy więdną od takiego gadania, jak Boga kocham. Bzdury po prostu, sam rozumiesz.

– I dlatego mam brać urlop?

– Czasami grożą. Że cię w nocy dopadną i tak dalej. Może by warto to przeczekać? Ta grypa się zaraz skończy i będzie wreszcie spokój.

– Niech się tata nie wygłupia.

Porozmawiali jeszcze chwilę o kiepskich obrotach Zieleniaka i imieniu dla dziecka – Wiktor powtarzał, że musi to być Marta lub Sebastian – a potem Bronek pożegnał zięcia i zniknął za drzwiami.

* * *

Na początku sierpnia w kamienicy naprzeciwko otwarto nową lodziarnię. Kolorowy szyld błyszczał w słońcu. Sprzedawano tam lody o dwóch smakach: wanilii i kakao. Czasami, zazwyczaj w soboty, można było dostać również truskawkowy. Właściciel siedział przy niewielkim oknie, ubrany w biały fartuch i rękawiczki. Miał szeroki uśmiech, jakby przyśrubowany do twarzy na stałe. Siwe włosy sterczały mu wokół głowy.

Wyrostki z okolicy podchodziły do niego, pytając po raz setny, jakie ma smaki i po ile. Mijający lodziarnię dorośli ulegali najczęściej niecierpliwym namowom podekscytowanych dzieci. Popołudniami na chodniku przed kamienicą tworzyła się mała kolejka.

Była godzina piętnasta i w mieszkaniu unosił się ciepły zaduch. Wiktor stał przy oknie, pochylony, oparty dłońmi o parapet. Przyglądał się kilku osobom stojącym po drugiej stronie ulicy. Na końcu kolejki czekali postawny mężczyzna i kobieta w kapeluszu. Trzymali za ręce niską, przygarbioną dziewczynkę.

Wiktor wpatrywał się w nią, prawie wychylając się na zewnątrz. Miała nienaturalnie skrzywione stopy i tułów wykręcony w jedną stronę. Wyglądała, jakby próbowała owinąć się rękoma. Patrzyła w niebo i otwierała usta. Co jakiś czas ojciec mówił coś do niej, a wtedy próbowała obrócić głowę w jego stronę. W końcu kupili lody i ruszyli Toruńską. Powoli, krok za krokiem. Dziewczynka powłóczyła nogami i zatrzymywała się co kilka metrów. Matka cierpliwie pochylała się nad nią i podawała jej loda.

Wiktor stracił ich z oczu i odsunął się od okna. Usiadł na podłodze, oparł głowę o ścianę. Przypominał sobie chłopca, z którym zaprzyjaźnił się dawno temu i o którym nigdy nikomu nie opowiadał. Chłopca o ciele jakby połamanym przez kombajn.

Siedział tak długo, z zamkniętymi oczami i głową opartą na kolanach. Czuł ciepło bijące od okna. W końcu zasnął. Śniło mu się, że jedzie z ojcem na motocyklu, rozbija się o drzewo i ginie przebity konarem.

* * *

Tydzień później, w nocy z soboty na niedzielę, Emilia obudziła się sama w łóżku.

– Wiktor?

Stał przy oknie i patrzył na księżyc.

– Śpij.

– Co się dzieje?

– Nic.

– Chodź do łóżka.

Westchnął tylko i stał tak dalej. Owinęła się więc kołdrą i poszła do kuchni. Zaparzyła herbatę, usiedli naprzeciwko siebie, po ciemku.

– Wiktor, co się dzieje?

– Nic. Wszystko jest dobrze.

– Właśnie widzę.

Nie odpowiedział.

– Dobra herbata – szepnął w końcu. – Chyba pójdę już spać.

– Muszę cię o coś zapytać – powiedziała, przysuwając się do niego z krzesłem. – Tylko się nie gniewaj.

Pokiwał głową. Czoło błyszczało mu od potu.

– Kiedyś powiedziałeś, że przed śmiercią taty uciekłeś z domu. Na dwa miesiące.

– Mhm.

– Gdzie wtedy byłeś? Czy coś ci się… coś ci się wtedy stało?

Patrzył na nią przez chwilę, a potem podszedł do okna i oparł czoło o szybę.

– Ogólnie to można tak powiedzieć. Chociaż nie… nikt mi nic nie zrobił, jeśli to masz na myśli.

– Może… chciałbyś o tym porozmawiać? Co?

– Nie, to nic takiego. Chodźmy spać.

Leżeli potem, zwróceni do siebie plecami, i żadne z nich już nie zasnęło.

* * *

Łóżeczko dostali od Frąca, ale trzeba je było przewieźć ze wsi na Toruńską. Wiktor pożyczył od teścia stary wóz i konia.

– Nie podnoś na niego głosu, to wszystko będzie dobrze – zapewnił Bronek, poklepując zwierzę po pysku. – A w mieście mów do niego cały czas, żeby wiedział, że jesteś.

– Wrócę przed wieczorem – zapewnił Wiktor i klepnął Psa lejcami po grzbiecie.

Słońce grzało mu w kark, a pod kołami szeleściły brązowe, suche liście. Pojechał do Frąca po łóżeczko, a potem ruszył do miasta.

Czekali na niego za wiaduktem.

* * *

Było ich czterech. Ten z przodu trzymał strzelbę. Obok niego przestępował z nogi na nogę stary i łysiejący mężczyzna, którego Wiktor widział czasami kręcącego się w pobliżu sklepu jego teściów. Dwaj pozostali wyglądali na pijaków.

– Gdzie tak pędzi? – zapytał krępy chłopak ze strzelbą. – Prrr!

– Ale o co chodzi? – Wiktor powoli zszedł z wozu i stanął obok Psa.

– O gówno! – Łysiejący wyglądał, jakby zaraz miał pęknąć. – Jeszcze się pyta, sukinsyn.

– Małoś, kurwa, narozrabiał?

– Ja nie rozumiem.

– A mój brat to na co niby umarł, chociaż był zdrowiutki jak ryba? A to, że Warta wylała i pięćdziesiąt domów na wyspie poszło w cholerę, to co? Samo się stało? A to, że z ceramiki zaczęli zwalniać? Czemu zaczęli zwalniać? Wcześniej nie zwalniali. A ta cała grypa? No na chuj się tak patrzysz? Myślisz, że my nie wiemy, co się święci?

Wiktor potarł twarz dłońmi i zamknął oczy.

– Ale wy już próbowaliście – powiedział. – Przecież wiecie, że tak się nie da. A później jest tylko gorzej. Wszystko znika.

– Zajeb go! – krzyknął łysiejący do krępego. – Widzisz przecież, że szajbus.

Wiktor otworzył oczy i zobaczył, jak lufa podnosi się powoli i zatrzymuje naprzeciw jego twarzy. Ze środka wypełzło rozmyte.

Wypełza.

Wiktor patrzy, jak ciemne smugi rozpuszczają się w powietrzu, i leży na łóżku w Piołunowie, machając nogami i rękoma, patrzy, jak potwory zabierają go na pole i jak umiera po raz pierwszy, a kiedy upada, słysząc ryk ojca zamkniętego w kurniku, rozmyte kapie przed nim na ziemię, więc ucieka, umiera po raz drugi i prowadzi ojca na pole, a potem patrzy, jak rozmyte pożera jego i księżyc, patrzy, i już tańczy, chwyta ją i tanecznym krokiem rusza przez salon do kuchni, obraca się, wygina i podskakuje, jej śmiech wydaje się go napędzać, więc wali stopami w podłogę i odbija się od ścian, a na koniec przytula ją i powoli, w milczeniu kołyszą się z nogi na nogę, a rozmyte znika na chwilę, na chwilę…

– Dobra – mówi łysiejący. Powiedział. – Weź go, gruby, odpierdol.

Ten ze strzelbą odwrócił się do starszego kolegi, jakby właśnie się zorientował, że trzyma broń i powinien coś z nią zrobić. Stojący obok Wiktora Pies parsknął dziko i rzucił się przed siebie, pociągając za sobą wóz. Potrząsał łbem, jakby próbował się od czegoś opędzić.

Strzał przedziurawił świat na wylot. Wszystko dzwoniło, a potem zapadła cisza. Z lufy uciekała cienka wstążka dymu.

Łysiejący pobiegł pierwszy, za nim dwaj o napuchniętych twarzach. Krępy upuścił strzelbę i powiedział:

– O kurwa, przepraszam.

A potem pobiegł za resztą.

Pies zatoczył się i runął do rowu, pociągając za sobą wóz. Kiedy uderzył o ziemię, Wiktor usłyszał trzask. I jeszcze jeden.

Z pobliskiego gospodarstwa biegł już ku niemu rosły opalony mężczyzna o siwych włosach.

– Coś pan zrobił? – krzyczał, spoglądając to na niego, to na leżące w rowie zwierzę. – Matko Boska, coś pan zrobił?

– To nie ja – powiedział Wiktor, chwiejąc się. – Ja tańczyłem.

– Trzeba go dobić – stwierdził mężczyzna. – Tu już nic nie pomoże. Łeb? Roztrzaskany… Mój ty Boże, no dobij go pan, widzisz pan, jak się męczy!

Wiktor podniósł strzelbę z drogi. Podszedł do Psa. Jedno ślepię, wpatrzone w niego, jakby wiedziało. Wycelował. Zamknął oczy. Pociągnął za spust i omal nie wyrwało mu ręki ze stawu. Lufa uderzyła go w brzuch.

Zwierzę umilkło, a nogi przestały bić w ziemię. Mężczyzna trzymał się za głowę i mamrotał coś do siebie. Wiktor wrzucił strzelbę do rowu i spojrzał na Koło, rozciągające się w oddali, a potem odwrócił się i poszedł przed siebie.

Kilkanaście godzin później umarł po raz trzeci, ostatni.

ROZDZIAŁ TRZYNASTY

Ś wiat się kołysał. I dobrze.
Noga za nogą. Żwir, asfalt, żwir.

Czarne pola po prawej i po lewej. Do domu jeszcze trochę, troszeczkę. Może pięć kilometrów. Może trzy. Ale najpierw pęcherz. Opróżnić.

Opróżnił.

Kazik Łabendowicz wsunął ręce w kieszenie i doszedł do wniosku, że wymagania obniżają mu się ostatnio bardzo gwałtownie. Kobieta, od której wracał, była nią już właściwie tylko z nazwy. Ciało grube, zaniedbane. Nos czerwony. Zęby popsute. O manierach, proszę ja ciebie, szkoda gadać. Jezu Chryste, i ten śmiech. Jak świński kaszel. Jeszcze pół roku temu nawet by na taką nie spojrzał.

Ale to było pół roku temu.

Asfalt, żwir, asfalt. Noga za nogą, trochę zimno. Pod nogami szelest.

Kopnął nadgniłe jabłko i patrzył, jak odbija się od nierówności. Raz, dwa, trzy…

Po polu ktoś biegł.

Daleko. Pędził przez cienką warstwę mgły przylepionej do ziemi. Machał rękoma. Zmęczony.

– Bo się spocisz! – krzyknął Kazik.

Postać przyspieszyła, nie odwracając głowy.

Kazik patrzył na nią jeszcze przez chwilę, a potem ruszył dalej.

Ręce znowu do kieszeni. W kieszeniach pusto. Tylko klucze. Nad tą propozycją Śrubasa to właściwie należałoby się zastanowić. Ojciec powtarzał, żeby nigdy nie sprzedawać ziemi, ale co to teraz dla niego za różnica? W grobie się nie przewróci, bo niby jak. W grobie można tylko gnić i być zjadanym.

A Śrubas cenę daje dobrą i kto wie, czy się w końcu nie rozmyśli. Trzeba się szybko decydować, w tę albo we w tę. Przecież jakby tak te dwa hektary sprzedać, to zostałoby jeszcze siedem. Siedem śmiało wystarczy. Bo komu więcej?

Już niedaleko. Kilometr, może półtora. Ale jeszcze pęcherz. Opróżnić.

Opróżnił.

Tak, siedem starczy. Jutro pójdzie do Śrubasa i wszystko załatwi. Może sobie kupi junaka, to nie trzeba będzie tak po nocach zapierdalać. Baby by się też pewnie lepsze trafiały.

A może by nawet odwiedził matkę i Wiktora? Pojechałby do nich, dał trochę pieniędzy. Tak zrobi.

Skręcił w drogę prowadzącą do domu. Przyspieszył. Na wschodzie niebo zaczynało już blednąć.

Wyłowił z kieszeni klucze i odnalazł właściwy. Minął krzak bzu przy kurniku, ale zaraz się cofnął i spojrzał na prawo.

Na polu, nieopodal drogi, ktoś leżał.

Ruszył powoli w tamtą stronę, nie spuszczając wzroku z nieruchomej sylwetki. Ten ktoś leżał na plecach. Ręce rozłożone szeroko.

Kazik szedł coraz szybciej. Wreszcie pobiegł.

Nie, niemożliwe.

Padł na kolana. Niemożliwe.

— Kurwa! Kurwa, co to jest! Wstawaj!

Jego brat leżał przed nim z otwartymi oczyma. Wydawał się jeszcze bledszy niż zwykle. Rozerwany brzuch odsłaniał śliskie wnętrzności. Ręce brudne od ziemi i krwi.

– Wiktor! – krzyknął Kazik. – Coś ty!

Nic.

– Wiktor, no nie rób mi tego, kutasie!

Wiktor nie odpowiadał.

Nad horyzontem powoli pojawiał się cienki skrawek słońca.

CZĘŚĆ III

1973-2003

ROZDZIAŁ CZTERNASTY

Przez milczenie nienarodzonych. Przez wybuchy krzyku niemowląt. Przez długie porażki z grawitacją i pierwsze chwiejne kroki. Przez ryk po zbiciu kolana. Przez szybsze bicie serca. Przez drugiego człowieka. Przez śluby, rozwody, bójki, pojednania, pracę, zmęczenie, pasje i nudę. Przez satysfakcję, złość, zazdrość i wyrzuty sumienia. Przez śmierć i pogrzeby, przez zamknięcie oczu.

W jaskiniach, pod korzeniami drzew, w szałasach i pod gołym niebem. W lepiankach z gliny, drewnianych chałupach, kamiennych zamkach i pod kopułami z lodu. W górach, na morzu, w lasach i na pustyni. Na powierzchni, w powietrzu, pod ziemią i w czarnych żyłach świata.

Tam, gdzie płomień bucha pod dłonią po raz pierwszy, i tam, gdzie zaczyna toczyć się koło. Wraz z pierwszą zapaloną żarówką i głosem w słuchawce telefonu. Wśród ryku silnika i w sekundzie ciszy po starcie samolotu. W drugiej kuli pędzącej z pistoletu Gawriło Principa ku czaszce arcyksięcia Franciszka Ferdynanda i w jęku Klary Hitler pod ciałem męża. We wszystkich kulach pędzących ku czaszkom, aby zakończyć życie i we wszystkich jękach, od których się ono zaczyna.

W deszczowy dzień na polu w Piołunowie, w rozbłysku po uderzeniu w czoło, w płomieniach marszczących skórę i w huku pociągu magistrali węglowej. W opiłku żelaza zagłębiającym się w oku i w liście pozostawionym pod drzwiami. W otwierającym się brzuchu białego człowieka i w ziemi uderzającej o trumnę z jego ciałem, a potem w szpitalu w Kole, na pierwszym piętrze, w sali numer osiemnaście, w krzyku noworodka, po którym wszystko, prawie wszystko jest jak dawniej.

* * *

Sebastian Łabendowicz ważył prawie cztery kilo i nie był albinosem. Leżał z uchylonymi ustami i nie wiedział o zastrzelonym koniu, rozprutym brzuchu ojca, bezsennych nocach matki, nekrologach, wulgarnych dopiskach na nich, zagrożonej ciąży, pogrzebie, okrzykach nad trumną, sprzedaży gospodarstwa dziadków i ich ponownej przeprowadzce do Koła.

Po kilku dniach od urodzenia przywieziono go, ślepego i rozwrzeszczanego, do mieszkania przy ulicy Toruńskiej, gdzie miał spędzić pierwsze trzydzieści lat życia. Połamane łóżeczko naprawiono i ustawiono w pokoju, w którym niegdyś codziennie rozrastał się labirynt pachnących prześcieradeł.

Jak każdy człowiek na początku widział tylko rozmyte i słyszał tylko szum rzeki. Emilia chodziła wokół niego jak duch. Oprócz przewijania i karmienia nie robiła prawie nic.

Nie potrafiła spakować rzeczy Wiktora.

Za każdym razem, kiedy zaczynała to robić, czuła, jakby to jego, kawałek po kawałku, wkładała do worków i pudeł. Książki, które czytał przed śmiercią, trzymała przy łóżku. W niektórych tkwiły zakładki.

Tutaj rozlał herbatę. Na tym krześle najbardziej lubił siedzieć. Tam powiedziała mu o dziecku, a tutaj później tańczyli. Nie panowała nad sobą. Wybuchała płaczem i kuliła się na podłodze, a potem, nieruchoma, próbowała sobie wmówić, że on wcale nie umarł.

Chciała zniknąć. Wiedziała, jak się znika, i gdyby nie Sebuś, zrobiłaby to już dawno.

Żałowała, że chłopiec nie jest albinosem, bo przez to Wiktor umarł bardziej. Zniknął z jej życia, jakby go w nim nigdy nie było. Kiedy patrzyła na swojego małego człowieka, wydawało jej się, że ta miłość tylko jej się śniła. Że ktoś z niej zażartował. Gdyby nie Kazimierz, pewnie by oszalała.

Tamtego wieczoru, po pogrzebie Wiktora, powiedział jej, że prawdziwymi szaleńcami są ci, którzy patrzą na to wszystko dookoła i pozostają normalni. Każdy, kto ma trochę oleju w głowie, musi w końcu zwariować.

– I to ma mi pomóc? – prychnęła. I zaraz potem, nie patrząc na niego, spytała: – Kazik, ja wiem, że my się prawie nie znamy, ale czy ty byś mnie mógł przytulić? Bo mi się wydaje… Bo mi się wydaje, że to ja umarłam i że już nic nie ma i że już nic nie będzie i… Mógłbyś?

– Nigdy nie byłem za dobry w przytulaniu – odpowiedział po chwili, a potem podszedł do niej i przycisnął ją do siebie. Miał wrażenie, jakby przygarniał worek roztopionego masła.

Od tamtej pory przyjeżdżał do Koła regularnie. Odwiedzał cmentarz, a potem bratową. Siadał z nią przy stole w kuchni i opowiadał o postępach w poszukiwaniu mordercy Wiktora, które prowadził na własną rękę. Problem polegał na tym, że postępów nie było.

* * *

Szanowny Panie Redaktorze,
mój wnuczek ma dopiero dwa miesiące, ale nim się obejrzę, będzie mógł oglądać telewizję. W związku z tym mam do Pana prośbę. Ostatnio począłem z większą uwagą śledzić bajki, które pokazujecie w ramach

wieczorynki, i ogromnie się zdziwiłem rzeczą pod tytułem „Jacek i Agatka". Panie Redaktorze, przecież to jest obrzydliwa bajka, która małe dziecko może tylko przestraszyć. Palce w rękawiczkach? Co w tym ładnego? Wygląda to wprost obrzydliwie. Nie, stanowczo to się nie nadaje dla dzieci. Czy nie można puszczać zamiast tego więcej „Misia z okienka" czy „Różnych przygód Gąski Balbinki"? To są miłe, przyjemne oku historie. Bardzo proszę, aby rozważył Pan usunięcie „Jacka i Agatki" dla dobra wszystkich polskich dzieci, które oglądają tę okropną bajkę wieczorami.

Pozdrawiam
Bronisław Gelda, dziadek Sebusia, Waszego przyszłego widza

Z brzuchatego kubka na stole dobywał się zapach mocnej kawy, za oknem rozjaśniało się po burzy, a Bronisław Gelda skończył pisać list do telewizji. Drapał się po szyi i pochylał głowę. Co chwilę poprawiał mocne okulary, próbując rozsupłać wzrokiem poplątane, roztańczone słowa.

Po tym, jak zakopał konia, pochował zięcia, sprzedał gospodarstwo i przeprowadził się do mieszkania na trzecim piętrze w bloku, był pewien, że w życiu czeka go już tylko postępująca ślepota i starość. W dużej mierze miał rację.

Nie wiedział jednak, że na widok wnuka poczuje, jakby coś pękło mu w głowie, i zrozumie, że cały świat istniał dotąd tylko po to, żeby rozkwitnąć w postaci tego małego kruchego człowieczka.

Od tamtej pory Bronisław planował. Planował zabawy, spacery, lektury, wycieczki, odwiedziny, ćwiczenia, prezenty, wierszyki, pierwszych kolegów, pierwsze dziewczyny i pierwsze pojedynki na rękę. Obliczał, do jakiego wieku musiałby dożyć, by zobaczyć, jak chłopiec staje na nogi, mówi słowo „dziadek", schodzi sam po schodach, krzyczy do niego z podwórka, idzie do szkoły, przyjmuje pierwszą komunię, staje się mężczyzną i bierze ślub.

Wsunął kartkę do koperty, kopertę zakleił. Adres przepisał z gazety. Dokumenty, pieniądze, woda kolońska, grzebień. Lustro. W lustrze starzec o jego rysach twarzy. Nie miał pojęcia, kiedy to się stało.

Założył płaszcz i wyszedł z mieszkania. Na schodach zastanawiał się, kiedy wzrok w jedynym sprawnym oku pogorszy mu się na tyle, że nie będzie już mógł nawet chodzić na pocztę.

* * *

Długo pukał, zanim mu otworzyła. Miała na sobie koszulę nocną i długi, przewiązany w pasie sweter. Patrzyła na niego, jakby nie wiedziała, kim jest, a potem odsunęła się bez słowa i wpuściła do środka.

– Byłem wysłać list – powiedział. – Pomyślałem, że zajrzę.

Irena wyjęła z szafki dwa kieliszki i przyglądała im się zwrócona do niego plecami.

– Chcesz koniaku? – zapytała po chwili.

– Poproszę.

Postawiła na stole kieliszki i butelkę. Jej dłonie pokrywały grube, zielone żyły. Usiadła obok niego i ugryzła końcówkę siworudego warkocza.

– Nie wiem, co mógłbym ci powiedzieć – zaczął.

– Ja też nie wiem, co mógłbyś mi powiedzieć.

– Jak sobie radzisz?

Patrzyła w kieliszek i długo nic nie mówiła.

– Nie najlepiej, jeśli mam być szczera – stwierdziła w końcu.

Cisza. Bronisław upił łyk i odchrząknął.

186

– Sebuś rośnie jak na drożdżach. Powinnaś go odwiedzić. Bardzo radosne dziecko.

Pokiwała głową i umoczyła wargę w koniaku.

– Wciąż nic nie wiadomo – powiedziała. – Milicja już chyba przestała szukać. Kaziu chodzi i rozpytuje, ale to na nic. Bronek, dlaczego on mi to zrobił?

Mężczyzna przesunął krzesło i objął ją. Kości. Resztka człowieka.

– Nie powinnam była wtedy, w Radziejowie... Nie powinniśmy byli. Najpierw Janek, teraz Wiktuś.

– Cicho – szeptał, głaszcząc ją po głowie. – Cicho już.

– Wiktuś, mój kochany synek, on miał takie trudne życie, powiedz, czemu to tak się stało, gdzie jest ten Bóg, co o nim wszyscy mówią, dlaczego on mi Wiktusia zabrał, dlaczego tego dnia Wiktuś pojechał do Piołunowa, mam nadzieję, że pójdę do piekła, mam nadzieję, że wszyscy pójdziemy do piekła, bo ja nie chcę oglądać tego bydlaka, co mi Wiktusia zabrał, mojego małego Wiktusia, co on komu zrobił, no Bronek, proszę cię, zrób coś, niech to się odwróci, Bronek, błagam cię, zrobię wszystko, powiedz, co ja mam zrobić, co ja mam zrobić, żeby mój Wiktuś wrócił, żebym go zobaczyła, chociaż się pożegnała z nim, ja bym wszystko oddała, żeby go przytulić, mojego Wiktusia, wszystko, oddałabym wszystko, błagam cię, Bronek, zrób coś, bo ja nie wytrzymam, jak ktoś może tak człowiekowi odebrać to, co mu najdroższe, błagam cię, Bronek, ja wszystko zrobię, wszystko, tylko powiedz...

Przycisnął ją do siebie jeszcze mocniej, a ona zamknęła oczy.

– Bronek, może to wszystko przez to, co wtedy, przez tę łąkę, może myśmy tam tak zgrzeszyli, że On nas ukarał?

– Ciiii – powtarzał, całując ją w głowę. – Ciii.

– ... myśmy... nie powinniśmy... wtedy...

– Ciii.

– ... w Radziejowie...

Kiedy umilkła, głaskał ją jeszcze długo, wsłuchując się w miasto szemrzące za oknem.

* * *

Wiedział, że któregoś dnia obudzi się ślepy.

Na prawe oko nie widział od chwili, kiedy opiłek wystrzelił mu spod młota. Przez wszystkie te lata źrenica stała się niemal zupełnie biała.

A teraz jeszcze półpasiec. Najpierw niby zwykłe przeziębienie. Później czerwone plamy na czole i policzku. Strupy. Wezwali lekarza, ale podobno było już za późno.

– Przygotuj się, że możesz przestać widzieć – powiedział stary doktor Koguc, jakby do czegoś takiego można się było przygotować.

Helena pytała jeszcze, co można zrobić i czy aby na pewno nic, ale Bronek wiedział, że nic, i wiedział dlaczego. Tamten młody Cygan, Perhan, mógł być oszustem, a utrata prawego oka i ten półpasiec zwykłym zbiegiem okoliczności. Jednak od tamtej chwili Bronek nie wierzył w zbiegi okoliczności.

Od tamtej wizyty doktora Koguca zaczął się przygotowywać do utraty wzroku. Chodził po mieszkaniu z zamkniętymi oczami, ściskając dłoń Heleny, i uczył się odległości pomiędzy meblami. Zrobił porządek w szufladach i w szafie. Kupił sobie laskę. Pisał listy. Do telewizji. Do radia. Do schorowanego szwagra Felka. Nawet do Emilii.

Odwiedził grób zięcia i stał nad nim kilka godzin, wpatrując się w tablicę z napisem: „Wiktor Łabendowicz, żył lat 28", jakby tam, w ziemi, tuż pod nim, leżał nie jego zięć i ojciec jego wnuka, ale jakiś po prostu „Wiktor Łabendowicz, żył lat 28", jeden z wielu zmarłych z kolskiego cmentarza.

Odwiedził też ponownie Irenę. Ubrał się w najlepszy garnitur, skropił wodą kolońską i starannie ułożył resztkę tego, co kiedyś było włosami. Szedł przez miasto, próbując zapamiętać jak najwięcej szczegółów. Milicjanci przed odnowioną komendą przy Sienkiewicza, naprzeciw wielkie globusy na wystawie księgarni, przed mostem błyszczące w słońcu ściany kościoła ewangelicko-augsburskiego i pomalowany na żółto budynek biblioteki. Za mostem salon meblowy na pierwszym piętrze, starzejący się brzydko ratusz i pijacy, starzejący się pod nim równie niekorzystnie. Na Grodzkiej szewc, kocie łby i nieczynny zakład fryzjerski. W szybie twarz starego, zmęczonego człowieka.

Na klatce schodowej śmierdziało moczem. Bronisław wszedł na drugie piętro i zapukał do drzwi, a potem raz jeszcze, i znowu. Poszperał po kieszeniach. W jednej z nich znalazł pustą kopertę, w innej czerwoną kredkę, wrzuconą tam zapewne przypadkiem przez Sebka podczas zabawy w chowanego. Pamiętał, jak szukali potem tej kredki, bo nie można było pokolorować serduszka.

Rozpostarł kopertę na ścianie, ale zanim zaczął pisać, usłyszał chrobot w mieszkaniu po prawej. Zgrzyt zamka. Drzwi otworzyły się powoli, ukazując okrągłą, uśmiechniętą twarz człowieka niewiadomej płci.

– O, dzień dobry – powiedział Bronisław, przyglądając się tej postaci. Jednak kobieta.

– Nie ma jej, od paru dni.

– Naprawdę? Ona się bardzo słabo czuła, rzadko wychodziła z domu.

– No też więc właśnie, ten tego. Mnie się tak też właśnie wydawało. Ostatnio to wedle wtorku ją słyszałam. Coś tak wtedy łupnęło głośno, pewnie meble przestawiała, aż się przestraszyłam, bo akurat w ustępie byłam, ale od tamtej pory nic, cisza jak makiem zasiał.

– Łupnęło – powtórzył Bronek.

– Łupnęło.

– A może coś jej się stało? Może się przewróciła?

– Może… Ja nie wiem, w ustępie wtedy byłam, brzmiało, jakby meble…

Bronisław nacisnął klamkę. Otwarte.

– Ale bo ja wiem, czy to tak ładnie? – powiedziała sąsiadka, kiedy wchodził do środka.

Irena leżała w przedpokoju. Jedną ręką dotykała ściany, drugą wyciągała w stronę kuchni. Nogi skrzyżowała w kostkach. Miała uchylone usta i wzrok skierowany w sufit. Po lewym oku spacerowała mucha.

– O Jezusie przenajświętszy – szepnęła sąsiadka. – Dzwonić po pogotowie? Lamprychowa spod jedenastki ma telefon. Niech pan powie: dzwonić?

– Już nie trzeba – powiedział Bronisław, ściągając z wieszaka płaszcz i przykrywając nim ciało Ireny. – Już nie trzeba.

* * *

Kazimierz oświadczył, że mama życzyłaby sobie, aby ją pochować obok męża, w Radziejowie. Stwierdzono, że przyczyną zgonu był wylew.

– Powiedzieli mi, że umarła, zanim uderzyła o podłogę – rzekł, idąc obok Geldów z kościoła na cmentarz. – Najwyżej chwilę później. W każdym razie podobno się nie męczyła.

– To najważniejsze – odparł Bronisław i doszedł do wniosku, że chyba nic głupszego nie mógł powiedzieć.

Kazimierz pokręcił głową, patrząc na trumnę, w której leżała jego matka. Blaszana tabliczka z nazwiskiem wisiała na gwoździu, lekko się przekrzywiwszy.

– To wszystko jest tak nie do uwierzenia, że aż prawie śmieszne – stwierdził.

Nikt nie odpowiedział. Ksiądz wyjękiwał refren *Anielskiego orszaku*. Gdzieś na rynku trąbił klakson.

Bronisław trzymał Helenę pod rękę i kiedy mijali budkę ze zniczami, próbował nie patrzeć na łąkę rozciągającą się za cmentarzem. Podczas zakopywania trumny zrobiło mu się duszno, a drzewa i tablice nagrobne zaczęły się przechylać prosto na niego. Zaczerpnął powietrza i ugryzł się mocno w język. Świat wrócił na swoje miejsce.

Po powrocie do Koła sypiał coraz gorzej. Stracił apetyt i przestał wychodzić z mieszkania. Prawie nie oglądał telewizji. Nie interesowało go, że Hermaszewski poleciał w kosmos, a Wojtyła został papieżem. Całymi dniami stał przy oknie i gasnącym wzrokiem obserwował życie osiedla. W końcu wiedział, kto o której godzinie wychodzi do pracy i o której z niej wraca. Wiedział, kto z kim pije wódkę pod sklepem i w co się bawią dzieciaki na placu zabaw. Poznał rozkład jazdy autobusów przejeżdżających Włocławską i zaczął się orientować w zwyczajach gołębi.

Najuważniej przyglądał się bezdomnym psom, które całymi dniami wędrowały po osiedlu i wyżerały resztki ze śmietników.

– Wiesz, Helenka, tu chodzi po osiedlu taki piesek, bardzo podobny do Konia – powiedział któregoś razu. – Bodaj identyczny. Myślisz, że to może być on?

– Bronek... Przecież on... Przecież ty go...

– Ja go wypuściłem. Wywiozłem wtedy do Koła i wypuściłem.

– I nic mi nie powiedziałeś?

– Chciałaś, żebym załatwił sprawę. To załatwiłem.

– Ale do tamtej pory, Bronek… przecież tyle lat minęło.

– A może to jednak on? Nie mogłabyś wyjść i sprawdzić?

Helena wyszła i sprawdziła.

– To nie on – stwierdziła po powrocie.

– Na pewno? Ale przyjrzałaś mu się? On się na pewno postarzał.

– Tak, na pewno. To nie on.

Minęło kilka dni i sytuacja się powtórzyła. Bronek kręcił się po mieszkaniu, zaglądał do garnków, zagajał o pogodzie, a potem powiedział:

– Wiesz, Helenka, teraz to chyba on. Mogłabyś wyjść i sprawdzić?

Sam w ogóle nie opuszczał już mieszkania. Twierdził, że na schodach robi mu się k o ł o w a c i z n a.

Ożywiał się tylko podczas wizyt Sebusia. Odrywał się wtedy od parapetu i ułożonej na nim poduszki, brał wnuka na ręce i przez kilka godzin był jego zabawką.

– Dziadzia, to!

Zdejmował obraz ze ściany.

– Dziadek, rado!

Włączał radio.

– Dziadzia, na konika.

Stawał się konikiem.

Dawał się ujeżdżać, ciągnąć za nos, obśliniać i bić po głowie drewnianą łyżką. Śpiewał piosenki, recytował wierszyki, opowiadał bajki. Wyjmował z kredensu słodycze i po kryjomu wsuwał je do kieszeni maleńkiej kurteczki. Kiedy Emilia zabierała wreszcie syna do domu, siadał z Heleną w kuchni i jadł kolację. Rozmawiali o Sebusiu. Potem szedł z powrotem do pokoju, przyklejał się do szyby.

Ostatecznie stracił wzrok w 1975 roku, kilkanaście miesięcy po tym, jak z programu telewizyjnego zniknęli *Jacek i Agatka*.

ROZDZIAŁ PIĘTNASTY

O jciec nie żył. Wiktor nie żył. Matka też nie żyła.
Zosi nie widział od pół roku. Przyjechała na tydzień, na wakacje. Kryśka... o Kryśce to w ogóle szkoda gadać.

– Przynajmniej ty wróciłaś – powiedział Kazimierz Łabendowicz, wyjmując z kieszeni na piersi zmiętą paczkę papierosów. – Chociaż cholera wie, czy ty to w ogóle ty.

Sowa przyglądała mu się z zegara i najwyraźniej nie miała zamiaru odpowiadać. Przyleciała kilka tygodni wcześniej. Najpierw kołowała wokół podwórza, potem całymi dniami przesiadywała na słupku od balustrady przy schodach. W końcu wleciała do domu i tak już została. Kazimierz zostawiał jej na noc otwarte małe okno w kuchni.

Nie wiedział, ile żyją sowy, i nie miał zamiaru się tego dowiadywać. Bał się, że Durna to nie Durna. Bał się, że będzie już zawsze mówił tylko do siebie.

Od kiedy przestał szukać zabójcy Wiktora, minęło już piętnaście miesięcy. Życie sprasowało się w jeden biegnący w kółko dzień. Kazimierz Łabendowicz patrzył na to samo słońce, oddychał tym samym powietrzem, rozdzierał pługiem wciąż tę samą ziemię.

Wstawał o świcie, doił jedyną krowę, wybierał jaja z kurnika i siadał przed domem z kubkiem mocnej, gorącej kawy. Do zmierzchu pracował w polu, nawet jeśli nie było wiele do roboty. Potem oporządzał krowę, wyciągał ze studni wiadro z lodowatą wodą i powoli, starannie mył ręce. Wygłodniały zabierał się za przygotowywanie kolacji. Chleb, kiełbasa, pomidory. Dwa jaja sadzone. Herbata. Dla Durnej kawałek surowego mięsa pociętego w paski. Jadła tylko wtedy, kiedy nie patrzył.

Po kolacji wychodził przed dom, opierał się o drzwi i patrzył w gwiazdy dryfujące wolno ponad dachem stodoły. Wypalał papierosa i pstrykał w trawę rozżarzoną końcówką. Siadał potem przy stole w kuchni i brał z parapetu egzemplarz „Rozrywki", z którym aktualnie się męczył.

Obśliniając końcówkę dobrze zaostrzonego ołówka, przez następną godzinę łamał sobie głowę nad kartkami pełnymi szarad, anagramów, homonimów i jolek. Przed północą wychodził znowu przed dom i wypalał kolejnego papierosa. Potem kładł się do łóżka i otwierał „Młodego Technika", drugi z magazynów kupowanych co miesiąc w kiosku w Radziejowie. Słuchając szelestu gałęzi za oknem, czytał kącik prozatorski i zapadał się głęboko w nieistniejące światy. Każdego wieczoru był kimś innym i bardzo innym. Zasypiał z gazetą na piersi.

Budził się przed świtem. Wstawał z poczuciem ulgi, że przez następne kilkanaście godzin będzie miał zajęcie.

Sprasowany dzień zaczynał się od nowa.

* * *

W czasie pracy rozgrzebywał w głowie przeszłość i próbował ułożyć z niej coś sensownego albo chociaż coś w ogóle. Najczęściej wspominał rozprute ciało brata i wszystko, co się od tego rozprutego ciała zaczęło.

Najpierw obszedł całe Piołunowo. Potem okoliczne wsie. Ludzie mówili mu różne rzeczy, tylko nie to, co chciał wiedzieć.

– Ja żem nigdy go ani nie wyzwoł, ani nic. Co mi tam przeszkadzało, że trochę był bardziej biały niż inne ludzie?

– Panie kochany, żebym tylko wiedział, to sam bym takiemu łeb sikierą roztworzył. Jak pan już go znajdzie, to niechże go pan nie żałuje.

– Zdzisek to taki wylękniony od tamtej pory, wiesz pan, panie Kazik, on się cały czas boi, że naszemu też tak coś zrobią. Widziałeś pan, jaki blady. Kto wie, co to komu do głowy przyjdzie?

– Wiem, że go próbowali zatłuc, jak był mały. Mój ojciec opowiadał. Ale to, co się teraz stało, to ja tego w ogóle nie rozumiem. Przecież on się stąd już dawno wyprowadził.

– Bo ja wiem? Może Śrubas by wiedział?

– Ja? Kaziu, gdybym ja tylko coś wiedział, tobym do ciebie przyleciał tak ino raz. Może Witkowski? On mieszka przy drodze. No i sołtys. Sołtys mógł coś słyszeć.

– No przykro mi, Kazik, nie mam pojęcia.

– Nie, nic nie widziałem.

– Nie, nic nie widziałam.

– Nie, nic nie widzieliśmy.

Dwa razy wydawało mu się, że coś ma.

Najpierw chłopak od Biniasów oświadczył spokojnym głosem, że wie, kto zamordował Wiktora. Zdradził nazwisko kolegi ze szkoły, ale szybko wyszło na jaw, że jedyną zbrodnią oskarżonego było to, że odbił domniemanemu świadkowi dziewczynę. Kazik dobrze pamiętał, co stało się później. Pamiętał zdziwienie na twarzy młodego Biniasa, swoje dłonie na jego szyi, szczekanie psa, kiedy padali na ziemię, i wargi pękające mu pod pięścią. Pamiętał ramiona odciągające go od chłopaka i dwa zęby, które ten wypluł po wszystkim.

Drugi raz nabrał się u sołtysa.

– Dojka twierdzi, że widziała zabójcę, jak uciekał – stwierdził niepewnie stary Graczyk, drapiąc kota za uchem. – Gada, że spała wtedy w polu.

– Tak, a tydzień temu opowiadała, że ze świętym Piotrem piła wino w niebie – wtrąciła synowa sołtysa. – A jeszcze kiedyś pamiętam, jak się chwaliła, że nocą z diabłami tańcuje.

Odnalazł ją jeszcze tego samego wieczoru. Spała w polu, nieopodal swojej starej, zawalonej chaty. Szturchnął ją butem. Raz, drugi, trzeci.

– Dojka, ty podobno wiesz, kto mi brata zabił – powiedział, kiedy wreszcie otworzyła oczy.

– A czy wiesz, wnusiu, że braciszek twój zamordował również? Życie zatacza koło, życie musi zatoczyć koło, inaczej się nie da. Ty siałeś krzywdę i krzywdę teraz zbierasz. Wiktuś zamordował, a więc i jego zamordowali.

– Psiakrew, Dojka, wiesz czy nie wiesz? Nie będę słuchał tych banialuków.

– A podoba ci się moja fryzura, wnusiu? Wiktuś się bał mojej czupryny. To wszystko dla niego. No co, podoba ci się?

– Pierdol się, durna babo – odpowiedział i ruszył do domu. Kiedy zsuwał się do rowu i przeskakiwał wąski strumyk ścieków, słyszał za sobą chrapliwy śmiech starej wariatki.

Później chodził ze zdjęciem Wiktora po Radziejowie.

– To mój brat – mówił. – Został zamordowany. Może go państwo kiedyś widzieli? Nie? Na pewno? Wyglądał bardzo szczególnie. Był cały biały, to znaczy… brwi, włosy, usta. Cały biały. To się nazywa albinizm. Proszę się przyjrzeć. Tu mam jeszcze inne zdjęcie. O, proszę. Nie? Na pewno?

Przez ponad rok dawał ogłoszenia w gazetach. W Czerwonym Krzyżu mieli go dosyć. Wspólnie z milicjantami próbował zrozumieć, dlaczego ofiara znalazła się ponad pięćdziesiąt kilometrów od miejsca zamieszkania, ale bezskutecznie. W końcu z braku dowodów śledztwo umorzono.

Świat w swej mądrości uznał najwyraźniej, że martwy człowiek leżący w nocy na polu z rozprutym brzuchem jest zwyczajnym, oczywistym elementem rzeczywistości i nie należy o nim zbytnio dyskutować.

* * *

Kazimierz uważał, że przegrał swoje życie. Uważał też, że Wiktor przegrał własne jeszcze bardziej.

Zawsze zawstydzony, zawsze jakby obok ludzi, obok życia, obok samego siebie. No dobrze, był biały, był inny, ale wcale nie aż tak biały i nie aż tak inny. Poradziłby sobie. Mógł normalnie. Mógł wszystko normalnie.

Ale nie. On musiał mówić po swojemu, łazić po swojemu, myśleć po swojemu. Musiał dawać się bić tym pieprzonym łobuzom, którym, gdyby chciał, mógłby łby poukręcać. Musiał cierpieć, męczyć się, unikać dziewczyn, unikać kolegów, unikać wszystkiego, czego się da uniknąć. Musiał być jakimś zasranym jękiem świata, jakby ten świat potrzebował jeszcze jednego jęku, jakby nie miał ich już wystarczająco dużo.

Musiał oczywiście widzieć jakieś rozmyte gówna, słyszeć jakieś rozmyte gówna, musiał uciec z domu na dwa miesiące i nikomu słowem nie szepnąć, gdzie jest i co robi. Musiał wykraść ojca ze szpitala i przyprowadzić go tu, pieszo, kurwa, zimą, na pole. Ojca bez nóg. Musiał patrzeć, jak ojciec umiera, on sam, tylko on, nie Kazik, nie matka, ale właśnie on, wielki, kurwa, jęk świata. A oni siedzieli w domu i pewnie gadali o burakach cukrowych, podczas gdy Jan

Łabendowicz, podziurawiony rakiem, konał sto metrów dalej. Albo pięćdziesiąt. Kazik nigdy nie mierzył.

Od dziecka było z nim coś nie tak, od dziecka był inny, i nie chodziło w ogóle o tę jego biel, a przynajmniej nie tylko. Ojciec dziesiątki razy opowiadał im o *Frau* Eberl i o tym, jak zostawił ją w Kruszwicy razem z córkami, i o tym, jak żałuje, i że tak nie wolno, więc może oni się oboje z matką tak bardzo tym przejmowali, że z tych nerwów matka urodziła Wiktora właśnie takiego? Przecież wtedy była właśnie w ciąży.

A może w ogóle z matką też było coś nie w porządku? Wszyscy znajomi Kazimierza mieli dwie babcie i dwóch dziadków, a on miał jedną babcię i jednego dziadka, tylko tych od strony ojca, ale w domu się o tym nie mówiło. Dlaczego nigdy o to z Wiktorem nie pytali? Może trzeba było zapytać. A tak skazani byli na domysły, koloryzowane plotkami o tym, że ich babką jest wariatka Dojka, a dziadkiem był jeszcze większy szajbus, jakiś Pokrzyw, który w życiu nie robił nic oprócz grania na flecie. To, co sterczało spod zawalonego domu Dojki, to podobno jego pomnik, który dawno temu wznieśli mu mieszkańcy Piołunowa, chociaż nikt nie potrafił wyjaśnić chłopcom dlaczego.

Może więc Wiktor, ten wrażliwy i niezrozumiany Wiktor, stworzył sobie w głowie jakiś zupełnie nieprawdopodobny scenariusz, w którym jego dziadkami są jakieś potwory, jakieś wynaturzone Pokrzywy i Dojki, a potem ubzdurał sobie, że musi za potworności tych potworów zapłacić, więc będzie cierpiał, będzie jękiem świata. Może tak właśnie było?

Właściwie to jednak nieważne, jak było. Ważne, że Kazimierz nic z tym nie zrobił, nie pomógł, nie zapytał, nie pogadał. Czy oni w ogóle kiedyś ze sobą rozmawiali? Tak naprawdę, a nie o jakimś wiązaniu snopków czy kominie przewróconym w czasie burzy? Tak naprawdę to chyba nie rozmawiali. Nie rozmawiali, bo Wiktor nie lubił, a Kazimierz nie miał czasu ani ochoty. W dość młodym wieku zaczął gadać z dziewczynami i z butelką i to mu wystarczało, nie musiał dodatkowo gledzić jeszcze z bratem, który pieprzył o pierdołach. Ale przecież mógł chociaż wybić mu z głowy te pomysły z duszeniem kota, kiedy młody wziął ich umowę serio.

Kazimierz myślał o tym prawie codziennie, od świtu do wieczora, mrucząc do siebie pod nosem. Jeździł kupionym niedawno ciągnikiem po swoich siedmiu hektarach i orał, siał, zbierał i orał od nowa.

Omijał tylko niewielki plac za domem, to miejsce, na którym co jakiś czas ludzie zapalali jego bratu znicze.

ROZDZIAŁ SZESNASTY

Pierwszą rzecz ukradł w wieku sześciu lat. Był to murzynek. „Ciepły lód", jak mówiła mama. Czyli murzynek.

Ukradł go w Drewniaku przy Sienkiewicza, gdzie sprzedawała koleżanka mamy, pani Górna. Wszedł z dwoma kolegami. Jeden z nich kupował vibovit – „albo może oranżadę, albo może vibovit" – a drugi kręcił się przy andrutach. Sebek wyjął murzynka z tekturowego opakowania i wsadził go sobie w spodnie. Zanim zdążył się powstrzymać, ukradł jeszcze jednego. Usiedli potem w parku przy poczcie i podzielili się zdobyczą na trzech. Sebek jadł już wcześniej murzynki, ale te dwa smakowały lepiej niż wszystkie poprzednie.

Niedługo później przyszło lato, a wraz z latem kradziejki w ogródkach działkowych przy Nagórnej. Porzeczki, truskawki, maliny, winogrona, czasem nawet marchewka, jak już naprawdę nie było nic innego. Nieraz mama denerwowała się, kiedy przychodził na kolację obżarty jak prosię. Myślała, że jest chory. Badała mu temperaturę i uciskała brzuch.

Przez pewien czas wydawało mu się, że pamięta tatę. Wyobrażał sobie, że wspina się na niego, siedzącego w fotelu, rozgniata mu gazetę na brzuchu i wsuwa palec we wgłębienie na czole. Kiedy miał pięć lat, opowiedział o tym mamie, a ona wyjaśniła mu, że to nigdy nie mogło się wydarzyć.

– Widziałeś tatusia tylko na zdjęciach – stwierdziła, ugniatając ciasto na rogaliki.

– A czemu?

– Bo poszedł do nieba, zanim się urodziłeś.

– A nie mógł poczekać?

– No widocznie nie mógł.

Od tamtej pory nie rozmawiali o tacie. Po raz kolejny usłyszał o nim dopiero dwa lata później, w podstawówce, podczas przerwy pomiędzy biologią a polskim.

– A mój kuzyn Adam mówi, że twój tata był kosmitą – oświadczył rudy Daniel, kiedy wchodzili po szerokich schodach na drugie piętro. – Że umarł, bo mu się skończyły baterie.

– Chyba sam jesteś kosmitą. Masz tak więcej nie mówić, bo dostaniesz.

– Już się boję – uśmiechnął się Daniel i wyciągnął z kieszeni draże Korsarz. Kokosowe. Najlepsze.

– Spóła? – zapytał Sebek, wyciągając rękę.

Kilka kulek w polewie czekoladopodobnej wysypało mu się na dłoń.

– Dzięki.

– Mój kuzyn mówi, że twój tata wyglądał jak pomalowany farbą na biało – ciągnął Daniel. – Na serio?

– Wcale nie.

– A mój kuzyn mówi, że tak.

– A ja ci mówię: dawaj te draże!

– Chyba śnisz, ej.

Daniel uderzył plecami o ścianę, aż zabrakło mu powietrza. Zakrztusił się drażami, zakasłał kilka razy i pochylił się, a wtedy poczuł, jak łokieć kolegi ląduje mu na plecach. Kiedy się podniósł, wszyscy patrzyli.

– Dobra, masz – powiedział, wyciągając szeleszczącą torebkę w kierunku Sebka, a potem dodał szybko: – Ale głupek, ej.

Odprowadzany spojrzeniami kolegów i koleżanek Sebek ruszył w stronę klasy. Po drodze wsypał sobie do ust pół torebki. Tak. Kokosowe były niewątpliwie najlepsze.

* * *

Dziadek siedział na krześle przed telewizorem. Jego łysa głowa lśniła w żółtym świetle żyrandola. Od czasu wylewu przestał mówić zdaniami i wypluwał z siebie pojedyncze słowa.

– Kapusta! *Kohl!*

– Jabłko! *Apfel!*

– Marchewka! *Karotte!*

Sebek patrzył na niego, a potem poszedł do kuchni, gdzie mama i babcia robiły te rzeczy, które się robi w kuchni.

– Czemu dziadek tak krzyczy? – zapytał.

– Bo jest chory, mówiłam ci – wyjaśniła mama. – Idź do niego, słonko, posiedź z nim.

– Ale ja go nie rozumiem.

Helena pochyliła się i podała mu talerz z ciastkami. Kruche z cukrem. Uwielbiał.

– On się tak cieszy, jak ty przychodzisz, Sebuś – powiedziała. – Inaczej to całymi dniami milczy, czasem tylko coś burknie. A przy tobie zaraz taki żywy. Wiesz, że on cię już słyszy, jak idziesz po schodach? Rozpoznaje cię.

– Bartek mówił, że jego pies też go tak poznaje.

– Sebastian! – upomniała go matka.

Wzruszył ramionami i wsunął do ust jedno kruche z cukrem.

– Babha, a mohna wączyć telewizor?

– U nas się nie ogląda telewizji – odparła.

– Ale czemu?

– W telewizji lecą same głupoty. Nie warto na to patrzeć.

– To co ja mam tam robić z dziadkiem? Nudzi mi się.

Mama patrzyła wtedy na niego wzrokiem, który dobrze znał, więc szedł do pokoju, siadał na wersalce i stroił do dziadka idiotyczne miny. Słysząc go, Bronisław odwracał głowę, uśmiechał się dziwnie dziecięco i zaczynał od nowa:

– Śliwka! *Pflaume!*

– Gruszka! *Birne!*

– Ogórek! *Gurke!*

* * *

Od pewnego czasu nic się nie zmieniało.

Rano kanapki z masłem i metką albo i z samym masłem, potem droga do Szkoły Podstawowej numer pięć przy Kolejowej, ostatnie spojrzenie na Sebka znikającego z wielkim plecakiem w płynącej korytarzami rzece uczniów, a potem pokój nauczycielski, kawa, pączek i papieros. Słuchanie rozmów pozostałych nauczycieli, szukanie dziennika w pionowych przegródkach – bo zawsze ktoś pomyli – a potem lekcje, zdania wprasowane w mózg, z każdym miesiącem coraz głębiej i głębiej, zgrzyt kredy o tablicę, biały proszek na garsonce, na swetrze, na butach i na spódnicy. Popołudniowa kawa i popołudniowy papieros, słuchanie rozmów pozostałych nauczycieli, odbieranie Sebka ze świetlicy i droga do domu. Po drodze zakupy, uprzejmości wymieniane z sąsiadami siedzącymi przed domem, wreszcie schody, klucze, i dom, przedpokój, fotel. Fotel.

Popołudniami odrabiali lekcje, odwiedzali dziadków, wychodzili na spacer albo oglądali telewizję. W soboty szli na lody do Walkowiaka, prawdziwe włoskie, w dwóch smakach: kakaowym i śmietankowym. Ona jadła małego, on średniego. W niedzielę jeździli do kościoła na wyspie i na cmentarz. Samochodem, bo ojciec kilka lat temu uparł się, że Emilia będzie mieć samochód – więc miała. Chociaż powtarzała wszystkim, że wolałaby nie mieć.

* * *

Po roku oczekiwania i niezliczonych butelkach wódki wręczonych przez ojca ludziom z PSS-u w zamian za załatwienie talonu przed kamienicą na Toruńskiej stanął pierwszy samochód Emilii Łabendowicz. Maluch, oprócz tego, że niebieski, był też awaryjny. Jego koronną usterką był zacinający się zamek i za którymś razem Emilia przestała go w końcu naprawiać, bo nie miała już na to ani nerwów, ani pieniędzy. Niemal natychmiast sytuację zaczął wykorzystywać pan Witek, znany w Kole kobieciarz, dżentelmen i bezdomny.

Emilia zastukała w szybę od strony kierowcy i lekko uchyliła drzwi.

– Panie Witku, bardzo przepraszam, ale musimy na cmentarz.

– Cooo? – zagrzmiała skulona na tylnym siedzeniu sterta ubrań w kształcie człowieka.

– Na cmentarz jedziemy – powtórzyła. – Potrzebuję samochodu.

– Już, już, przecie wstaję – odpowiedziała sterta i uniosła się z siedzenia. Wprawnym ruchem przecisnęła się pomiędzy siedzeniami i wytoczyła na zewnątrz.

– Dzień dobry – powiedziała, a potem odchrząknęła potężnie i powoli stała się mężczyzną w pogniecionym garniturze.

– Dzień dobry – odparła Emilia, wsiadając do samochodu i otwierając drzwi od strony pasażera. Skrzywiła się: kwaśny smród ciała niemytego miesiącami. – Nie zmarzł pan?

– Ależ skąd, pani Emilio. W takim aucie?

– No. Tak. Cieszę się. Do zobaczenia.

– Udanej wycieczki.

– To nie wycieczka. Jedziemy na cmentarz.

– Czyli na wycieczkę w przeszłość! – zaśmiał się i odchrząknął znowu. O poczuciu humoru pana Witka Emilia miała podobne zdanie jak o jego zapachu. – Szerokiej drogi!

Z majestatem, jaki zapewnić mógł tylko niebieski maluch, ruszyli przez miasto. Przecięli ulicę Zieloną, minęli bibliotekę, przejechali mostem, a potem drugim. Zaparkowali pod bramą cmentarza. Na murze wisiało kilka klepsydr.

Wymieniła kwiaty w wazonie i umyła pomnik, choć nie był brudny. Zapaliła znicz. Długo stała potem przed grobem i wpatrywała się w litery składające się w imię i nazwisko jej męża. Ten napis wciąż wydawał jej się nie pasować do innych, które widywała na cmentarzu. Wiktor nie mógł być przecież tylko zmarłym, jak oni wszyscy.

Podczas drogi powrotnej patrzyła na ludzi spacerujących ulicami i zastanawiała się, co robiłaby w tej chwili, gdyby on wciąż żył. Siedziałaby z nim w domu? Spacerowaliby w trójkę po wałach przy Warcie? Może jechaliby właśnie na wycieczkę do Biskupina albo do Kruszwicy?

Tej nocy płakała po raz pierwszy od kilku miesięcy.

* * *

Od pewnego czasu czuła się coraz słabiej. Bywały dni, że wstanie z łóżka wydawało jej się wyczynem ponad siły. Ręce z ołowiu. W głowie jakiś dygot. Jakby była przeziębiona – ale nie była przeziębiona. Jakby miała gorączkę – ale nie miała gorączki.

Był właśnie taki dzień. Sobota, październik. Za oknami żółte liście odrywały się od gałęzi. Emilia siedziała w fotelu z zamkniętymi oczami i modliła się, żeby przeszło jej to, czego nawet nie potrafiła nazwać. Słabość? Marazm? Otępienie?

Pukanie do drzwi jak pukanie do głowy. Niemal czuła kłykcie uderzające o czaszkę. Prawdziwe czy nieprawdziwe? Usłyszała je znowu. Prawdziwe. Ktoś pukał do drzwi. Ktoś pukał do drzwi, więc trzeba mu otworzyć. Trzeba otworzyć, więc trzeba wstać. Trzeba wstać, więc…

– Już – szepnęła.

Nie, nie tak.

– Już – powiedziała głośniej.

Też nie.

– Już! – krzyknęła, wkładając w ten krzyk tyle sił, że natychmiast pożałowała.

Teraz wstać. Wstać, powoli, uda się, to tylko chwilowa słabość, wstać, wstać.

Wstała.

Podejść do drzwi, zaraz się rozrusza i wszystko będzie dobrze, zaraz otworzy, to pewnie sąsiadka, pożyczyć coś, zaraz pójdzie, Boże, jakie te nogi słabe, najlepiej byłoby się jednak położyć, odespać trochę, tak, to tylko zmęczenie.

Oparła rękę o ścianę, drugą przekręciła klucz w zamku. Otworzyła drzwi, za drzwiami sąsiadka, pani Raczkowska, ta spod piątki, wdowa, miła i zawsze uśmiechnięta, ale teraz dziwnie smutna, przepraszająco smutna, jakby nie chciała nic pożyczyć, jakby chciała…

– Pani Emilko, kochana pani Emilko, tak mi przykro, tak bardzo mi przykro – zaczęła Raczkowska, a potem wszystko, prawie wszystko, było jak dawniej.

* * *

Dziadek umarł w nocy, we śnie. Sebek dowiedział się o tym następnego dnia po południu. Była sobota i od rana zajmował się wojną żołnierzyków. Do mamy przyszła sąsiadka, ta gruba, co chodziła jak kaczka. Zamknęły się w kuchni i długo rozmawiały. Sąsiadka poszła sobie w końcu, a mama zawołała go do dużego pokoju. Miała dziwny głos i wyglądała, jakby ktoś ją właśnie mocno poklepał po twarzy.

– Chodź no tu, Sebuś, usiądź ze mną. Daj rączkę. Posłuchaj. Wiesz, że dziadziuś był już bardzo chory, prawda? Nie rozumiałeś go, co mówił, tak? I widzisz, dzisiaj w nocy dziadziuś poszedł do nieba. Umarł.

– Umarł?

Mama gryzła wargi i kiwała głową, że tak: umarł.

– O kurczę.

– Ale nie martw się, jest już w niebie. Poszedł do nieba.

Sebek zastanawiał się przez chwilę, a potem zapytał:

– To dobrze, tak?

– Tak. To dobrze.

– Acha.

– Nie bądź smutny. Dziadziuś cię bardzo… – odchrząknęła i przyłożyła sobie rękę do twarzy. – No, idź już do pokoju. Porozmawiamy później.

W przedpokoju odwrócił się jeszcze i zmarszczył czoło.

– Mama?

– Tak, słonko?

– Ale ty nie umrzesz?

– Ja? – Emilia uśmiechnęła się do niego i na chwilę zamknęła oczy. – Nie, słonko, ja nie umrę.

Sebek patrzył na nią jeszcze przez chwilę, a potem poszedł do swojego pokoju i wrócił do żołnierzyków.

* * *

Na pogrzebie płakał, chociaż nie wiedział właściwie czemu. Mama też płakała.

Siedział w pierwszym rzędzie, pomiędzy mamą i babcią. Niedaleko po prawej widział wujka Kazika, który przyjechał rano i przywiózł mu paczkę chałwy. Jeszcze nie spróbował, mama nie pozwoliła.

Przed nimi leżało dużo kwiatów, a wyżej błyszczało podłużne drewniane pudło. Ksiądz wyglądał jakby przez całe życie jadł tylko smalec, a msza okropnie się dłużyła. Wreszcie wszyscy wstali. Wuja wziął go za rękę, a mama z babcią podeszły do pudła i zaczęły w nim grzebać. Mama ryczała.

Sebek wyrwał się wujowi, podbiegł do pudła i wspinając się na palce, zajrzał do środka. W środku leżał dziadek.

Miał zamknięte oczy i leciutko uchylone usta. Ubrany był inaczej niż zwykle. Skórę miał siną, a ręce owinięte ozdobnym sznurkiem.

Wuj podbiegł, chwycił go pod pachy, odciągnął. Babcia teraz też ryczała.

Mama przytuliła go do siebie i wyprowadziła na dwór.

– Dziadek jest cały szary – powiedział, zadzierając głowę, kiedy znaleźli się na zewnątrz.

Mama odwróciła się od niego i przez chwilę robiła coś przy twarzy. Zaraz jednak spojrzała na niego znowu, wzięła go za rękę i razem z pozostałymi ludźmi ustawiła się za pudłem, które nieśli czterej panowie.

– Tak ci się wydawało – powiedziała, i wszyscy ruszyli.

Potem był obiad i dużo jedzenia, a później wrócili do domu i Sebek mógł w końcu spróbować chałwy, którą przywiózł wuja Kazik.

Była zaskakująco słodka i smakowała lepiej niż wszystko, czego kiedykolwiek wcześniej próbował.

* * *

Kiedy miał dziesięć lat, świat zaczął się kurczyć.

Coraz częściej trzeba było się kisić w domu. Wieczory zmieniły się w jedną wielką nudę. Żadnego wychodzenia, żadnej gry w piłkę, żadnych kradziejek. Oglądał więc głupie rzeczy w telewizji i czytał głupie książki. Ze sklepu pani Górnej zniknęły nawet murzynki. Po powrocie z pracy mama wychodziła do sąsiadów albo sąsiedzi przesiadywali u niej. Kuchnię wypełniały rozmowy i gęsty dym z papierosów.

Raz w miesiącu nocował u nich wuja Kazik. Wtedy było najweselej. Wuja lubił wygłupy, bardzo dużo przeklinał, przynosił mu rysunki wycięte z „Fantastyki" i opowiadał historie o smokach, potworach albo statkach kosmicznych, potrafił też każdego rozbawić – gruba Raczkowska już na sam jego widok pękała ze śmiechu. Sebek szybko doszedł do wniosku, że kiedy dorośnie, chce być taki jak wuja Kazik.

Czasami trzeba było nocować u Raczkowskich. Mama stała wtedy w kolejkach. Na zmianę z babcią. Julek Raczkowski był chudym kurduplem, ale miał wycinki z gazet, na których były gołe baby. Oglądali je w łóżku.

Na futrynie w kuchni pojawiały się kolejne kreski z datami. Sebastian stawał przy drzwiach, a mama zaznaczała wzrost. Kwiecień 1983 – 135 cm. Marzec 1984 – 142 cm. Lipiec 1985 – 150 cm. Wrzesień 1986 – 157 cm. Któregoś wieczoru, zaznaczywszy kreskę na futrynie, powiedziała Sebkowi, że chce mu coś pokazać. Pocałowała go w głowę i podała złożoną na pół kartkę.

— Masz już trzynaście lat, jesteś mądrym chłopcem — stwierdziła. — To jest list od dziadka Bronka.

— Przecież dziadek nie żyje.

— Tak, ale napisał to, jak jeszcze żył. Pomyślałam, że może chciałbyś to mieć. Przeczytaj.

Rozłożył kartkę. Pochyłe pismo było wyraźne i miało dużo zawijasów.

Emilko!

Dzięki Ci za szczęście, jakim mnie obdarzyłaś. Radość moja zaczęła się już wtedy, kiedy dowiedziałem się, że moja pociecha na starość jest w łonie matki. Tak że już prawie 3 lata cieszę się z mego Sebusia, ale bywa czasem, że Sebuś chory, więc mimo woli wybeczę się, co mi przynosi ulgę, gdy go zobaczę. Wiesz, że mi zagraża ślepota, ale nie załamuję się myślą, że Sebuś przyjdzie i dziadka ukocha i każe mi ręką zmierzyć, jaki już duży urósł. Dziś nie wiem, jak to się zakończy. Widoki wskazują, że będę więźniem III-go piętra, ale i wtedy na myśl, że przyjdzie Sebuś, nie będzie mi spieszno do grobu. A więc prośmy Boga, abym mógł pożyć jeszcze trochę, a wszystko jest w mocy Boga.

Gdyby się jednak inaczej stało, daj ten list naszemu chłopcu i powiedz mu, że dziadek go bardzo kocha i prosi o troszkę pamięci. I żeby czasem grób dziadka odwiedził. I niech pamięta o swoim ojcu, niech wie, że ojciec był dobrym człowiekiem, i niech nie słucha innych, co o nim będą mówić, bo inni nie wiedzą. Przypominaj mu o tym i powiedz, że źli ludzie zabrali mu ojca, a może kiedyś, jak dorośnie, sam ich odszuka, co się nikomu dotąd nie udało.

Całuję Cię, przyciskam do serca Sebusia.

Tata

— Ale co ja mam z tym zrobić? – zapytał Sebek, kiedy już dotarł do ostatniej linijki.

— Nic. Nic z tym nie rób. Po prostu to miej.

— No dobra. – Wzruszył ramionami.

Matka patrzyła na niego, jakby chciała coś powiedzieć. Albo jakby chciała, żeby to on coś powiedział. Tylko że on nie miał nic do powiedzenia.

— Mogę iść? – zapytał. – Robię wyklejankę na plastykę.

— Pewnie. – Uśmiechnęła się. – Idź.

Złożył kartkę z powrotem i poszedł do swojego pokoju.

* * *

Sklep spożywczy dawał wiele frajdy, kradziejki na działkach również. Najwspanialszym terenem polowań okazały się jednak budki telefoniczne.

Najpierw trzeba było znaleźć zużytą kartę telefoniczną i pociąć ją wzdłuż na pięć, sześć cienkich pasków. Następnie szło się przed budynek poczty, gdzie pod żółtymi, błyszczącymi kopułami znajdowały się cztery nowe aparaty telefoniczne. Wsuwało się sztywny pasek w niewidoczną z góry szczelinę pod metalowym pokrętłem służącym do wykręcania kart po zakończeniu rozmowy. Chodzili najczęściej w czterech i cała akcja zajmowała nie więcej niż dziesięć sekund.

Następnie siadało się w parku, na ławce najbliżej poczty, i słuchało wieczornego koncertu.

— Co jest? Ej no… Bez jaj.

— Władziu, chodź no tu, bo mi się wykręcić nie chce.

— Kurważ jebana w dupę, drugi raz wjebało!

— Poczekaj, nie umiesz.

– Widzisz to gówno tutaj? No tu powinna wyjść, ja pierdolę. Kręcę i kręcę i chuj.

– No to weź kup jeszcze jedną. Spróbujemy w tym po drugiej stronie.

Przed powrotem do domu – im później, tym lepiej – podchodziło się do budki, przepychało szybko pasek innym paskiem, a potem wykręcało wszystkie zablokowane przez cały dzień karty. Wychodziły po kolei. Zdarzało się, że trzeba było stać tak i dziesięć minut, kręcąc i kręcąc, i kręcąc.

Lupa z wyspy kupował wszystkie. Liczył żłobienia na pasku magnetycznym i zapisywał w zeszycie liczbę wolnych impulsów. Następnie wysuwał z ust koniuszek języka i liczył. Dodawał. Dzielił przez trzy. Dostawało się tyle złotych, ile wyszło z tych kalkulacji. Sebek i inni podejrzewali, że szczupły, śmierdzący papierosami Lupa coraz bardziej ich oszukuje, ale lepiej było zarobić coś niż nic. Zwłaszcza jeśli za to coś można było potem przez tydzień jeść wyłącznie słodycze.

Jedynym problemem były pęcherze. Na obydwu kciukach. Wielkie jak złotówka. Sebek przegryzał je, ale na drugi dzień i tak wybrzuszały się na nowo.

* * *

Słowo składało się z dziewięciu liter i było napisane wyraźnie, a jednak wydawało się, że coś jest z nim nie tak, że wydrukowano je przez pomyłkę, że to błąd, bo przecież słowo nie pasowało. Nie pasowało do ciepłej herbaty, którą Emilia piła małymi łykami, do miękkiego fotela, w którym siedziała, i do ubłoconej piłki, która leżała w przedpokoju. Emilia przeczytała je raz jeszcze. I jeszcze raz. Było tam. Szczerzyło się do niej dziewięcioma literami, uśmiechało się, jakby chciało powiedzieć coś w rodzaju „A kuku!" albo „Zjem cię!".

Białaczka.

Tak, ludzie chorują na białaczkę, słyszała o tym nieraz, że ten czy tamten choruje, że nawet umarł na białaczkę, oczywiście, ale przecież nie ona, jak to ona, przecież ona nic nie zrobiła, dlaczego miałaby zachorować na białaczkę? To prawda, od kilku lat miała te ciężkie poranki, te trudniejsze dni, te ogólne osłabienia. Ale kto ich nie ma? Dlaczego od razu białaczka?

Przeczytała pismo raz jeszcze.

Dobrze. Jeśli tak ma być, to trudno. Pójdzie na chemię. Pójdzie na chemię i wyzdrowieje, bo przecież Sebkiem ktoś się musi zająć. Ludzie po chemii nie zawsze umierają. Najwyżej przez jakiś czas będzie chodzić w kapeluszu. Ma ten ładny kapelusz, który dostała kiedyś od matki, będzie w sam raz.

Dwa miesiące później leżała już w szpitalu, a jej żyłami płynęła trucizna, zabijająca komórki nowotworowe i wszystko inne, co spotkała po drodze. Emilia czuła się tak, jakby ktoś ją rozmontował, rozebrał na części, a potem złożył na nowo – szybko i byle jak. Wątroba, żołądek i nerki nie pasowały do siebie, mięśnie nie chciały trzymać się kości, płuca były ociężałe, a serce ledwie dawało radę napędzać tę całą rozregulowaną maszynerię.

Nie wyłysiała. Kilka razy dziennie chwytała w dwa palce cienki kosmyk włosów i delikatnie za niego pociągała. Przypominała sobie tamten dzień, kiedy grała w wojnę z ciocią Pyziakową, a w szafce wybuchł granat. Nawet leżenie w płomieniach i wdychanie smrodu własnego płonącego ciała nie mogło się równać z tym, co czuła, sprawdzając, czy włosy zostaną jej w dłoni.

W szpitalu śniła w kółko ten sam sen. Wiktor żył. Chodził po mieszkaniu i powtarzał, że nie wierzy, że to niemożliwe. Chwytał ją i tanecznym krokiem ruszali przez salon do kuchni. Jej śmiech wydawał się go napędzać. Obracał się, wyginał i podskakiwał. Na koniec przytulał ją i powoli, w milczeniu kołysali się z nogi na nogę. Wokół nich wirowały niewyraźne strzępy, a w głowie słyszała ryk rzeki, złożony z głosów innych pacjentów. Budziła się wtedy, przewracała ciężko na drugi bok i natychmiast zasypiała. Patrzyła, jak chodzi po mieszkaniu, a potem zaczynali tańczyć…

Do domu wróciła po niecałym tygodniu. W lustrze w przedpokoju zobaczyła siną cerę, wystające kości policzkowe i oczy wystraszonego zwierzęcia. Nigdy w życiu nie przypuszczała, że może być tak chora, bo kiedyś ludzie nie leżeli w szpitalach, nie mieli raka, kiedyś tego wszystkiego nie było. Skąd to się wzięło?

– Czemu cię tu teraz nie ma, Wiktor, do cholery, powinieneś tu teraz ze mną być – jęknęło widmo w lustrze, ale nie doczekało się odpowiedzi.

* * *

Jedzenie kosztowało. Lekarstwa kosztowały. Sebek kosztował. Jedynym wyjściem wydawała się sprzedaż niebieskiego pożeracza oszczędności. Emilia porozmawiała z matką, która, jak można się było spodziewać, nie miała zupełnie nic przeciwko, ale była to ta łatwiejsza z rozmów. Trzeba było jeszcze poinformować pana Witka.

– Panie Witku, możemy pogadać? – zapytała któregoś ranka, otwierając drzwi malucha.

– Cooo? – jęknął.

– Musimy porozmawiać, panie Witku.

– No już, przecie wychodzę.

Wypełzł z auta, zgarbiony, potargany. Rozcierał dłonie.

– Panie Witku, bardzo przepraszam, ale będę musiała sprzedać samochód, mam nadzieję, że się pan nie pogniewa.

Pan Witek trawił przez chwilę to, co usłyszał. Potem podłubał językiem w zębie. Wreszcie powiedział:

– No cóż, nie będę ukrywał, że mi to odrobinę skomplikuje sprawę, ale zasadniczo wiosna idzie, jakoś sobie chyba poradzę. Tylko gdzie ja znajdę taki piękny widok, przy którym się można budzić.

– Piękny? – Rozejrzała się po podwórku. Szare ściany, popękany tynk.

– No przecie. Pani twarz za szybą i to cichutkie puk-puk-puk. Jakbym się w niebie budził.

– Panie Witku, pan mnie podrywa.

– To prawda, trochę podrywam.

– Proszę przestać.

– Przestaję.

– No dobrze, to jeszcze raz przepraszam. I powodzenia.

Pan Witek uśmiechnął się krzywo i oparł ręce na biodrach. Kiedy na wstecznym biegu wyjeżdżała z podwórka, po raz ostatni ugniatając oponami wyżłobione w ziemi koleiny, usłyszała jeszcze jego krzyk:

– Ach, gdzie ja będę miał tak dobrze, jak w tym pani poganiaczu!

* * *

W sierpniu 1987 roku Emilia Łabendowicz wracała z Sebastianem od matki, rozmyślając o sprzątaniu piwnicy, które czekało ją następnego ranka. Kiedy przechodzili przez ulicę, zorientowała się, że zostawiła gazetę. Nowy „Przekrój", kupiony specjalnie na niedzielę.

– Cholera – mruknęła pod nosem.

– Co? – zapytał Sebastian, odwracając się do niej. Miał oczy jak Wiktor i ślady trądziku na czole.

– Nie, nic – odparła i w tej samej chwili poczuła pierwsze ukłucie. Zabolało ją w boku, tuż ponad biodrem. Nie, bardziej w okolicy żeber. A raczej klatki piersiowej. Chociaż właściwie to rwały ją plecy.

Ból wędrował powoli po ciele. Zupełnie jakby coś pełzało pod skórą, wpijając się zębami w kolejne miejsca.

– Co jest? – zapytał Sebastian.

– Taki ból – jęknęła, przykładając rękę do boku. – Jakby coś się we mnie wiło.

Powoli ruszyli dalej. Bolało ją coraz wyżej, prawie pod szyją. Mięśnie na karku sztywniały. Zanim doszli do ulicy Bliznej, ból nagle zniknął. Emilia czuła, że wróci.

* * *

Na stole leżał „Przekrój", który Emilia zostawiła tam przez przypadek. Na okładce młodzieniec w latającej maszynie, a poniżej twarz pięknej modelki oraz podpis: *Z takim mężczyzną bujać w obłokach.*

Helena podniosła gazetę, a uwięzione w wysłużonej wersalce sprężyny jęknęły. W zamyśleniu przewracała kolejne strony i zastanawiała się, czy zjeść na kolację kanapkę czy twaróg z miodem. Od śmierci Bronka nie chciało jej się gotować; nie widziała sensu w przygotowywaniu posiłków tylko dla siebie.

Nagłówek artykułu na stronie dziewiątej krzyczał wielkimi literami: *POLA NEGRI.* Pod spodem widniało zdjęcie eleganckiej staruszki siedzącej pod obrazem samej siebie sprzed lat, a jeszcze niżej napis: „Zawsze byłam i zawsze pozostanę Polką".

Helena poczuła, jak w żołądku wybucha jej coś gorącego.

Czuła, jak dłonie zaczynają jej dygotać. W połowie strony prze-czytała: „Na spotkaniu w hotelu Wilshire Pola Negri była przyciszo-ną, pełną dystynkcji starszą panią, której osobę nie sposób kojarzyć z niegdysiejszym wampem – symbolem seksu i zwierzęcej kobieco-ści".

Helena przesunęła wzrokiem po kolejnych akapitach, dotarła do końca strony. Pochyłe małe litery informowały, że „Dokończenie na str. 23".

Przewróciła na stronę dwudziestą trzecią. Zerknęła na samą koń-cówkę. Niemal słyszała głos pani Basi Chałupiec, wypowiadający cytowane słowa: „Niech pan pozdrowi ukochaną ojczyznę. Niech pan powie rodakom, że zawsze Polskę bardzo kochałam, kocham i kochać nie przestanę".

„Z Polą Negri odchodzi w filmie cała epoka".

– Odchodzi – szepnęła Helena w cichym mieszkaniu.

„Zapamiętałem prośbę Poli Negri o przywiezienie kwiatka z Pol-ski. Przy najbliższej wizycie w Los Angeles złożę go na jej grobie".

– Grobie – powtórzyła.

Patrzyła jeszcze przez chwilę na ostatnie akapity, a potem za-mknęła „Przekrój" i odłożyła go na bok. Sąsiadka z góry, jak w każ-dy piątek, jeździła po mieszkaniu z odkurzaczem. Za oknem słońce opadało powoli na dach sąsiedniego bloku.

Helena Gelda, lat siedemdziesiąt osiem, wygodnie wyciągnęła nogi przed siebie i po raz pierwszy w życiu włączyła telewizor.

ROZDZIAŁ SIEDEMNASTY

Interes z kartami telefonicznymi skończył się mniej więcej po roku – coraz więcej osób decydowało się na luksus posiadania telefonu w domu, a ci, którzy się nie decydowali, doszli do wniosku, że automaty przed pocztą i tak są zepsute.

Po klęsce nowego projektu, związanego z blankietami biletów PKP – okazało się, że w okradzionej szopie obok dworca znajdowały się tylko te wycofane już z użycia – pojawił się pomysł napadu na listonosza, pokrzyżowany ostatecznie przez fakt, że pomysłodawcy bardzo listonosza lubili.

Kiedy nad chłopakami z Toruńskiej zawisło widmo finansowej niepełnosprawności, Sebastian wpadł na pomysł, który zgodnie uznano za sensowny. Opierał się na połączeniu kilku faktów: ojciec dziewczyny, z którą spotykał się Grzana, posiadał firmę produkującą okna; siostra Uszola pracowała w banku w dziale pożyczek; brat Papaja czytał książki jak szalony i nawet w wakacje całymi dniami przesiadywał w domu.

Sebastian opierał się o trzepak i tłumaczył, gestykulując:

– Najpierw Grzana urabia swoją Elę i załatwia, żeby nam wystawiała lewe zaświadczenia o zatrudnieniu, a my pod pieczątką dopisujemy numer telefonu Papaja. Potem idziemy do pijaków spod Hermesu i mówimy, że mogą zarobić po bańce. Wystarczy podpisać umowę pożyczki w banku. Wyjaśniamy też, że ta pożyczka nie będzie spłacona. Oni i tak mają gdzieś takie rzeczy. Komornik nic im nie może zabrać. A za bańkę to by się dali pokroić. No więc bierzemy ich po kolei i każdy idzie do siostry Uszola po pożyczkę. Zaświadczenie o zarobkach jest, więc wszystko się zgadza. Jak z banku zadzwonią potwierdzić, to brat Papaja odbiera telefon i potwierdza. No i pijak dostaje pożyczkę. Tylko zawsze ktoś musi z nimi być, albo najlepiej, żeby siostra Uszola dawała im tylko tę bańkę, a nam później resztę. No i wszystko. Jak pozostali się dowiedzą, to sami będą do nas przychodzić z dowodami osobistymi. Żaden wysiłek. Samo się będzie kręcić. A twoja siostra, Uszol, jeszcze pewnie jakieś nagrody zgarnie, bo będzie miała dobre wyniki.

Plan się sprawdził i już niedługo wielu kolskich pijaków posiadało w banku pożyczkę. Po pewnym czasie dziewczyna Grzany doszła jednak do wniosku, że za wystawienie ponad stu fałszywych zaświadczeń o zarobkach coś jej się należy, więc Grzana ją rzucił. Siostra Uszola trzy razy z rzędu otrzymywała tytuł pracownika miesiąca, ale kiedy okazało się, że masowo udzielane przez nią pożyczki w ogóle się nie spłacają, została zwolniona.

Sebastian zarobił w tym czasie więcej niż jego matka przez rok pracy w szkole.

* * *

Babcia odwiedzała ich co niedzielę, w odświętnym ubraniu i zawsze z torebką mieszanki studenckiej, którą „Nasz Sebuś tak lubi". Musiał wtedy być w domu, wymagała tego niepisana i nienegocjowalna umowa pomiędzy nim a matką. Odrywał się od towarzystwa spod trzepaka i wracał na obiad, a potem siadał przed telewizorem i czekał, ślizgając się po kanałach. Helena pojawiała się punktualnie o 14.30, pukała trzy razy i szurała butami o grubą wycieraczkę przed drzwiami.

Dzień dobry, buziak, odebrać żakiet albo płaszcz, zaproponować coś do picia. Siadali potem, pili kawę i jedli cukierki, to znaczy: one piły, on jadł. Babcia opowiadała o tym, kogo spotkała na porannej mszy, mama o tym, jak się ostatnio czuje, a Sebastian o tym, co u niego w szkole. Ugniatał fotel swoimi zniecierpliwionymi siedemdziesięcioma kilogramami i wyobrażał sobie, co robią w tym czasie koledzy. Rozpijają piwo? Kombinują, żeby Kaftan sprzedał im na kreskę? Urabiają małolaty w garażach?

A on siedział w domu i patrzył na babcię, uśmiechał się do babci, dyskutował z babcią, podawał babci cukier, nawet śmiał się z niektórych babci żartów, niemal słysząc, jak w powietrzu pękają kolejne godziny utraconej wolności.

O 17.30 mama smażyła pokrojoną w kostkę kiełbasę i zostawiała ją na patelni, wypełniając całe mieszkanie zabójczym aromatem. O 18.00 włączali na jedynkę i zapadali się we troje w błyszczący świat Carringtonów z *Dynastii*. Babcia komentowała co bardziej zaskakujące sceny. Po trzech kwadransach ekranowego luksusu mama podgrzewała kiełbasę i wbijała jaja na patelnię. Chwilę później zasiadali w kuchni do kolacji. Sebastian zjadał dwie duże porcje, a babcia mówiła:

– O widzisz. Młody mężczyzna, taki jak ty, musi dużo zjeść.

Albo:

– Aleś pięknie wyczyścił.

Po kolacji następował ostatni, najbardziej uciążliwy akt wieczoru: trzeba było odprowadzić babcię do domu. Powolna wędrówka przez miasto, widok siedzących na ławce kolegów, rozmowy o pogodzie. Zdarzało się, że babcia milczała przez całą drogę, jakby zapominała, że Sebek idzie obok niej. Czasem z kolei zbierało jej się na wspominki i zaczynała opowiadać mu historie o tym, jak to dziadek pisał listy do telewizji albo dawał się wnukowi bić łyżką po głowie. Sebastian za każdym razem przytakiwał i myślał o powrocie do swojego świata.

* * *

Matkę bez przerwy bolało. Nie opowiadała o tym, nie skarżyła się, nie narzekała, ale wystarczyło wejść do mieszkania, usłyszeć tę dziwną, tętniącą między ścianami ciszę-nie-ciszę albo poczuć prawie nieistniejącą woń potu i już wiedział: boli.

– Ale co cię boli? – pytał tylko czasem, widząc, jak skręca się na łóżku.

– Nic… nic konkretnego – odpowiadała z wysiłkiem. – Po prostu boli.

Lekarze nazywali to polineuropatią. Tłumaczyli, że w wyniku chemioterapii uszkodzone zostały końcówki nerwów i że niewiele mogą z tym zrobić. Podobno było to częste powikłanie przy białaczce limfatycznej.

– Boli mnie, bo mnie boli – mówiła matka. – I będzie boleć. Taką właściwie postawili diagnozę.

Morfina nie pomagała, masaże nie pomagały, alkohol nie pomagał, gimnastyka też nie. Sebastian budził się czasem w nocy i słyszał, jak matka chodzi po pokoju, kładzie się na dywanie, potem klęka i opiera się o ściany. Zdarzało się, że wracał wieczorem do domu, spoglądał na nią, wykręconą w fotelu albo na podłodze, i uderzała go myśl: nie żyje. Sine usta, oczy wpatrzone nieruchomo w sufit, ciało jak mokra, wyżęta ścierka.

– Mama?

Odwracała wtedy głowę – powoli, jakby ta głowa ważyła trzydzieści kilogramów – i próbowała się uśmiechnąć, a on żałował, że się w ogóle odezwał.

Któregoś razu usłyszał, jak woła go z łazienki. Zapauzował *Krwawy sport* na wideo i podszedł do drzwi.

– Wołałaś mnie?

– Nie… mam siły.

Stał przez chwilę bez ruchu i patrzył w podłogę.

– Ale na co nie masz siły? – zapytał w końcu.

Cisza. A po chwili:

– Wstać.

Obrócił się, rozejrzał po pokoju. Na ekranie nieruchomy Bolo Yeung czekał, aż będzie mógł dalej masakrować przeciwnika. – Kurwa – powiedział do siebie, a potem głośniej: – Poczekaj.

Odsunął się od drzwi, przejechał dłonią po głowie. Raz, drugi, trzeci.

– Poczekaj, dobra, już wchodzę.

Otworzył drzwi. Patrzył po ścianach, po suficie.

– Dobra, poczekaj, tak cię chwycę pod pachy i wstaniesz sobie, masz to podciągnięte, acha, masz, dobra, no czekaj, poczekaj, dobra, teraz wstajemy, trzymasz się? To weź mnie tak tu złap, dobra, położysz się na łóżku, zaraz se odpoczniesz, może ci herbaty zrobić? Czy coś?

Doczłapali do łóżka, położył ją i usiadł obok. Była blada i chuda. Do tej pory nie zdawał sobie sprawy, jak bardzo zmizerniała.

– Pójdę ci tą herbatę zrobić – powiedział i wyszedł.

Kiedy wrócił, miała zamknięte oczy i przedramię oparte na czole.

– Sebastian, ja nie wiem… – powiedziała. – Może to już koniec?

– Jaki koniec? – zapytał, stawiając szklankę na stoliku. – Czego koniec?

– Po prostu, koniec. Ja naprawdę dłużej nie wytrzymam.

– Co ty, mama, nie gadaj głupot…

– Sebastian, ja cię muszę o coś zapytać.

– No?

– Czy ty widzisz czasem jakieś dziwne rzeczy?

Przyglądał się jej przez chwilę. Małe oczy, chuda szyja, skóra jak wilgotny papier.

– Jakie rzeczy? – zapytał.

– Niewyraźne, rozmyte… nie wiem.

– Może się prześpij i rano pogadamy, co?

– Twój tata widział różne rzeczy. Dlatego pytam. Bałam się, że ty może też…

– Tata? Ale jakie rzeczy?

– Sama nie wiem… rozmyte. Mówił mi o czymś rozmytym. I o rzece. Rzece z głosów. Chryste, Sebastian, co ja ci w ogóle opowiadam?

– Ale że co… Że tata był…

Patrzyła na niego tymi oczami zwierzęcia. Dokończył:

– … walnięty?

Cisza.

– Nie-mów-tak-jak-możesz-tak-mówić? – jęknęła na jednym wydechu.

– Ja… Po prostu…

– Wszystko w porządku. Już nieważne. Tak się tylko wygłupiam, synku. No, idź już do siebie, ja się prześpię, okropnie zmęczona jestem. Idź.

Zostawił ją wtedy bez słowa i poszedł się upić.

* * *

Ale że co? Że nie pójdzie?

A właśnie, że pójdzie. Pewnie, że pójdzie.

I wiecie co? Niech go spróbują zatrzymać.

Sebastian kołysał się w rytm kołysania miasta, które niby spało, ale widocznie nie do końca. Lampa z jednej, mur z drugiej, chodnik na rękach, na kolanach, na biodrze. Trawa.

– Trrrrawwwa! – powtórzył za głosem w głowie, ale nikt go nie słyszał, bo był na ulicy sam, przecież w tym mieście nikt w nocy nie chodził po ulicach, co najwyżej chuligani z Kolejowej, ale z nimi się znał, z nimi się nawet lubił.

Ale do rzeczy: wstać.

Wstał.

W połowie mostu zatrzymał się i pomyślał, czy by nie zrobić tego, co Żyraf robił już kilka razy po pijaku, ale trochę się jednak bał, bo Żyraf mniejszy, lżejszy, to może i mu łatwiej. Na trzeźwo Żyraf skoczył z mostu tylko raz. I wtedy se złamał żebro. Sobie, w sensie.

A po pijaku nigdy nic.

Może spróbuje. Ale nie na pewno. Tylko może.

Chwycił się lampy, zadarł nogę na barierkę. Podciągnął się, oparł drugą. Trochę trzęsły mu się kolana. Trochę. Spojrzał w dół. Warta. Pomarszczona i ciemna.

Pomyślał, że jednak nie skoczy, że przecież od początku wiedział, że nie skoczy, a tuż potem naszło go przekonanie, że jednak to zrobi, że przecież nie jest tchórzem, że dlaczego miałbym nie skoczyć. Oderwał jedną nogę od barierki i wysunął przed siebie. Rękę zaciskał na lampie tak mocno, że w palcach powoli rozchodził się ból.

Skoczy?

I nagle huk. Dygocze od tego huku i patrzy w pomarszczoną ciemną toń, patrzy i widzi ten błysk, a w błysku leży na chodniku, brudny, niepodobny do siebie, potem trzęsie się w tramwaju i patrzy, bo musi patrzeć, żeby dokładnie zawiązać pod szyją krawat, i żeby liczyć, bo przecież liczy, patrzy na dokumenty, patrzy w ekran, bo to wszystko samo się nie zrobi, to wszystko trzeba przygotować, a potem patrzy na grudki ziemi w palcach, na jakieś człowiecze coś, bo przecież nie człowieka, pod prześcieradłem, i ten dziki uśmiech, uśmiech szaleńca, który by cię pożarł, gdyby tylko miał siłę, gdyby miał siłę i gdyby nie ten huk, ten sam huk, jakby...

Klakson.

Klakson samochodu wył tuż obok niego, jakby chciał obudzić całe miasto, które się przecież nie obudzi, bo jest noc, a w nocy w Kole to tylko chuligani z Kolejowej...

– Człowieku, normalnie jak Boga kocham, czy ci życie niemiłe? – krzyknął jakiś głos, przerywając głosowi w głowie Sebastiana Łabendowicza.

A więc nie skoczył.

Teraz powoli. Jedna noga, druga. Zszedł. Klakson dalej wył.

– Weź to, człowieku, wyłącz.

Wycie klaksonu ustało. Mężczyzna pokręcił głową, a potem wrzucił jedynkę i już go nie było. Sebastian zachwiał się, usiadł. Dłonie na chłodny chodnik.

Siedział i myślał, a im dłużej myślał, tym dłużej sobie musiał przypominać, o czym myśli. Kiedy wstał, nic już nie pamiętał.

Ale coś... Coś jakby... W tym, co powiedział mężczyzna. „Człowieku, jak Boga kocham, czy ci życie niemiłe?"

A tak, Bóg. Ruszył dalej.

* * *

Boczne drzwi od klasztoru były zamknięte na kłódkę i cienki łańcuszek, widać było, że zaraz puści, zaraz puści, ale jednak nie puścił.

Sebastian zapierał się nogą o mur i ciągnął, dyszał, ciągnął, dyszał, ale nic z tego. Nie ma mowy. Nie puści.

Rozejrzał się. Młode drzewka za kioskiem posadzone, ławki jakieś, parking, niczego nie znajdzie.

Ale.

Podszedł do jednego z drzewek, wspartego na grubym kiju, takim kiju jakby stworzonym do tego, żeby nim rozrywać cienkie, żałosne łańcuszki. Wyrwał. Ten kij, w sensie.

Przełożył go przez łańcuch (łańcuszek, nie żaden łańcuch) i zaczął powoli kręcić, ale to wszystko tak diabelnie skrzypiało, i dzwoniło, i skrzypiało, że pomyślał, że się zaraz całe miasto obudzi, a przynajmniej cała wyspa, na której ten kościół, i kiosk, i drzewka...

Oparł kij o ziemię i ściągnął koszulkę. Owinął nią kij i łańcuch, tak z grubsza, jak mówiła babcia, tak tylko z grubsza, ale przynajmniej przestało skrzypieć, i dzwonić, i skrzypieć.

Kręcił kijem, zaciskając pętlę na masywnym skoblu. Dyszał. Widział, jak nabrzmiałe żyły na przedramionach wydłużają mu się i pełzną na boki. Wyobraził sobie, że ten skobel to jest żywe zwierzę, niemal widział szyję tego zwierzęcia, niemal czuł jego panikę i smród. Prawie dostrzegał zęby, wchodzące mu miękko w ciało na łydce. Prawie czuł ból, rozlewający się od nóg po głowę i wybuchający tam w środku, aż nim całym zachwiało. Prawie.

Ściany chlewu, to znaczy kościoła, uginały się, a światło świecy, to znaczy lampy przy ulicy, stawało się coraz silniejsze i silniejsze. Kiedy przed oczami zatańczyły mu czarne motyle, zwierzę, to znaczy łańcuch, upadł wreszcie na trawę. Sebastian usiadł pod ścianą i poczuł, że najchętniej by teraz zapalił. A przecież nie palił.

Podźwignął się z ziemi.

W bocznej nawie pachniało starym drewnem i starymi ludźmi, mimo że ludzi tam żadnych nie było. Sam kościół wydawał się większy niż zwykle. Narożniki ginęły w ciemności. Konfesjonał stał zaraz po lewej. Dobrze.

Sebastian wszedł do środka – nie tam, gdzie się klęka, ale tam, gdzie siedzi ksiądz – i zdziwił się, że tak mało tam miejsca. Odgłos rozpinanego rozporka wydał mu się zabawny.

Sikał długo, bo osiem piw to jednak osiem piw, i małpka to jednak małpka. Patrzył, jak mocz opływa mu buty i wycieka z konfesjonału na posadzkę.

Wyszedł, rozejrzał się. Nad głową obraz jakiegoś świętego z dzieckiem na ramionach. Obok rzeźby aniołów. Obszedł kościół dookoła, ale nie znalazł żadnego obrazu z Bogiem. Są w ogóle jakieś obrazy z Bogiem? Ostatecznie stanął przed ołtarzem. Musiało wystarczyć.

– No i co, baranie? – powiedział. W ciszy wielkiego kościoła jego głos brzmiał dziwnie donośnie. – Naszczałem ci w konfesjonale. I co mi zrobisz?

Uśmiechnął się.

– Tak myślałem. A wiesz, dlaczego ci tam naszczałem? Bo jesteś zwykłym zasranym szmaciarzem bez honoru. Nie wystarczy ci, że ją całą, kurwa, poparzyłeś, jak była mała? Co? Nie wystarczy ci, chuju? Nie wystarczy ci, że jej męża zajebałeś? Nie wystarczy, że zachorowała? Co? Musisz jeszcze teraz ją tak męczyć? Gdzie ty masz jaja, ty frajerze pierdolony, za mnie byś się wziął lepiej, ja nic dobrego w życiu nie zrobiłem i nie zrobię, mówię otwarcie tu i teraz, zero szans, więc jak chcesz, to mnie jebnij teraz jakimś piorunem albo zawałem, albo sraczką chociaż, czymkolwiek. Ale nie. Ty nic nie zrobisz. Bo ty wolisz się znęcać nad chudą kobietą, która od dziecka ma przejebane po całości. Ty zakompleksiony psychopato, ty tchórzliwy frajerze, pierdol się, mam cię w dupie i pamiętaj, jak jej coś jeszcze zrobisz, to tu będę przychodził co niedzielę na mszę o dziewiątej trzydzieści, żeby na środku ściągnąć gacie i zapierdolić kupę taką, że się wszyscy bardzo zdziwią, co ja, kurwa, jem, że takie cuda potrafię z siebie wykasztanić. Zrozumiano? Dociera? No, to masz jeszcze ode mnie taki mały prezencik, na odchodne, żebyś nie zapomniał.

Odchylił głowę do tyłu, unosząc lekko barki. Pociągnął nosem i zebrał w ustach gęstą ślinę, a potem splunął na ołtarz i odwrócił się na pięcie.

W drodze powrotnej poddał się kołysaniu miasta i nie myślał o niczym. Na moście nawet się nie zatrzymał. Ulice były puste, jak to nocą w Kole.

* * *

Obudził go łomot w głowie.

Ciało jakby nie jego.

Była sobota i matka nie wisiała mu przynajmniej nad głową, że spóźni się do liceum.

– O, losie – westchnął, opuszczając stopy na podłogę.

Potrzebował dwóch rzeczy: sedesu i asprocolu. Ale najpierw jednak sedesu. Skulony, zawlókł zesztywniałe ciało do łazienki. Po złożeniu sobie kilku obietnic, że już nigdy, przenigdy, odnalazł w kuchni asprocol i połknął dwie tabletki.

Pół godziny na wersalce, z matką gdzieś dookoła, z telewizorem wyłączonym, bo w taki dzień sama matka wystarczy. To zamykanie szafek, ta pralka, to walenie garnkami jakby na złość.

Ból głowy nie przechodził. Potrzebował klina.

– Wychodzę – oznajmił i wyszedł.

Żyraf wyglądał tak, jak Sebastian się czuł. Poszli do sklepu, gdzie przygłucha Górna udawała, że wcale a wcale nie zasypia nad krzyżówką.

– Co będzie, chłopcy!?

– Cztery tyskie – zażądał Żyraf. – Zimne.

Wypili, a później wypili jeszcze po dwa, i tak się zaczęło, bo tak się zawsze zaczynało: cztery piwa, potem jeszcze po piwku, po dwa właściwie, na to skręt, na to małpka, i już wieczór, świat rozkołysany, myśli roztańczone, język jak jakieś niewyżyte zwierzę.

Około północy Sebastian doszedł do wniosku, że łóżko wygrywa z trzepakiem, pożegnał się więc z towarzystwem – paru chłopaków, grono rozpiszczanych małolat – i ruszył w stronę bramy, a potem do góry, po rozchwianych schodach. Ręce, palce, kieszeń, klucze, jeden, drugi, nie ten, ten też nie, w końcu: dziurka, chrobot, zgrzyt. Otwarte.

Wtoczył się do mieszkania. Jeden but, drugi. Huk drzwi o framugę. Pan na włościach.

– Cześć, Sebastian – usłyszał.

Postać przy stole. Nie matka. Ach…

– Wuja!

Wuj Kazik siedział zgarbiony nad blatem i opatulał dłońmi kubek, zapewne z herbatą. Wuj Kazik nic mocniejszego niż herbata czy kawa nie pijał.

– Mama poszła spać – powiedział, przyglądając się chłopakowi tym specyficznym, lekko znudzonym wzrokiem człowieka, który nauczył się mieć bardzo wiele rzeczy w wysokim poważaniu. – Ale pomyślałem, że na ciebie poczekam.

Sebastian nie odpowiedział, rzucił tylko bluzę do pokoju i wyciągnął rękę. Kiedy był mały, wuj zawsze gniótł mu dłoń, jakby nie panował nad tymi swoimi wielkimi, szorstkimi kleszczami na końcu ramienia. Jakiś czas później chłopak zaczął odpowiadać tym samym i powitania przerodziły się w kilkunastosekundowe pojedynki wytrzymałości. Teraz to samo: patrzyli sobie w oczy i miażdżyli palce.

Wuj puścił pierwszy.

– Siadaj – powiedział.

– No już, już. – Sebastian zanurkował do lodówki, zaraz brzęknęło szkło. – Piwko?

– Nie, dziękuję.

Opadł na krzesło, kluczami podważył kapsel.

– Opowiadaj – uśmiechnął się wuj znad herbaty. – Co u ciebie słychać?

– No w sumie to nic ciekawego. Matura niedługo i tak dalej.

Siorbnięcie, uniesienie brwi, uśmiech jakby szerszy.

– Oj, Sebastian. Weź no wujka rozerwij. Pannę jakąś masz?

– No jakąś tam mam. Dobra, miewam.

– To już coś.

Sebastian postukał palcem w butelkę.

– Wuja umiesz dotrzymać tajemnicy, nie? – zapytał w końcu i nie czekając na odpowiedź, dodał: – Bo jest taka sprawa, że… że wczoraj naszczałem w konfesjonale.

– Słucham?

– W konfesjonale naszczałem. W kościele.

Wuj podrapał się po głowie i wzruszył ramionami.

– To żeś mnie rzeczywiście rozerwał. Ale… ale po co?

– Zły byłem.

– I ze złości…?

– Matkę strasznie bolało, wkurwiłem się, no i po pijaku, wiesz, wuja, jak to jest…

– Wiem.

– Powlokłem się tam, włamałem tak jakby…

– Do kościoła?

– … no i naszczałem. Wiem, głupie.

Kazimierz powoli kiwał głową.

– Ale i tak nie bardzo rozumiem – stwierdził. – Co ma kościół do tego, że twoją mamę bolało?

Sebastian wzruszył ramionami i pociągnął z butelki. Kazimierz odchylił się na krześle i powiedział:

— Myślałem, że ludzie w twoim wieku już nie wierzą w Świętego Mikołaja, Boga i takie rzeczy.

— To znaczy… Ja nie jestem tak jakoś na sto procent pewny, ale no jednak… Zresztą, wuja, też nie wiesz na sto procent, czy na przykład… no wiesz, o co mi chodzi.

Wuj patrzył na niego spod krzaczastych brwi i dłubał językiem w zębie.

— Posłuchaj, coś ci powiem, dobra? — zaczął, patrząc gdzieś w ścianę ponad głową Sebastiana. — Jakiś czas temu przeczytałem w gazecie, w „Nowej Fantastyce" taki artykuł o prawdopodobieństwie. Napisali tam coś takiego, że wszystko, ale to wszystko się da przewidzieć. Załóżmy, że rzucasz kostką. Rzucasz i nie wiesz, co wypadnie, tak?

Sebastian skinął głową.

— Ale jakbyś umiał jakoś obliczyć wszystkie te rzeczy takie jak tarcie, siłę rzutu, proszę ja ciebie, gęstość powietrza i tak dalej, to zaraz po wyrzuceniu byś mógł sobie zawsze wyliczyć, co wypadnie. Zgadza się?

— No mógłbym.

— Czyli że tu żaden przypadek nie decyduje, ale różne rzeczy. Tylko że my ich nie umiemy dokładnie policzyć i dlatego nie wiemy, co wypadnie. Tak?

— No.

— I potem któregoś razu rano mi się nie chciało wstać z łóżka. Zacząłem się zastanawiać, czy wstanę od razu, czy może za pięć minut, a może wcale, rozumiesz. Popatrzyłem na gazetę, bo leżała obok łóżka, i przypomniałem sobie tamten artykuł. No to wyobraź sobie teraz, że sam musisz podjąć jakąś decyzję. Na przykład, że idziesz ciemną drogą i leży pijany facet z walizką pełną forsy. Co robisz?

– Nie wiem. A on jest przytomny?

– No właśnie. To, co zrobisz, zależy od tego, czy jest przytomny, jak bardzo potrzebujesz akurat pieniędzy, czy ktoś cię widzi, jak ci minął dzień, czy jesteś trzeźwy, czy coś cię boli i tak dalej. Zgadza się?

– No.

– Na decyzje człowieka wpływają różne rzeczy. Czyli że jakbyś umiał, proszę ja ciebie, to wszystko obliczyć jakoś, toby zawsze się dało sprawdzić, co zrobisz. Zgadza się?

– No niby tak.

– A jakbyś drugi raz miał podjąć jakąś decyzję, i by cię postawiono w identycznych okolicznościach, ale naprawdę identycznych, tobyś zrobił to samo. Nie wybrałbyś innego rozwiązania. Człowiek jest jak maszyna: masz tam jakieś sobie rzeczy, które na ciebie wpływają, i zachowujesz się tak, jak ci z nich wyjdzie. A to znaczy, że nie ma wolnej woli. A przecież niby wolną wolę mamy od Boga. Więc jak jej nie mamy, to znaczy, że Boga też nie ma.

– Musiałbym się nad tym zastanowić na spokojnie – stwierdził Sebastian.

– Zresztą, tak na logikę... – Wuj Kazik wyjął papierosa z kieszeni i obracał go w palcach. – Jakby Bóg istniał, to zamiast twojego taty ja bym gryzł piach. Zamiast dobrych umieraliby ci źli.

* * *

Wojna Domowa Łabendowiczów wybuchła wraz z końcem nauki Sebastiana w liceum. Maturę zdał lepiej, niż się matka spodziewała. Przyniósł świadectwo. Zdobył wykształcenie średnie.

– To czego ty jeszcze ode mnie chcesz? – zapytał przy pierwszym wytaczaniu dział.

– Przecież tyle razy rozmawialiśmy, że pójdziesz na studia, na budownictwo chciałeś albo na ekonomię, nie pamiętasz już? – Matka chodziła od ściany do ściany.

– Nie każdy musi iść na studia – odparł.

– Ale ja nie mówię o każdym. Ja mówię o tobie. Przecież wiesz, że jesteś zdolny. Matematykę masz w małym palcu. Boisz się, że sobie nie poradzisz? Sebastian, nie wygłupiaj się. Pójdziesz.

– Nie pójdę.

– Sebastian, ja cię błagam. To z czego ty chcesz żyć?

Tłumaczenie jej, że handel sterydami przynosi mu więcej pieniędzy niż jej praca w szkole, wydawało się w tej chwili nie najlepszym rozwiązaniem.

– Wymyślę coś – powiedział tylko. – Na razie jakoś nie najgorzej jest.

– Boże, Sebastian, ja cię proszę. Zastanów się chociaż. Przecież pieniądze są, dziadek odkładał na twoje studia. On tak chciał, żebyś ty się kształcił. Za jego czasów takich możliwości nie było. Czy ty wiesz, że twój dziadek ze swoim bratem…

– Tak, do szkoły na zmianę w jednych butach chodzili, wiem. I że jak chleb jadł, to sobie jeden plasterek kiełbasy przesuwał po kromce, żeby mu pachniało. Znam to wszystko na pamięć. Ale przecież to nie moja wina.

– Słucham?

– No z tymi butami i z tą kiełbasą. To nie moja wina.

– Jak ty możesz tak mówić? On cię tak kochał, najbardziej na świecie. W grobie się przewraca, słysząc, że tak mówisz. On marzył o twoich studiach. Odkładał…

Wszystkie bitwy toczone były przy użyciu tej samej amunicji. Wykształcenie, przyszłość, praca, dziadek. Daj mi spokój, moja sprawa, moje życie, do niczego mi tego nie potrzeba. I tak w kółko.

Po roku przepychanek matka zaczęła wytaczać nowe działa.

– Wiesz co? Myślałam, że chociaż dla ojca to zrobisz – oświadczyła którejś niedzieli podczas śniadania. – On by dla ciebie zrobił wszystko, ale zamordowały go jakieś łobuzy, zanim się urodziłeś. I ty tak chcesz swoje życie zmarnować… Nie wstyd ci? Nie wstyd ci, Sebastian? Jak ty możesz całymi dniami siedzieć z tymi ochlapusami, z tym piwskiem. Rżycie jak konie, bekacie, wrzeszczycie. Sebastian, opanuj się, ja cię proszę. Czy my ci po to życie daliśmy?

– A ja wiem po co? Prosiłem się?

Wtedy wybuchała. Jęki, wrzaski, łzy, wyciąganie zdjęć ojca, podtykanie pod nos.

Z czasem nauczył się na to nie reagować; dojadał posiłek, pogłaśniał telewizor, przewracał się na drugi bok albo po prostu wychodził. Tymczasem życie powoli przesiąkało monotonią. Blok, ławka, trzepak, garaże, sklep, park i pobliska melina U Szeryfa. Ci sami koledzy, te same dziewczyny, rozrywki w gruncie rzeczy też te same, tylko czasem słabiej, czasem mocniej.

Był rok 1993. Powstała Unia Europejska i Wielka Orkiestra Świątecznej Pomocy. Rozpoczęto produkcję Lublina, a na ekrany kin wszedł *Park Jurajski*. Do Polski przyjechała Matka Teresa, Bill Clinton został prezydentem USA, a Jan Paweł II dostał Order Orła Białego. Sebastian Łabendowicz codziennie rano budził się z nadzieją, że dzisiaj będzie inne niż wczoraj, i codziennie wieczorem kładł się spać w tak samo fatalnym nastroju.

Zdarzało się, że przez miesiąc nie wychodził dalej niż kilometr od domu. Świat kończył za blokami przy Broniewskiego, z drugiej strony jego granicę wyznaczał park i stadion Olimpii Koło.

Sebastian znał w tym świecie wszystkich: sąsiadów, sprzedawców z okolicznych sklepów, pracownice Wielkopolskiego Banku Kredytowego przy Zielonej, pijaków, przechodniów i dzieci z sąsiedztwa. Tkwił w środku kalejdoskopu tych samych twarzy, które wskakiwały jedna na drugą, a potem znikały i pojawiały się znowu. Znał wszystkie samochody stojące na podwórkach pomiędzy Toruńską a Broniewskiego i wiedział, jakie numery rejestracyjne mają radiowozy polskiej policji. Pamiętał imiona ogorzałych mężczyzn bez zębów i konkretnego wieku, którzy spędzali życie przed sklepem spożywczym na rogu Sienkiewicza i Wojciechowskiego. Wiedział, która dziewczyna z którym chłopakiem chodziła, jak długo i dlaczego zerwali. Wiedział, która się puszcza, która nie, a która tylko udaje, że nie. Przez prawie rok spotykał się z dużo młodszą od siebie Eweliną z Garncarskiej. Miała duże usta, była zabawna i całymi dniami potrafiła słuchać Queenu. Zwykle chodzili na spacery lub oglądali u niego filmy, kilka razy zabrał ją na pizzę do K-2. Dużo się kłócili. Zerwał z nią, kiedy oboje mieli już siebie dość.

Sam słuchał Kalibra, Liroya, Tupaca i Prodigy. Na imprezach tańczył do wszystkiego. Najbardziej lubił jeździć z chłopakami na wiejskie przytupanki do Wrzącej Wielkiej albo Osieka, gdzie znieczulał się dwoma butelkami byka, a potem całą noc spędzał na parkiecie. Wirował w rozbujanym, agresywnym tłumie i miał wrażenie, że odkleja się od wszystkiego. Czuł mrowienie w palcach i ucisk gdzieś w okolicach żołądka. Wymachiwał rękoma, wyginał się i skakał. Potrząsał głową, jakby chciał ją sobie zerwać z ramion. Rano budziły go zakwasy.

Przykuty do łóżka kacem najbardziej lubił czytać. Matka raz w miesiącu przynosiła mu z biblioteki miejskiej nową porcję książek, a on przedzierał się przez nie z niezrozumiałym dla samego siebie zapałem. Przeczytał wszystkie dostępne w Kole powieści Davida

Morrella, Toma Clancy'ego i Fredericka Forsytha. Sceny z *Czerwonego smoka* i *Milczenia owiec* zapamiętał do końca życia.

Kolskie ulice stawały się coraz bardziej kolorowe. Grupy uczennic z liceum przechadzały się tam i z powrotem, eksponując nowe dżinsowe kurtki, szorty odsłaniające uda, torebki na łańcuszkach i legginsy w panterkę. Pstrokato zrobiło się też na osiedlowych ławkach: wszyscy nagle nosili dresy, łańcuchy na klucze i wpuszczane w spodnie flanelowe kamizelki. Co druga dziewczyna czesała się jak Rachel z *Przyjaciół*, a kilku kolegów Sebastiana zapuściło fryzury na Nicka z Backstreet Boys.

Samego Sebastiana bardziej interesowało to, że obok Urzędu Miasta stanęła biała budka z hot-dogami i hamburgerami, a w sklepach pojawiły się snickersy i marsy. Najbardziej uzależnił się od kokosowych batonów Bounty. Marzył, żeby żywić się tylko nimi.

Kiedy tylko mógł, oglądał transmisje meczów NBA albo odtwarzał na magnetowidzie nagrane wcześniej spotkania. Najlepsze mecze All Star widział po kilkanaście razy. Kibicował Utah Jazz i barwnej parze Karl Malone – John Stockton. Latem 1996 roku pożyczył od kolegi program treningowy na poprawę wyskoku, a potem przez dziewięć tygodni ćwiczył w domu przysiady, skłony i wznosy na palcach. W tym samym roku kilka razy udało mu się zrobić wsad do kosza zawieszonego na prawidłowej wysokości trzech metrów i pięciu centymetrów. Niedługo później skręcił kostkę i w ogóle przestał chodzić na boisko. Ograniczył się do kibicowania innym z perspektywy kanapy.

Co kilka miesięcy matka sugerowała mu, żeby poszedł do pracy. Powtarzała, że w Korundzie szukają ludzi na magazyn.

– Sebastian, czy tobie nie jest wstyd? – pytała go zawsze takim tonem, jakby naprawdę była tego ciekawa. – Wiesz, ile ja wydaję na leki? Ile na rachunki? Te wszystkie oszczędności dziadka... Przecież on te pieniądze na twoje studia odkładał. Ty chcesz, żebyśmy je tak po prostu roztrwonili? Co ja mam babci powiedzieć? Naprawdę jesteś takim leniem?

Czy naprawdę był takim leniem? Przecież wynosił śmieci, zmywał naczynia i sprzątał mieszkanie. Nigdy nie protestował, kiedy prosiła, żeby poszedł z nią na zakupy. Kiedy trzeba było wytrzepać dywan albo zrobić porządek w piwnicy u babci, bez ociągania brał się do pracy, ale sam nigdy nie przejawiał inicjatywy. Emilia nienawidziła bierności Sebastiana i nienawidziła samej siebie, że mu na tę bierność pozwala.

Przed Wielkanocą w 1997 roku spotkała podczas święconki znajomego z zakładów mięsnych, który powiedział, że ma wolny etat przy czyszczeniu półtusz wieprzowych.

– A co ja miałbym tam robić? – zapytał Sebastian, nie odrywając wzroku od oglądanego po raz kolejny *Wybrańca śmierci* ze Stevenem Seagalem.

– Nie wiem, Sebastian. Ale pan Mirek mówi, że to łatwa praca. Byłbyś z nim na zmianie.

Obiecał, że się zastanowi. Po kilku tygodniach matka przestała poruszać temat.

Wuj Kazik tylko czasami pytał go o pracę. Siedzieli w kuchni albo przed telewizorem i rozmawiali o sporcie lub o książkach, a wtedy znienacka atakował:

– Pracę już znalazłeś?

Sebastian odpowiadał że jeszcze nie znalazł, i patrzył na wuja wyzywająco, gotowy zakończyć rozmowę i pójść do swojego pokoju.

Kiedy ostatecznie stracił zainteresowanie koszykówką, plan dnia zaczął dostosowywać do godzin emisji *MacGyvera*, *Słonecznego patrolu* i *Strażnika Teksasu*. *Drużynę A* mógł oglądać bez przerwy. Przed lustrem robił miny jak Murdock.

Czasami wydawało mu się, że to wszystko tylko mu się śni. Dom, ławka, trzepak, piwo, telewizor. Dom, ławka, trzepak, piwo, telewizor. Dom, ławka, trzepak... Żałował wtedy, że nie posłuchał matki i nie poszedł na studia.

Zastanawiał się, jakby to było żyć w Poznaniu. Wyobrażał sobie dyskoteki, śliczne studentki i knajpy, w których nie spotykasz ciągle tych samych osób. Przychodziły takie dni, kiedy miał już dość spania, filmów i picia w garażach. Nazajutrz to uczucie zazwyczaj mijało.

Spotykał się z kolejnymi dziewczynami, z żadną nie dłużej niż przez pół roku. Dwa razy wydawało mu się, że jest zakochany. To też szybko mu przechodziło. Kilka razy matka pytała go, kiedy wreszcie na poważnie zacznie myśleć o małżeństwie. Odpowiadał, że nie ma na to czasu.

Większość kolegów zdążyła już się ożenić, a kilku przeprowadziło się za pracą do Konina, Łodzi i Poznania. Sebastian spędzał czas głównie z Żyrafem, z którym kumplował się, od kiedy pamiętał. Żyraf nazywał się Jacek Wanat i zawdzięczał swój pseudonim wzrostowi. Mierzył metr i sześćdziesiąt pięć centymetrów. Nosił szerokie spodnie i nie rozstawał się z walkmanem.

Pod koniec lat dziewięćdziesiątych z kiosków zaczęły znikać egzemplarze magazynów „Flex" i „Muscle & Fitness". Na osiedlach powstawały kolejne piwniczne siłownie. Popularność zdobyły koszulki na ramiączkach i spodnie typu sindbad, a przy ulicy Bąkowskiego otwarto sklep z odżywkami dla sportowców. Sebastian i Żyraf kupowali w Łodzi hurtowe ilości omnadrenu, winstrolu i rosyjskiego metanabolu w tabletkach, a potem rozprowadzali je wśród znajomych, znajomych znajomych i znajomych znajomych znajomych. W ciągu trzech pierwszych miesięcy zarobili równowartość nowego fiata 126 p. Latem, kiedy popyt na sterydy niemal zupełnie zanikł, handlowali płytami z filmami, które Żyraf wypalał na swoim nowym komputerze.

W ciągu następnych dwóch lat Sebastian przytył dziesięć kilo. Zmężniał, jak mówiła babcia. Dzięki rosnącej popularności sterydów mógł pozwolić sobie na zakup niebieskiego fiata uno. Dobrze utrzymany, pięćdziesiąt koni, silnik 1,1. Podczas wyprzedzania Sebastian pociągał ssanie do oporu i wyrywał do przodu jak Hasselhoff w *Nieustraszonym*. Tak to sobie przynajmniej wyobrażał.

Rok po zakupie auta wszystko się zmieniło.

* * *

Zatrzymali się na stacji benzynowej niedaleko Korundu. Było koło czwartej nad ranem. Wracali z imprezy we Wrzącej Wielkiej i Żyraf nalegał, żeby jeszcze po jednym. Był koniec maja, gorąco.

Kupili po jednym, a potem jeszcze po jednym. Może od razu po dwa. Sebastian nie pamiętał. Następnego dnia widział to wszystko w pamięci jak pod światłem stroboskopu: gnieciona w dłoni puszka, zmrożona wyborowa zero pięć, kęs hot-doga, chodnik, dłonie na chodniku, łokcie na chodniku, głowa na chodniku, ale tylko na chwilę, bo zaraz ciało rozszarpywane od środka, żołądek wypychany przełykiem, bryzg wszystkiego tego – hot-dog, piwo, wódka – na chodnik, na ręce, na koszulę, a potem jakieś głosy, śmiechy, błysk.

Po błysku nie było już nic, tylko głębia, w której trzeba szukać czegoś rękoma, jak w mętnej wodzie, więc szukał, choć nie wiedział czego, wiedział tylko, że musi szukać, przez cały czas. Za każdym razem, kiedy wziął więcej niż pięć tabletek ecstasy, brodził w tej gęstej wodzie, w tej głębi, i szukał.

Obudził się we własnym łóżku, w ubraniu, w okrutnym świetle nadciągającego poranka. Przykrył głowę poduszką i znowu: woda, ciemność, szukanie. Jakiś czas później przewrócił się na plecy, otworzył oczy i znowu zaczął być.

Pod powierzchnią czaszki pracowało wiertło dentystyczne. Jamę ustną ktoś wyłożył boazerią. W nocy ciało zrobiło się za duże i niewygodne, jakby Sebastian go już nie wypełniał, jakby pomiędzy nim a skórą wytworzyła się cienka warstwa niczego.

Wyjął z kieszeni telefon. 13.48. „1 nowa wiadomość". Otworzył. Wiadomość. I oczy szerzej.

Nadawcą był Żyraf. W treści lśnił żółty, uśmiechnięty emotikon. W załączniku czekało zdjęcie. Jakiś człowiek. Jakiś człowiek leżący na ziemi. Sebastian nacisnął „Powiększ".

Na chodniku, w plamie wymiocin, wylegiwał się menel z rozbitą butelką w ręku. Sebastian poznał pana Witka, który nocował w ich samochodzie wiele lat temu i którego jakiś czas później podobno na obwodnicy śmiertelnie potrąciła ciężarówka. Pan Witek, rozpostarty na chodniku, w spranych dżinsach i koszulce zupełnie takiej samej jak…

Koszulce takiej samej jak jego. W jego ulubionych spodniach i w jego butach.

Na chodniku leżał nie pan Witek, ale on, on sam, zarzygany menel z butelką. Odrzucił kołdrę i wstał, a wiertło w głowie zawyło na szybszych obrotach.

Do łazienki.

W łazience to co zawsze. W kuchni woda. W przedpokoju dygot. Opanował. Wykąpał się i umył zęby. Długo spoglądał na bladą twarz w lustrze, na zmierzwione włosy i oczy, wciśnięte w czaszkę, jakby się bały na to wszystko patrzeć.

Dochodził do siebie przez kilka godzin. Brał książkę do ręki i zaraz ją odkładał. Pił kolejne szklanki wody i wciąż chciało mu się pić. Jedzenie rosło mu w ustach. Po południu odważył się wyjść z mieszkania. W Apisie czekali już koledzy. Kiedy przysiadł się do nich z piwem, Żyraf powiedział:

– Słyszałeś? Grzana nie żyje.

Koło huczało już od plotek. Mówiło się, że Dariusz „Grzana" Witkowski został znaleziony martwy w swoim mieszkaniu w Koninie. Podobno staczał się już od dawna. Stracił pracę w kinie. Pił do upadłego. Poprzedniego wieczoru połknął podobno ponad dwadzieścia tabletek ecstasy i stanęło mu serce. Rankiem jakaś dziewczyna znalazła go w ubikacji.

Sebastian czuł, że wszystko zaraz się rozpadnie. Co chwilę otwierał zdjęcie w komórce i przyglądał mu się z niedowierzaniem. Chłopaki rozmawiały o Grzanie i o tym, że takie to życie właśnie jest. Nie mógł tego słuchać. Myśli rozsadzały mu głowę.

W końcu wrócił do domu i zaszył się w pokoju. Próbował zasnąć. Nie mógł. Próbował nie myśleć o Grzanie. Też nic z tego. Był pewien, że jeśli czegoś nie zrobi, świat za chwilę go zmiażdży. Miał wrażenie, że przez kilka ostatnich lat w ogóle nie istniał. W tym czasie sklonowano pierwsze zwierzę, Polska weszła do NATO, runęły wieże World Trade Center i wybuchła wojna w Afganistanie, a on po prostu nie istniał. Wypisał się z życia na własne życzenie.

Teraz leżał pod kołdrą i dygotał. Po raz pierwszy od dawna chciało mu się płakać. Bał się przyszłości. Bał się, bo wiedział, że prędzej czy później skończy tak samo jak Grzana.

Tego samego wieczoru stanął przed matką w pokoju wypełnionym melodią z *Wielkiej gry* i oświadczył, że idzie na studia.

CZĘŚĆ IV

2003–2004

Kiedy patrzył jej w oczy, nachodziło go coraz silniejsze przekonanie, że to są najmądrzejsze oczy na świecie i że gdzieś tam, za nimi, pod krzywizną czaszki, czają się myśli, których by nie chciał poznać.

Siedział i patrzył. Potrafił tak długo. Stawiał krzesło przed zegarem i wyciągał rękę przed siebie.

Uczepiała mu się przedramienia, dźgając skórę ostrymi szponami, a potem mierzyła go tym swoim przerażającym przenikliwym wzrokiem. Tak jak teraz.

— Wiesz, coraz częściej tak sobie myślę, że ty to jednak nie ty. Jakiś facet w autobusie powiedział mi niedawno, że uszatki żyją około dwudziestu pięciu lat, nie więcej. Jeśli to prawda, to wcale nie jesteś nasza Durna.

Kazik zakaszlał. Sowa drgnęła.

— Ale może to się dobrze składa, bo ja też już nie jestem ja. Jestem dalej, ale to już nie ja jestem. Jakiś ktoś. Nie wiem kto. Mnie już właściwie w ogóle nie ma.

Durna-nie-Durna przyglądała mu się bez słowa.

— Tylko sny te same. Dałbym sobie rękę uciąć, żeby już nigdy nie musieć śnić tego samego gówna, w kółko tego samego, chociaż i tak wiem, że już nic z tym nie zrobię, że to dawno wszystko stracone.

Poprzedniej nocy, po raz pierwszy od kilku tygodni, znowu śnił mu się czarny człowiek. Biegł polami z pochyloną głową. Sadził długie kroki i nie patrzył przed siebie. Grudki ziemi uciekały mu spod butów.

Kazik pędził za nim. Przełyk i płuca rozsadzało mu gorące powietrze. Krzyczał do czarnego człowieka.

Kiedy wreszcie go dogonił, upadli razem na rżysko. Usiadł mu na plecach, próbując złapać oddech. Czarny człowiek leżał bez ruchu, twarzą do ziemi. Mężczyzna. Jednak mężczyzna.

Kazik chwycił go za włosy i pociągnął.

– Pokaż tę mordę.

Czarny człowiek zaczął się powoli odwracać, a Kazik, jak zwykle, jak już tak wiele razy przedtem, pożałował, że go jednak schwytał.

„Zobaczysz i to już w tobie zostanie na zawsze", huczało mu w głowie. Widział ucho, kosmyk włosów i jakby blade mignięcie oka. Pot ściekał mu po szyi. Wiedział, że ten mężczyzna się uśmiecha. Że się śmieje.

– Ty mnie przecież nie chcesz złapać – mówił do niego czarny człowiek donośnym, dudniącym głosem, od którego drżała ziemia i to coś, wielkie długie coś, co płynęło tuż obok. To coś, co budziło się tylko w jego snach, tylko na dźwięk głosu czarnego człowieka, to coś o niezliczonych twarzach, to samo, które błyszczało gdzieś głęboko w ciemnych ślepiach jego sowy.

Wtedy się budził. Siadał na łóżku i wiedział, że nie zaśnie. Ubierał się, wychodził przed dom. Papieros, błysk na końcu zapałki. Zapach dymu.

Czarny człowiek, który zabił jego brata, odwiedzał go w snach od tamtej nocy, kiedy wszystko się zaczęło, od pijackiej nocy i ciała Wiktora na polu. Przychodził do niego i kazał się gonić, a później padał razem z nim na ziemię i powoli zaczynał odwracać głowę. Jak w jakimś kinie nocnym, tyle że przed telewizorem Kazik nigdy nie miał wrażenia, że zaraz się posika ze strachu.

Palił papierosa, nie wiedząc, czy jutro jest poniedziałek, środa czy może niedziela, bo wszystko było już tylko jednym, tym samym dniem przedzielonym nocami i snami o czarnym człowieku.

ROZDZIAŁ DZIEWIĘTNASTY

Poznań był wielki, zakorkowany i pełen spieszących się ludzi. Każdego dnia zalewali miasto, wyłaniając się z niewidocznych zakamarków i szczelin w betonie. Oblepiali przystanki i wnikali w biurowce. Popołudniami nad miastem rozbrzmiewała bitewna pieśń klaksonów. Twarze na billboardach zapewniały, że życie jest piękne. Tłoczyły się w tramwajach.

W dniu ogłoszenia wyników Sebastian przebił się przez rozgorączkowany tłum przed uczelnią i zobaczył swoje nazwisko na ostatnim miejscu listy osób przyjętych na studia. Wrócił do Koła, kupił dziesięć lechów mocnych i przez cały dzień oglądał telewizję. Matka kucała przy telefonie w przedpokoju, dzwoniąc do znajomych.

– Dostał się – mówiła. – Wiedziałam, że się dostanie.

Przed snem zebrał z podłogi zmaltretowane podręczniki i wyrzucił je do śmietnika. Interes przekazał w ręce Żyrafa i trzy miesiące później mieszkał już w Poznaniu.

Kawalerka, którą wynajął, znajdowała się na dziesiątym piętrze i miała dwadzieścia sześć metrów kwadratowych, z czego dwa tylko na umowie. Jasna, odnowiona. Osiedle Śmiałego. Z okna roztaczał się widok na szare morze bloków.

Podczas inauguracji roku akademickiego gruby i niski profesor Suwak zwracał się do studentów w taki sposób, jakby każdy z nich wygrał właśnie fortunę na loterii. Używał zwrotów w rodzaju „intelektualna elita" i „przyszłość światowej ekonomii". Chrząkał donośnie i śmiał się z własnych żartów. Sebastian zastanawiał się, co musi spotkać w życiu człowieka, żeby stał się kimś takim.

Zajęcia rozpoczęły się następnego dnia i wszystko wskazywało na to, że wykładowcy próbują rywalizować między sobą o miano najbardziej groźnego. Sebastian chodził na ćwiczenia i wykłady, jadał w uczelnianej stołówce, wieczorami pił piwo i zasypiał nad książkami. Kilka razy w tygodniu dzwonił do Żyrafa i słuchał kolskich nowości.

Podczas przerw między zajęciami przysłuchiwał się czasem rozmowom na korytarzu. O muzyce, giełdzie i imprezach. O szkodliwości czekolady, nadchodzących wyborach i nowej powieści Andrzeja Sapkowskiego. W drugim tygodniu, czekając przed salą komputerową na ćwiczenia z informatyki, zauważył, jak chłopak z jego grupy wykładowej wyjmuje z torby „Politykę".

– Ci ludzie tu czytają takie rzeczy – opowiadał potem matce przez telefon. – Kupują sobie z własnej woli „Politykę", za własne pieniądze, i czytają ją, tak jak się czyta normalne gazety. O polityce, rozumiesz?

Sebastian kupił w życiu łącznie sześć magazynów. Cztery „Catsy" i dwa „Magic Basketballe", ale te ostatnie tylko dla plakatów. Dennis Rodman, wskazujący palcem w obiektyw, nadal wisiał w jego pokoju przy oknie.

* * *

Studia zakończył po pierwszym semestrze. Z egzaminem z matematyki jakoś sobie poradził, za to mikroekonomia okazała się ponad jego siły. Z listy studentów skreślono go w lutym. Wychodząc z głównego gmachu Akademii Ekonomicznej, zatrzymał się przed tablicą z ogłoszeniami i przez chwilę zastanawiał się, czy nie byłoby dobrze zrobić z nią tego samego, co kiedyś zrobił z ołtarzem w kolskim klasztorze. Jego uwagę przykuł jeden szczególnie krzykliwy plakat, na którym dwoje nastolatków różnych płci uśmiechało się szeroko. Tłuste litery niemal wychodziły z papieru: KARIERA W BANKU? ZACZNIJ Z NAMI OD PODSTAW I ZDOBĄDŹ ŚWIAT FINANSÓW!

Według pomysłodawców plakatu zdobycie świata finansów rozpoczynało się od roznoszenia ulotek. Sebastian zapisał podany adres i wyszedł z budynku uczelni, żeby już nigdy do niego nie wrócić.

* * *

Po dwóch godzinach swojej pierwszej legalnej pracy pojechał do domu, wyrzucił ulotki do osiedlowego śmietnika i położył się do łóżka. Następnego dnia zrobił to samo, przekonany, że ktoś się zorientuje. Nikt się nie zorientował.

– Studiuje pan? – zapytała wysoka, szczupła kobieta, podsuwając mu umowę i rachunek do podpisu. Miała na sobie wysokie szpilki, okulary bez oprawek i garsonkę zgniatającą piegowate ciało.

– Tak.

– Ekonomię?

– Tak – odparł. Z uśmiechem.

Kobieta go nie odwzajemniła.

– A czy byłby pan zainteresowany miesięcznym stażem? Potrzebujemy kogoś, kto uporządkuje nam dokumenty. Ósma–szesnasta, ale w razie czego raz czy dwa wypuścimy pana na zajęcia, jeśli będzie taka potrzeba. Co pan na to?

Przez kolejny miesiąc nurkował w zaspach papieru, foliowych koszulek i segregatorów o wyszczerbionych grzbietach. Porządkował umowy, oświadczenia, wnioski, weksle, cesje i polisy. Przyciskał barkiem do ucha słuchawkę telefonu i powtarzał w kółko te same formuły. Wieczorem kładł się do łóżka, zamykał oczy i widział czarno-białe logo banku z nagłówka umowy. Po trzecim dniu zadzwonił do matki.

– Mam staż w banku.

– W banku?!

– Nie, w kopalni. No przecież mówię, że w banku.

– O Boże, Sebastian, syneczku, kochanie, staż w banku!

– Klasa, nie?

– Wiedziałam, że ty zmądrzejesz. Zawsze to wiedziałam. Tata byłby z ciebie taki dumny.

Na koniec rozmowy Emilia głośno wydmuchała nos i poprosiła, żeby się dobrze odżywiał.

Kilka dni później, otoczony hałdami umów i formularzy, Sebastian zadzwonił do jednego z klientów zalegających z dostarczeniem polisy ubezpieczeniowej.

– Ale ja nie mam tego domu – powiedział mężczyzna.

– Nie ma pan?

– No nie mam. Przecież ten dom nie istnieje.

– Ale… ale pan dostał na niego kredyt, tak? Mam tu umowę. Zaraz… No tak, sprzed dwóch lat. Z dwunastego kwietnia.

– Tak, tak, wszystko się zgadza. Ale domu nie było. Znaczy, był wymyślony.

Chłopak przełknął ślinę. Uśmiechnął się do siebie.

– Ma pan kredyt na wymyślony dom?

– Tak, wasz pracownik, taki wysoki brunet, nie pamiętam już nazwiska, powiedział, że udzieli fikcyjnego kredytu, mówił, że to normalne, załatwił wycenę od rzeczoznawcy i wszystkie wnioski, ja tylko podpisałem i dostałem pieniądze na rachunek. Odciągnął sobie za to jakieś parę procent. Wie pan, myśmy musieli spłacić teściów, a ja bym w życiu nie dostał kredytu, żona wtedy nie pracowała, to znaczy w Rajchu robiła, wie pan. Nie dostalibyśmy. Ale spłacamy regularnie, nawet przed czasem. Wszystko jest w porządku.

Sebastian poczuł, jak krew napływa mu do twarzy. Miał wrażenie, że znowu jest na moście i chce skoczyć. Że znowu widzi to co wtedy, i słyszy ryk czegoś, czego wolał sobie nie wyobrażać. Głosy. Wszystko rozmyte. Gorąco. Zrobiło mu się gorąco.

– Halo? – usłyszał głos klienta. Płynął gdzieś z daleka.

– Tak, jestem.

Wydusił z siebie standardową regułkę pożegnania. Odłożył słuchawkę. Zamknął segregator i długo patrzył w ścianę.

∗ ∗ ∗

Następnego dnia kupił garnitur i pięć białych koszul. Krawaty – błękitny, bordowy i w ciapki – dostał gratis. Zaczął golić się co rano i zostawał w banku po godzinach. Przed wyjściem z budynku przechodził powoli obok uchylonego gabinetu dyrektora. Kierownikowi działu kredytów hipotecznych szczegółowo raportował wyniki codziennej pracy.

Po miesiącu przedłużono mu staż na kolejny kwartał. Zakres obowiązków zwiększył się o uzupełnianie danych kredytowych w bankowym systemie i przynoszenie kierownikowi obiadu z pobliskiej spaghetterii.

Podpisał klauzulę o poufności danych i tajemnicy bankowej. Wynagrodzenie wzrosło o piętnaście procent.

Przychodził do pracy przed innymi, uchylał drzwi od pokoju, siadał przy oknie i wypatrywał samochodu dyrektora. Słysząc jego kroki na korytarzu, zaczynał mocno bębnić w klawiaturę. W kuwecie na biurku trzymał „Gazetę Bankową" i „Puls Biznesu", których nigdy nie otwierał. Stojącą przy ścianie teczkę uchylał tak, żeby widać było grzbiet opasłego *Marketingu* Przybyłowskiego, Hartleya, Kerina i Rudeliusa.

Szef działu kredytów hipotecznych, Szymon Borus, miał czterdzieści pięć lat, cierpiał na otyłość i nadużywał żelu do włosów. Podczas cotygodniowych spotkań z zespołem lubił formułować twierdzenia na tematy ogólne – „lekarze to złodzieje", „w Tunezji jest ciekawiej niż w Turcji", „na motorach jeżdżą idioci" – i długo tłumaczyć, dlaczego zwiększanie planów sprzedażowych jest dla wszystkich pożyteczne. Sebastian przynosił mu obiady, śmiał się z jego dowcipów i nazywał go „szefem".

Pod koniec stażu Borus zaprosił go na rozmowę i z miną darczyńcy, który właśnie ocalił dom dziecka, oświadczył, że ma dla niego umowę o pracę. Asystent w dziale kredytów hipotecznych, dwa tysiące brutto, umowa na czas określony.

Sebastian podpisał bez słowa, nie czytając.

Dostał własną kartę magnetyczną do drzwi, plakietkę z nazwiskiem i dwie szuflady zamykane na kluczyk. Tydzień później jeszcze firmowy krawat w paski.

5 marca 2004 roku otworzył swój pierwszy rachunek kredytowy. Kliknięcie przycisku „Uruchom" na ostatniej planszy było jak dziesięć tabletek ecstasy rozgniecionych łyżeczką na stole i wtartych w śluzówkę. Jak cios pięścią w usta i wybuchająca w żyłach adrenalina. Dotykając palcami klawiatury, sprawił, że na koncie jakiegoś człowieka nagle, z niczego, pojawiło się trzysta tysięcy złotych. Był Bogiem i właśnie stworzył komuś przyszłość.

Pół roku później stworzył ją też sobie.

ROZDZIAŁ DWUDZIESTY

Pachniało lucerną. Z nieba zwisał cienki plaster księżyca. Czarny człowiek, który trzydzieści jeden lat wcześniej biegł przez pola, mijając Kazimierza Łabendowicza, otarł czoło przedramieniem i znowu obejrzał się za siebie. Miał wrażenie, że rozgrzane po całym dniu powietrze przykleja mu się do twarzy. Szedł wzdłuż rowu, pod wysokimi akacjami. W dłoni obracał zapalniczkę.

Minął dom, w którym Kazimierz spał z otwartymi ustami, nie śniąc tym razem o niczym. Odliczył kroki, a potem zszedł z drogi na pole. Wyjął z kieszeni mały bulwiasty znicz i postawił go na ziemi. Kucnął. Wiatr szarpał płomieniem zapalniczki.

Stał potem z zamkniętymi oczami i wdychał zapach stygnącej wolno ziemi. Wspomnienia były coraz mniej wyraźne. Jakby ktoś jeździł pędzlem po obrazie, na którym nie zdążyła jeszcze wyschnąć farba. Dobrze pamiętał już tylko ciało otwierające się pod ostrzem noża i czarne lśniące wnętrzności.

Zacisnął powieki i wolno pokręcił głową. W końcu odwrócił się i ruszył z powrotem. Kilka razy obejrzał się jeszcze, wypatrując w oddali migoczącego znicza.

ROZDZIAŁ DWUDZIESTY PIERWSZY

Wiedział, że musi zrobić to szybko. Żadnego czekania, zwlekania, żadnego „może jutro". Obudził się przed wybuchem budzika w nokii. Wziął prysznic, zaparzył mocną kawę i stanął przy oknie. Grzał dłonie na kubku i patrzył na rozciągnięte za szybą szare łany blokowiska. Słońce wygrzebywało się powoli zza budynku Geanta. Był poniedziałek, 15 września, raczej chłodno i raczej słonecznie.

Powtórzył w myślach pesel i numery czterech rachunków bankowych. Raz jeszcze przypomniał sobie imprezę integracyjną sprzed kilku miesięcy i głos Aśki, rozkołysanej nad kolejnym drinkiem:

— Bo Sebastian ja cię lubię normalny jesteś ale sobie nie myśl że coś tylko tak po prostu bo ja mam chłopaka znaczy narzeczonego ale rozumiesz tak jako kolega to serio fajny jesteś cieszę się że pracujesz z nami bo przynajmniej pogadać można i w ogóle nie to co na przykład ten twój szef szmaciarz normalnie ja go nie cierpię a on kiedyś podobno to znaczy tak mówią że podobno molset... molestował taką Monikę z funduszy i ona się zwolniła ale ją podobno no rozumiesz w swoim gabinecie.

— Borus? — zapytał wtedy szeptem i wypił kolejkę.

— No przecież mówię ci co mi nie wierzysz Sebastian jak nie wierzysz to zapytaj Gosi przecież to wszyscy wiedzą że Borus to jest świnia zresztą taki Mirek to przez niego miał sprawę w sądzie bo ten go tak wrobił to znaczy sam coś schrzanił z kredytem a na niego zwalił rozumiesz Sebastian o Boże ty znowu polewasz a ja się już tak najebałam.

Wrócił wtedy do domu i długo nie mógł zasnąć. Myślał o smaku murzynków z dzieciństwa, o matce i o dużych pieniądzach. Myślał o kierowniku, o rachunkach kredytowych i o kliencie z fikcyjnym, wymyślonym domem.

Teraz, stojąc przy oknie, patrzył na Poznań i myślał o tym samym. Wiedział, że musi zrobić to szybko. Wylał resztę kawy do zlewu, zawiązał krawat i wyszedł z mieszkania. Opadając razem z windą przez wnętrzności budynku, nie myślał już o niczym.

* * *

W pracy zaparzył drugą kawę i zjadł kupioną po drodze drożdżówkę. Powiesił marynarkę na oparciu krzesła, uruchomił komputer i czekał. Klimatyzacja wypełniała pokój cichym szumem. Rozwieszone za oknem niebo oblepiły cienkie chmury. Krawat uwierał, koszula uwierała, ciało uwierało. Czekać, czekać, czekać.

Około dwunastej zadzwonił telefon. Numer wewnętrzny.

– Tak?

– Po jedzenie trzeba skoczyć.

– Idę.

Pół godziny później na stole w miniaturowej kuchni położył styropianowe pudełko ze spaghetti, zajrzał do gabinetu kierownika i powiedział, że jedzenie już jest. Przez uchylone drzwi toalety obserwował skrawek korytarza. Mignięcia. Borus wychodzący z gabinetu. Wyciągający telefon z kieszeni. Chowający go z powrotem. Poprawiający marynarkę. Znikający na schodach.

Sebastian policzył do dziesięciu. Nie, do dwunastu. Do piętnastu. Policzył do piętnastu i wyszedł z łazienki. Położył rękę na klamce.

Prawo. Lewo. Na korytarzu pusto. Przed nim, po obydwu stronach drzwi, czekały dwie przyszłości. Może więcej. Może nieskończenie wiele przyszłości.

W głowie słyszał słowa wuja Kazika. „… Człowiek jest jak maszyna: masz tam jakieś sobie rzeczy, które na ciebie wpływają, i zachowujesz się tak, jak ci z nich wyjdzie. A to znaczy, że nie ma wolnej woli.".

Jakby ktoś zalał go nagle betonem. Od zewnątrz i od środka. Stał z ręką na klamce i patrzył na swoje przyszłości. Widział siebie w miękkim, szytym na miarę garniturze, we wnętrzu pachnącego skórą i lawendą samochodu, pijanego we własnym mieszkaniu, zapłakanego w łóżku, klęczącego przed matką, w kajdankach, w jacuzzi, na Seszelach, na komendzie policji, w taksówce pędzącej na lotnisko Ławica, w celi z trzema łysymi mężczyznami, w Boeingu 787. Widział też siebie w tym samym garniturze co teraz, w tym samym krawacie, z tym samym telefonem, fryzurą, zapachem perfum na szyi, z tymi samymi rozterkami, marzeniami, wątpliwościami, z tym samym życiem, dokładnie tym samym.

Nacisnął klamkę.

* * *

Powtarzał słowa wuja. W głowie, na głos. Jestem maszyną. Cztery kroki dzielące drzwi od biurka. Jestem tylko maszyną. Ciche skrzypnięcie krzesła. Maszyną. Dłonie nad klawiaturą.

Nie mam wolnej woli.

Zalogował się do systemu hasłem Borusa. Każdy doradca i analityk w oddziale znał hasło swojego przełożonego, którym akceptował poszczególne operacje – przy tak dużej liczbie zakładanych kont i udzielanych kredytów innej możliwości nie było. Z tego, co opowiadał mu sam kierownik, wyglądało to podobnie we wszystkich oddziałach. Sebastian wyszukał klienta po numerze pesel i uruchomił jego kartotekę. Otworzył nowy rachunek kredytowy, wypełniając byle jak kolejne pola. Ważna była tylko kwota. Zaakceptował ostatni etap transakcji i raz jeszcze wprowadził hasło kierownika.

Jak maszyna.

Cztery przelewy na rachunki bieżące, których numerów nauczył się na pamięć. Wylogowanie z systemu i powrót do widoku pulpitu. Przetarcie klawiatury rękawem, przysunięcie krzesła. Na korytarzu pusto. Wyszedł.

Nie masz wolnej woli.

Niemal czuł, jak gdzieś za ścianami i pod podłogą, w szumie jarzeniówki i w pomruku drukarki z pomieszczenia księgowości, głęboko w płucach i tuż pod jego skórą rozpuszcza się powoli nowa przyszłość. Oddychał coraz szybciej.

Szybciej, szybciej, szybciej. Korytarz, krok za krokiem. Po drodze dłoń w kieszeni, w dłoni telefon. Nowy, na kartę.

Wybrał jedyny zapisany numer. Numer Żyrafa. Nowego Żyrafa o nowej przyszłości. „GOTOWE". Wysłał.

Znowu ręka na klamce. Otworzył pokój. Zamknął za sobą drzwi i oparł się o nie plecami. Oddychał. Sebastian Łabendowicz. Sebastian Łabendowicz, który właśnie…

– O kurwa – szepnął do siebie. – O kurwa, o ja pierdolę.

Usiadł przed komputerem i ukrył twarz w dłoniach. Nowa przyszłość powoli tężała w teraźniejszość. Nowy Sebastian Łabendowicz czuł, jak żołądek obrasta mu zębami. Spojrzał na zegarek w rogu monitora.

– Kurwa… – szepnął raz jeszcze.

Kradzież pół miliona złotych zajęła mu niecałe sześć i pół minuty.

* * *

Miesiąc wcześniej Żyraf przyjechał pociągiem do Poznania. Z nową fryzurą i zarostem, w okularach zerówkach, pełen entuzjazmu i trochę jednak wystraszony, stał się bywalcem dworca głównego, Rynku Jeżyckiego i kilku opuszczonych budynków rozsypanych na obrzeżach miasta. Prosił o ogień, pytał o godzinę, zagadywał, żartował, narzekał, klął, a czasem i milczał. Głosem sprasowanym w szept wyjaśniał, że go telepie i pytał, gdzie by można coś kupić. Niektórzy wzruszali ramionami, niektórzy kazali iść do diabła, jeszcze inni spoglądali mu w oczy i recytowali adres lub numer telefonu. Krążył od miejsca do miejsca, rozmawiał, kupował, najczęściej próbował na miejscu, kilka razy został na noc. Raz ukradli mu komórkę, raz uciekał przed policją, raz szarpał się z grubasem o oczach jak utopione w jogurcie borówki.

Po kilku dniach wybrał czterech chłopaków w trudnym do określenia wieku. Chudzi, ubrani w obszerne bluzy, ramiona pokłute. Przesiadywali w piwnicach Budomelu, opuszczonego szpitala na Strzeszynie. Przedstawił się jako Adam Mickiewicz, nawet nie zwrócili uwagi. Każdemu z nich zaproponował dwieście złotych za wrzucenie listu do skrzynki pocztowej. Koperty były puste, adresaci wymyśleni. Wszyscy czterej zrobili, o co poprosił. Włożył dwustuzłotowe banknoty w rozdygotane dłonie, ściskające do tej pory najwyżej wymięte dwudziestki i dziesiątki.

Kilka dni później zapytał, czy chcą zarobić dużo więcej. Chcieli. Spotkał się z nimi na parkingu przed galerią handlową. Każdemu kupił najtańszy garnitur i buty. Poszedł z nimi do czterech różnych oddziałów banku, w którym pracował Sebastian, i kazał otworzyć rachunki osobiste. Zapłacił dwa razy tyle co wcześniej.

Na odchodne powiedział, że niebawem zgłosi się w sprawie większego zarobku. Odezwał się dwa tygodnie później. Na parkingu kazał im znowu przebrać się w garnitury. Weszli osobno do placówek, w których zakładali konta, i zamówili na następny poniedziałek wypłaty gotówkowe w kwocie stu dwudziestu pięciu tysięcy złotych.

W nocy z soboty na niedzielę Żyraf ukradł tablice rejestracyjne z samochodu firmy kurierskiej i przykręcił je do auta, które wypożyczył na nazwisko jednego z chłopaków. W niedzielę wieczorem pojechał z nimi za miasto, dał towar i patrzył, jak biorą. Sam nie wziął. Siedzieli w samochodzie przez całą noc. Bolały go wszystkie stawy. Rano rozdał im szczoteczki i pastę do zębów. Każdego wyperfumował. Kiedy dostał SMS o treści „GOTOWE", pojechał pod jeden z oddziałów banku. Pierwszy chłopak wkroczył do środka, odstał pięć minut w kolejce i poprosił o wypłatę gotówki z konta. Kiedy wyszedł z walizką pełną pieniędzy, Żyraf zaciągnął go za róg, wsadził w rękę dwa tysiące złotych i kazał uciekać. Następnie wrzucił teczkę do auta i pojechał do kolejnego oddziału. Niecałe półtorej godziny później siedział sam w samochodzie, a w bagażniku miał trzysta sześćdziesiąt dziewięć tysięcy. Ostatni z chłopaków wybiegł z banku prosto na ulicę i wymijając stojące przed światłami samochody, wpadł z walizką między bloki. Żyraf widział, jak równowartość luksusowego samochodu znika mu z oczu, i czuł, jakby mu ktoś wiercił palcem w sercu.

Wyczerpał repertuar przekleństw i skończył walić w kierownicę. Skradzione tablice rejestracyjne wsunął do kratki ściekowej, a samochód zaparkował niedaleko wypożyczalni. Pieniądze przełożył do plecaka.

Napisał do Sebastiana, a potem wszedł do Żabki i kupił najdroższy alkohol, jaki tam znalazł.

* * *

Z kolejnych dni Sebastian pamiętał niewiele. Wynajęty apartament w Merkurym, falujący sufit, gładka skóra, którą próbował całować i z której zlizywał kokainę, dziobata twarz czekającego w aneksie kuchennym alfonsa, alkohol wsiąkający w pościel, chłodne objęcia sedesu, miękki dotyk dywanu na policzku, szelest banknotów wsuwanych pomiędzy ciało a bieliznę, jakieś szepty do ucha, jakieś głosy, twarze, ciemność i jasność, ale ciemność bardziej.

Kazał budzić się co rano o siódmej i pieszo przedzierał się przez miasto. Ludzie na przystankach, ludzie przed przejściami dla pieszych, ludzie w tramwajach, autobusach, samochodach, upakowani, wszędzie. Mijał ich z obolałą głową i pragnął, żeby chociaż na chwilę zniknęli. Przed wejściem do pracy wkładał do ust kilka mentosów albo miętowych gum do żucia. Uruchamiał komputer i próbował nie zasnąć. Pracował wolniej, ale pracował. Słuchał innych mniej uważnie, ale słuchał. Był trochę mniej, ale był.

Krzyki wybuchły dopiero w czwartek. Trzaskały drzwi, blady dyrektor krążył po korytarzu, a Borus wisiał na telefonie. Dwaj policjanci spędzili w jego gabinecie pół godziny. Sebastian wysłuchał tych samych gróźb i przekleństw co wszyscy pozostali członkowie zespołu, a potem patrzył przez okno, jak Borus znika w nieoznakowanym samochodzie.

Od tamtej pory pracował jeszcze wolniej. Dbał tylko o to, żeby nie spóźniać się do pracy i nie wychodzić wcześniej. Nie odbierał telefonów, e-maile kasował bez czytania. Policja przesłuchała go w piątek, podobnie jak pozostałych pracowników.

– Czy posiada pan systemowe hasła dostępu pana Szymona Borusa? – zapytał wysoki funkcjonariusz o twarzy byłego chuligana.

– Posiadam.

– Skąd?

– Od pana Szymona Borusa. Jak wszyscy.

– Czy używał ich pan w poniedziałek?

– Używałem.

– W jakim celu?

– W tym co zwykle. Otwierałem kredyty, robiłem przelewy.

– Czy otworzył pan również kredyt w kwocie pół miliona złotych na nazwisko Paweł Paliński?

– Nie.

Pytali go kilka razy o to samo, zarzucali niespodziewanymi stwierdzeniami, a potem pytali znowu, drążyli i grzebali, ale nic nie wydrążyli ani nic nie wygrzebali. Na koniec ten o twarzy zbira położył dłonie na stole i oświadczył:

– Nie wiem, jakich ty się filmów naoglądałeś, ale na pierwszy rzut oka widać, że łżesz jak pies. Mój problem polega na tym, że nie mam nic, za co bym cię mógł zostawić na cztery osiem. Ale uwierz mi, nie masz się z czego cieszyć. Przy takich sprawach jak ta skuteczność wynosi jakieś dziewięćdziesiąt procent, więc najprawdopodobniej i tak staniesz przed sądem. A nawet jakby tak ci się trafiło, że będziesz w tych dziesięciu procentach, to zrobisz sobie bardzo wkurwionego wroga. I on kiedyś wyjdzie. Trzy, góra pięć lat. Tak czy inaczej niewesoło, kolego. Więc możesz się teraz przyznać albo tylko to wszystko jeszcze pogorszysz.

– To naprawdę nie ja – odpowiedział Sebastian, a potem go wypuścili.

Tego samego wieczoru dostał od Borusa SMS-a o treści: „Wiem, że to ty. I tak cię dorwą. Jak się przyznasz, dostaniesz wyrok w zawieszeniu".

Nie odpisał. W poniedziałek Gosia powiedziała mu, że dostała tę samą wiadomość.

– Boże, jak on mógł to zrobić? – westchnęła. – Kurde, Sebastian, co w człowieku musi siedzieć, żeby przyszło mu do głowy coś takiego? Przecież to jest kradzież, kurde. Pięćset tysięcy złotych? No powiedz, kto kradnie takie pieniądze?

Sebastian wzruszył ramionami. Na samym początku planował ukraść milion, ale kierownik miał kompetencje tylko do pięciuset tysięcy. Każdą transakcję o wyższej kwocie musiał akceptować mu dyrektor oddziału.

A on podobno był raczej w porządku.

* * *

Nocami dygotał. Chwytały go skurcze. Żyraf tłumaczył, że to przez brak magnezu.

Alkohol smakował coraz gorzej. Narkotyki działały w coraz mniejszym stopniu. Jedzenie wydawało mu się obrzydliwe.

Nie potrafił pójść do luksusowej restauracji i wydać tysiąca złotych na kolację. Nie potrafił kupić sobie garnituru szytego na miarę. Nie potrafił wydawać pieniędzy na rzeczy, o których nie miał pojęcia.

Wydawał więc tak, jak umiał.

– Zobacz, Żyraf, całe życie marzyłem, żeby mieć tyle kepy, a jak już mam, to nie wiem, co z nią zrobić – powiedział któregoś wieczoru po wyjściu prostytutek. Na łóżku obok niego leżała napoczęta butelka whisky, zgniecione pudełko po prezerwatywach, kilka gazet i karton po pizzy.

– To kup sobie coś – poradził Żyraf, włączając telewizor.

– Tylko co?

– Nie wiem, jakąś kawalerkę czy coś.

– I zanim się zorientuję, przyjdzie do mnie urząd skarbowy.

– No to może jakiś drogi rower chociaż. Albo wytatuuj sobie całe plecy, nie wiem. O, na jakąś wycieczkę możesz na przykład polecieć.

– Też mnie przyłapią.

– O parę tysięcy? Tyle jako pracownik banku przecież chyba możesz mieć.

Sebastian doszedł do wniosku, że przecież faktycznie chyba może. Poza tym zbliżał się dwutygodniowy urlop, który zaplanował już na początku roku. W sobotę wstał o trzynastej, wykąpał się i poszedł do najbliższego biura podróży. Wszystkie miejsca, o których z dobrze symulowanym podekscytowaniem opowiadała energiczna, pulchna kobieta po czterdziestce, wydawały mu się takie same. Zapytał o najdroższą wycieczkę. Najdroższy był Ekwador i Galapagos. Szesnaście tysięcy bez złotówki. Wpłacił zaliczkę i podpisał umowę. Po powrocie do hotelu nie pamiętał już, dokąd ma lecieć.

Tego samego wieczoru po raz pierwszy od dnia, kiedy ukradł pół miliona złotych, pojechał do wynajmowanego mieszkania. Patrzył na miasto przelewające się za oknem taksówki i nie chciało mu się wierzyć, że to wszystko dzieje się naprawdę. Ludzie, samochody, tramwaje. Tyle życiorysów pędzących we wszystkie strony. I po co? Taksówkarz nie próbował go zagadywać. Sebastian dał mu osiemdziesiąt złotych napiwku.

Sunąc w windzie przez kolejne piętra, próbował nie patrzeć w przybrudzone lustro.

W teczce z paszportem znalazł świadectwo maturalne i złożoną na czworo kartkę w kratkę. Okrągłe zawijasy z tuszu przebijały papier na wylot. List od dziadka. Pamiętał, że matka dała mu go dawno temu. Rozprostował kartkę i wyciągnął nogi na stół. Przesuwał wzrokiem po kolejnych zdaniach, przy końcówce zatrzymał się na dłużej.

Gdybym jednak nie dożył, daj ten list naszemu chłopcu i powiedz mu,
że dziadek go bardzo kocha i prosi o troszkę pamięci. I żeby czasem
grób dziadka odwiedził. I niech pamięta o swoim ojcu, niech wie, że
ojciec był dobrym człowiekiem, i niech nie słucha innych, co o nim będą
mówić, bo inni nie wiedzą. Przypominaj mu o tym i powiedz, że źli
ludzie zabrali mu ojca, a może kiedyś, jak dorośnie, sam ich odszuka,
co się nikomu dotąd nie udało.

    Całuję Cię, przyciskam do serca Sebusia.

Odłożył list i zamknął oczy. Nie chciało mu się spać. Spojrzał za
okno. Szczyt sąsiedniego wieżowca i czerń napierająca na szybę.

„Przypominaj mu o tym i powiedz, że źli ludzie zabrali mu ojca".

Wiedział to od małego. Dorastał, a historia powoli nasiąkała
szczegółami. Tatuś jest w niebie, patrzy na niego, jest mu tam dobrze, tata zginął, nagle, w Piołunowie, ojca zabili, w nocy, ciało znalazł wujek, mordercy nie złapano.

„... co się nikomu dotąd nie udało".

Zamordowany ojciec był dla niego czymś równie naturalnym jak
matka krojąca chleb. Innego ojca nie znał. Innego sobie nie wyobrażał.

Wyjął z lodówki stojące tam samotnie piwo i wypił w kilka minut,
patrząc na miasto za szybą. Włożył list do kieszeni, zabrał paszport
i wrócił do hotelu.

* * *

Miała gęste rude włosy spięte w warkocz i było z nią coś nie tak. Zamówił ją po raz pierwszy. Chyba. Mógł zapomnieć. Nie, na pewno
po raz pierwszy. Pamiętałby. Przyjechały we dwie, ale ta druga dla
niego nie istniała.

Ruda prostytutka wyglądała jak ktoś, kto właśnie niespodziewanie wtargnął na plan filmu. Jakby przypadkiem wklejono ją do tego hotelowego apartamentu. Żyraf zniknął z jej koleżanką za drzwiami jednej z sypialni. Ona stała na środku pokoju i czekała.

Rozebrał ją bez słowa. Miała białą skórę i piegi na ramionach. Włosy pachniały jej czymś ładnym, kokosowym. Przyciskał jej dłonie do poduszki i próbował nie patrzyć jej w oczy. W pewnym momencie przeprosił ją, ubrał się i usiadł na brzegu łóżka. Zapłacił jej dwa razy tyle, ile powinien. Poprosił, żeby wyszła.

Dwa dni później zadzwonił po nią znowu. Przyjechała sama. Żyraf spał albo go nie było. Deszcz stukał w parapet.

– Cześć – powiedział, kiedy zamknęła za sobą drzwi.

Uśmiechnęła się tylko i odłożyła torebkę na stół. Stanęła na środku pokoju, tak jak poprzednio.

– Musisz być bardzo niewyspany.

Pokiwał głową.

– Tak widać?

– Trochę.

Przejechał ręką po włosach i podrapał się po szyi.

– Słuchaj, pójdziesz ze mną do kina? Zapłacę ci jak normalnie.

Podniosła głowę.

– A na co?

– Słucham?

– Na co do tego kina. Na jaki film.

Włożył ręce do kieszeni i wyjął je z powrotem.

– Jesteś prostytutką, której właśnie zaproponowano pójście do kina zamiast do łóżka, i pytasz, na jaki film?

– Po prostu bardzo nie lubię filmów o superbohaterach.

– To nie będzie o superbohaterach.

– A o czym?

– Kurwa, nie wiem. Jeszcze nie wybrałem. O co ci chodzi?

– Po prostu jestem ciekawa.

– To po prostu przestań. Ja pierdolę.

– Niewyspany, a na dodatek nerwowy.

– To co, idziesz czy nie idziesz?

– Idę. Pewnie, że idę.

Poszli.

* * *

Spotykali się regularnie. Na kolację, na kawę, na spacer. Miała dwadzieścia trzy lata, na imię Maja i stypendium naukowe na uniwersytecie. Studiowała filozofię. Jej ojciec był Polakiem, matka Niemką. Rozwiedzeni. Maja od szóstego roku życia mieszkała w Szczecinie. Do Poznania przyjechała na studia. Lubiła korale i włoskie jedzenie. Nie lubiła narzekania, filmów o superbohaterach i ludzi, którzy zbyt wielu rzeczy nie lubią. Żyła z ojcem, nazwisko nosiła po matce. Twierdziła, że to spore szczęście.

– Gdyby matka się nie uparła, przedstawiałabym się teraz jako Maja Pipeć – powiedziała mu podczas spaceru po cytadeli. – Maja Eberl wydaje się jednak trochę bezpieczniejsze.

Najczęściej jedli i spacerowali. Po trzecim spotkaniu przestała brać od niego pieniądze.

– To jest bardzo zabawne – powiedziała mu któregoś razu, kiedy kelner zostawił ich samych. – To wszystko.

Patrzył na nią, jak zabiera się do swojego carpaccio.

– Słuchaj, a ty nie chciałabyś robić czegoś innego? – zapytał.

– Czego?

– No nie wiem. Ale chyba to… to nie jest jakaś super przyjemna robota.

– Zależy, jak do tego podchodzisz.

– A to można podchodzić na wiele sposobów?

– W ogóle mi to nie przeszkadza. Gdybym całymi dniami rozkładała towar w Biedronce, to w moim życiu prywatnym niewiele by się zmieniło. – Popatrzyła na talerz i dodała: – Tylko pewnie gorzej bym jadała.

– W ogóle cię to nie rusza, tak? Nie rusza cię to, jak jakiś stary, obleśny brudas z wielkim brzuchem, nieumyty...

– Oj, przesadzasz. Tacy się nie zdarzają. Ale generalnie wystarczy odzwyczaić się od swojego ciała. To wszystko. Ja nie mam żadnych wyrzutów sumienia. Ciało to tylko ciało. Co mam z nim robić? Oszczędzać na starość?

Nie odpowiedział. Powoli żuł pierś z kurczaka w sosie truskawkowym i spoglądał za okno. Kałużę przy wejściu do restauracji bombardował deszcz.

Odłożył widelec, przepłukał usta piwem. Wybrał najdroższe i smakowało gorzej niż lech pils.

– Wiesz, dlaczego się z tobą spotykam?

– No właśnie, jeśli mam być szczera, to nie mam pojęcia.

Popatrzył na mokrą szybę i płynącą chodnikiem rzekę z ludzi pod parasolami.

– Od jakiegoś czasu mam takie wrażenie... – urwał, napił się jeszcze. – Kurwa, co ja w ogóle robię...

– Mam takie wrażenie... – powtórzyła. – No, dalej.

– Mam takie wrażenie, jakbym się już w ogóle nie czuł. To znaczy jak się uderzę, to mnie zaboli, wiadomo, ale tak ogólnie to jest jakiś straszny kibel, ja nie wiem, jakbym od środka drętwiał. Widzisz, ty jesteś prostytutką i jakoś chyba wyglądasz mi na szczęśliwą. Ja od niedawna mam wszystko, czego zawsze chciałem, a czuję się, jakbym miał jedno wielkie gówno.

Cisza. Sztućce o talerz, łyk piwa. Jej wzrok, na nim.

– No a jaki to ma związek ze mną?

– Nie wiem. Ale jak z tobą rozmawiam, to czuję się, jakbym trochę bardziej jednak był.

– Hmm… – Przez chwilę wierciła widelcem w cienkich plastrach wołowiny. – A jesteś wierzący?

– Nie za bardzo. Kiedyś byłem…

– A próbowałeś medytować?

– Ale ja poważnie mówię.

– Ale ja też.

Westchnął, napił się piwa.

– No to mów.

– Ja na przykład sporo medytuję – stwierdziła, wycierając usta chusteczką. – Nie pamiętam, od czego to się zaczęło. Chyba przeczytałam jakąś książkę. Próbowałam tych różnych technik i z początku oczywiście nic nie wychodziło. Ale w końcu coś się zaczęło dziać. Czytałam kolejne poradniki, trochę to wszystko naginałam pod siebie, i w końcu zrozumiałam, o co chodzi. Wspaniała sprawa. Lepsza niż orgazm, niż wszystko. Im dłużej siedzisz w ciszy, sam ze sobą, i nic nie robisz, tym bardziej czujesz, jak się zaciera granica między twoim ciałem a resztą świata. Jakbyś znikał. Nie chciałbyś zniknąć?

– Ale, tak konkretnie, to co będę czuł?

– Konkretnie to wyobraź sobie, że siedzisz w mieszkaniu z zamkniętymi oczyma i słyszysz, jak za oknem przejeżdża tramwaj. A jakiś czas później boli cię na przykład stopa. I chodzi o to, żeby poczuć, że te dwie rzeczy są z tego samego zewnętrznego świata. Że zarówno tramwaj, jak i stopa są obce. Nie czujesz, że tramwaj jest gdzieś dalej, a stopa to ty. Bo stopa to nie ty. Ty to ty.

– Ale stopa to ja.

– Niby czemu?

Wzruszył ramionami. Znów spojrzał za okno. Po przeciwnej stronie ulicy uśmiechnięty model reklamował z billboardu kredyty hipoteczne.

* * *

Telefon zadzwonił rano. Bardzo rano. Zdecydowanie zbyt wcześnie rano.

Sebastian pomacał dłonią poduszkę, szafkę, krawędź kartonu po pizzy, gazetę jakąś, puszkę jakąś, śmieci jakieś, w końcu też telefon.

Odebrał.

– Hmm?

– Sebastian?

– Mhmm.

– To ja, wujek. Kaziu.

– O… no… cześć.

– Bo widzisz, Sebastian…

Wyskoczył z łóżka.

– Coś się stało? Coś się stało z mamą?

– Nie! Nie, Sebastian, nic z mamą, spokojnie.

– A… – Usiadł, przysłonił twarz dłonią.

– Przepraszam, widzisz, przestraszyłem cię.

– Nie, nie szkodzi.

– Bo widzisz, muszę być w Poznaniu i jakby to nie był dla ciebie problem, tobym przenocował u ciebie jedną nockę. To by było w następny piątek, trzeciego.

– Trzeciego, trzeciego. Tak, jestem. Nie ma problemu, wujek, jasne.

– Obudziłem cię pewnie, co?

– Trochę. A w ogóle po co przyjeżdżasz?

Chwila milczenia, a potem jakby ciszej, jakby wolniej:

– Spotykam się z Krysią.

W mózgu jakby coś mu się zawiesiło. Krysią? Nie znał żadnej Krysi. Dopiero po chwili zrozumiał, o kogo chodzi.

– Aaaa… – wydusił z siebie.

– Ja sam w to nie wierzę. W sobotę idziemy na obiad. Dlatego pomyślałem, że może, wiesz, przyjadę wcześniej, pogadamy sobie. Trochę się denerwuję, rozumiesz, nie chciałbym się spóźnić w tę sobotę, a pociągi to wiesz, jak chodzą.

– Jasne, jasn…

Siedział nagi na łóżku i nie miał pojęcia, co powiedzieć. Odezwał się wuj:

– Dzięki, Sebastian. Dziękuję.

– Nie ma sprawy.

– To do zobaczenia. Odezwę się jeszcze w środę, jak już kupię bilet.

– Dobra. Cześć.

Zanim odłożył telefon na szafkę, zobaczył na ekranie migającą kopertę. Otworzył wiadomość. Nadawca: Szymon Borus. „Kurwa, Łabendowicz, wiem, że to ty. Przysięgam ci, że pożałujesz". Każdego ranka to samo. Sebastian usunął wiadomość i wrócił do łóżka. Do budzika miał jeszcze dziesięć minut.

ROZDZIAŁ DWUDZIESTY DRUGI

Emilia Łabendowicz stała przed lustrem i było jej wstyd. Nie tak jak wtedy, kiedy Władek z podstawówki podciągnął jej spódnicę na boisku, i nie tak, jak wtedy, gdy Wiktor rozebrał ją pierwszy raz – bo wtedy nie było jej wstyd, tylko się bała – ale w jakiś inny, bardziej pierwotny sposób, o którym nic nie wiedziała.

Stała przed lustrem, naga, i próbowała na siebie nie patrzeć. W pewnym wieku człowiek zaczyna się robić obrzydliwy, a człowiek, którego skóra przypomina roztopiony ser, jest obrzydliwy po prostu.

Spójrz. No, spójrz. Po to tu stoisz, po to się rozebrałaś. Żeby spojrzeć. Bo on będzie patrzył.

Spojrzała.

Nogi wyglądały z tego wszystkiego najlepiej – jakby ktoś naciągnął na nie jedynie pomarszczone rajtuzy. Ale brzuch? Piersi? Ramiona?

Nie, nie rozbierze się przed nim. Wyobrażała sobie wyraz obrzydzenia na jego twarzy i słyszała w głowie pełne zakłopotania przeprosiny.

Anatol Żurawik mieszkał na parterze, wprowadził się kilka miesięcy wcześniej. Malował. Podobno bardzo dobrze. W największym pokoju zrobił sobie pracownię.

Co kilka dni przyjeżdżali do niego jacyś ludzie, często w garniturach. Niektórzy wychodzili z obrazami. Raz widziała przez okno dwoje podekscytowanych Japończyków, którzy przez bagażnik, ostrożnie, wsuwali do samochodu duże, opakowane w szary papier płótno.

Anatol jakby nigdy nic zaprosił ją na kolację.

– Podoba mi się pani – tłumaczył z wyrazem twarzy, którego nie potrafiła rozszyfrować. – Niech się pani nie da prosić. Gwarantuję, że jestem szalenie zabawny.

Nie był może obezwładniająco przystojny, ale brzydki też nie. Siwiejące włosy układał na żel. „Korzystnie się starzał", jak powiedziałaby sąsiadka Ela.

Zgodziła się na kolację, a teraz stała przed lustrem i żałowała tych dwóch słów rzuconych dziwnie szybko, bez zastanowienia:

– Tak, chętnie.

Patrzyła w oczy swojemu odbiciu, przypominając sobie tamto popołudnie, kiedy wróciła ze szpitala. Potwór w lustrze i ta myśl, to silne przekonanie, że życie właśnie się skończyło.

Od czasu ostatniej chemii minęło już siedem lat. Bóle też jakby trochę zelżały. Może po prostu się przyzwyczaiła. W każdym razie życie się jeszcze nie skończyło.

„Życie się jeszcze nie skończyło", powtórzyła bezgłośnie postać w lustrze, poruszając wąskimi wargami, a potem Emilia odwróciła się i weszła do sypialni.

* * *

Anatol Żurawik miał pięćdziesiąt siedem lat, był kawalerem, pracoholikiem, aktywnym morsem i Honorowym Dawcą Krwi. Nigdy się nie ożenił. Nie miał dzieci. W wieku dwudziestu dwóch lat poprosił o rękę dziewczynę, którą znał od dziecka i w której kochał się z wzajemnością. Wychowywali się razem, ich rodzice jeździli wspólnie na wakacje. Nazywała się Maria Bereś i posiadała „niespotykany talent muzyczny", jak mówiło się w Koninie, gdzie oboje mieszkali. Grała na pianinie. Lubiła podróże i spacery. Zanim zdążyli wyznaczyć datę ślubu, utonęła podczas wyjazdu nad morze, na oczach rodziców, niedoszłych teściów i Anatola.

– Nie popłynąłeś z nią – powtarzała mu później matka Marii. – Nie popłynąłeś.

Od tamtej pory Anatol prawie nie ruszał się z Konina. Przez pierwsze kilka lat po śmierci Marii z nikim się nie spotykał. Na randkę umówił się dopiero w wieku dwudziestu ośmiu lat. Poszedł z dziewczyną do kawiarni i od pierwszej chwili wiedział, że to katastrofa. Szybko wypił kawę, zapłacił i wrócił do mieszkania.

Dostał pracę w mleczarni. W wolnym czasie fotografował. W piwnicy zrobił prowizoryczną ciemnię. Z drutu, drewna i kabli budował wysokie, powykręcane konstrukcje. Niekiedy zajmowały cały jego pokój w sześćdziesięciometrowym mieszkaniu przy Wale Tarejwy.

Po którejś kłótni z ojcem wyprowadził się i wynajął kawalerkę na Zatorzu. Jadał prawie wyłącznie ziemniaki, chleb i jaja. Wypijał litry kawy. Nad swoimi konstrukcjami spędzał całe noce i w mleczarni prawie sypiał na stojąco.

Malować zaczął w wieku trzydziestu lat. Zbijał ramy z listew i rozpinał na nich, co miał pod ręką – stare prześcieradła, kawałki koszul. Gruntował zwykłą emulsją. Chodził z obrazami pod dworzec kolejowy albo pod kościół. Zdarzało się, że w ciągu miesiąca sprzedawał pięć sztuk.

Gdy pobił się z naczelnikiem, wyrzucono go z pracy. Nowej nie szukał. Zamknął się w domu i przez tydzień namalował szesnaście obrazów w dużym formacie. Napisał list do Wiesława Kopyta, znanego konińskiego artysty i kobieciarza. Kopyt po miesiącu odesłał krótką wiadomość: „Najbliższa sobota, 17 punkt. Niech pan przyniesie najlepszy".

Kopyt wyraził duże zainteresowanie obrazem Anatola, a samym Anatolem znacznie większe. W końcu jednak, zasypany odmowami, zgodził się i bez łóżka zorganizować młodemu malarzowi wystawę. Anatol sprzedał na niej dziesięć płócien i zarobił więcej niż w ciągu roku pracy.

Kupił zapas farb i na kolejne tygodnie zaszył się w mieszkaniu. Malował od rana do nocy. Pił kawę i objadał się ziemniakami. Spał niewiele. Każdego dnia wypalał dwie paczki popularnych bez filtra. Nienawidził swojego życia.

Po trzeciej, najbardziej udanej wystawie, wrócił do domu i próbował się powiesić. Przez kilkanaście minut gorączkowo wiązał pasek na żyrandolu, a potem na klamce. Żyrandol urwał, a klamka była zbytnio wyrobiona. Rzucił paskiem o ścianę, otworzył okno i krzyczał.

Nie miał przyjaciół, kolegów, nawet znajomych. Nie odpowiadał „dzień dobry" sąsiadom. Rodziców dawno już przestał odwiedzać. Malował, jadał i spał. Wyobrażał sobie, że mogłoby być gorzej.

Coraz więcej klientów przyjeżdżało do niego po obrazy. Nie wpuszczał ich do mieszkania. Stawiał płótno przed drzwiami i targował się na klatce schodowej. Nie wiedział, co robić z pieniędzmi.

W niedziele nie pracował. Kupował butelkę wódki i sięgał po przygotowany zawczasu gruby plik gazet. Upijał się na leżąco, czytając o rzeczach, które go nie obchodziły. Kilka dni po tym, jak kupił jasne, dwupokojowe mieszkanie w centrum Konina, umarła jego matka. Poszedł na pogrzeb i nie zamienił z ojcem ani słowa. Od tamtej pory upijał się już co wieczór, inaczej nie mógł zasnąć.

Nadal nie umawiał się z kobietami. Sypiał ze starszą od siebie ekspedientką z Delikatesów, zdarzało się też, że korzystał z usług dziewczyn z Erosa. Któregoś dnia spojrzał na odbicie w lustrze i stwierdził, że bardzo się postarzał. Rzadkie siwiejące włosy urosły mu prawie do ramion. Skóra na twarzy obwisła.

Po śmierci ojca próbował odebrać sobie życie po raz drugi. Odkręcił gaz i położył się do łóżka. Obudziło go walenie do drzwi. Sąsiedzi.

Miał dość swojego zagraconego mieszkania i dość Konina, który przypominał mu o przeżytych latach. Kupił trzypokojowe mieszkanie w Kole – oddalonej o dwadzieścia pięć kilometrów miejscowości, z której pochodził jego ojciec. Zabrał najpotrzebniejsze rzeczy, wszystko inne zostawił za sobą.

Przestał pić i schudł dwanaście kilogramów. Zaczął oddawać krew, codziennie gotował. Każdego ranka wychodził do sklepu po pieczywo, a raz na trzy tygodnie odwiedzał fryzjera. Życie nabrało rytmu. Wtedy poznał Emilię. Mieszkała w tej samej kamienicy i wyglądała, jakby od dziecka szarpała się z życiem. Przedramiona i szyję pokrywały jej blizny od oparzeń. Była energiczna, zawsze dobrze ubrana. Czasami widywał ją uśmiechniętą. Podczas krótkich rozmów przy śmietniku opowiadała mu o synu bankierze.

Kiedy zaprosił ją na kolację, zgodziła się bez wahania.

– Tak, chętnie – powiedziała, a potem wbiegła po schodach, jakby miała lat piętnaście, a nie jakieś pięćdziesiąt.

* * *

Emilia poszła z Anatolem na kolację, a po kolacji poszła z Anatolem do łóżka. Nie było ani bardzo gwałtownie, ani bardzo niezręcznie. Anatol zachowywał się tak, jakby to była najzwyklejsza rzecz na świecie, i w pewnym momencie, już po wszystkim, Emilia pomyślała, że może to rzeczywiście jest najzwyklejsza rzecz na świecie.

Miał potężną pierś i miękki, mocno owłosiony brzuch. Pachniał tak, jak powinien pachnieć. Skórę na czole i szyi nabłyszczał mu pot. W myślach dziękowała mu, że nie pyta, czy jej dobrze i czy coś może albo nie może, że nic jej nie proponuje, niczego nie sugeruje – tylko po prostu jest mężczyzną. Kiedy zawinięta w kołdrę i trochę w niego zaczęła bezgłośnie płakać, nie odezwał się ani słowem, przycisnął ją jedynie mocniej do siebie i oparł brodę o czubek jej głowy. Myślała o Wiktorze, o tym, jak tamtego wieczoru tańczyła z nim w mieszkaniu dwa piętra wyżej, a on powtarzał to swoje „nie wierzę", i nagle poczuła się źle, że leżąc z tym miłym mężczyzną, myśli o innym, ale w końcu, po kilku minutach, przestała płakać i myśleć też przestała.

Obudziła się w środku nocy. Światło latarni rozlewało się dyskretnie na ścianie naprzeciwko okna. Anatol obejmował ją włochatym ramieniem i wypełniał ciszę nosowym, rytmicznym oddechem.

Emilia zamknęła oczy i z powrotem zapadła w ciepło.

* * *

Niedługo później wprowadziła się do Anatola. Nie potrafiła powiedzieć, kiedy to się stało. Przedmioty kolejno migrowały z jednego mieszkania do drugiego i w pewnym momencie okazało się, że w tym pierwszym prawie nic już nie zostało.

Czas płynął coraz szybciej. Tygodnie zaczynały się i zaraz kończyły, aby ustąpić miejsca kolejnym. Zaczęła chodzić do kosmetyczki i ufarbowała włosy na „mroźne mochaccino". Wyniki badań lekarskich odrobinę jej się polepszyły, a wędrujący ból drążył ciało rzadziej niż kiedyś.

Anatol przez większość czasu malował. W sobotnie i niedzielne popołudnia robił sobie wolne. Jeździli wtedy do kina w Koninie, chodzili na wycieczki po okolicznych lasach, czytali książki albo odwiedzali Helenę, której coraz więcej czasu zajmowało rozpoznawanie ich twarzy podczas powitania.

Anatol lubił i potrafił gotować. Jadał dwa razy dziennie, za to dużo. W każdą niedzielę obowiązkowo przyrządzał udziec barani po prowansalsku. Emilia widziała w lustrze dodatkowe kilogramy odkładające się jej na biodrach i udach. Od pewnego czasu nie bała się już swojego odbicia.

Z Sebastianem rozmawiała średnio raz w tygodniu, zazwyczaj o niczym. Zbywał pytania o studia, narzekał na pracę. Czasami głos miał bełkotliwy.

Którejś nocy obudził ją szarpnięciem. Stał obok łóżka, w ciemności, i potrząsał jej ręką.

– Mamo.

– Mhmm.

– Mamo, obudź się.

Powoli otworzyła oczy. Mlasnęła, oderwała głowę od poduszki.

– Sebastian? Co ty robisz u Anatola?

– Mów ciszej. Bo go obudzisz.

Usiadła na brzegu łóżka. Czekała, aż ciemność przed nią rozpłynie się na tyle, żeby mogła go zobaczyć.

– Dlaczego nie jesteś w Poznaniu?

– Musiałem przyjechać.

– Poczekaj, zapalę lampkę. Muszę założyć szlaf…

– Nie, nie zapalaj.

Przez chwilę nic nie mówiła. Słuchała świszczącego oddechu Anatola.

– Dlaczego mam nie zapalać? – zapytała w końcu.

Teraz to Sebastian się zawahał. Z ciemności dobiegło ciche westchnięcie.

– Bo coś mi się stało – powiedział po chwili, cicho.

– O Boże. Ale co?

– Coś z ustami.

– Z ustami? Chodź. Pokaż. Może nic poważnego.

– Boję się.

– No, chodź. Tylko zobaczę.

Usłyszała, jak szura nogami. Powietrze przed nią się poruszyło. Nadal ciemno.

– Daj rękę – powiedział.

Włożyła dłoń w ciemność przed oczami. Sebastian delikatnie chwycił ją i przyłożył sobie do twarzy. Przesunął po policzku, w stronę ust. Usłyszała szelest, a pod palcami poczuła coś jakby papier. Kawałki starego, zmiętego papieru.

– Rośnie mi to w ustach, mamo – powiedział Sebastian.

Gwałtownie cofnęła rękę i uderzyła w przycisk na nocnej lampce, a światło odbiło się w tym, co zostało z twarzy jej syna.

– Emilia! Emilia!

Zaspany Anatol potrząsał nią, powtarzając jej imię. Usiadła na łóżku. Poranek wpychał się do sypialni przez szpary w żaluzjach.

– Gdzie on jest? – zapytała.

– Kto?

– Nie… nie, już nic.

– Chodź, przytul się… – Anatol pociągnął ją z powrotem na łóżko i wcisnął głowę w jej włosy. – Jeszcze z godzinkę… pośpijmy.

Emilia już nie zasnęła. Kiedy koszmar powracał w ciągu następnych nocy, budziła się zawsze w tej samej chwili.

* * *

Z początku na cmentarz jeździła sama. Wydawało jej się, że tak będzie lepiej. Wyobrażała sobie, że to ona nie żyje, a Wiktor przychodzi na jej grób z inną kobietą. Doszła do wniosku, że chyba by tego nie chciała. Anatol o nic nie pytał i niczego nie proponował. Kiedy wracała, rozmawiali o wszystkim, tylko nie o cmentarzu, jakby ten element jej życia w ogóle nie istniał.

Coraz częściej czuła, że kogoś oszukuje. Anatola? Siebie? Zmarłego Wiktora? Nie chciała być sama. Wątpiła, by Wiktor – żywy czy martwy – tego chciał.

– Pojedziesz ze mną na grób? – zapytała któregoś razu, kiedy oboje krzątali się w kuchni.

– Jeśli chcesz – odpowiedział, jakby spodziewał się tego pytania już od dawna.

Kilka dni później pojechali. Było ciepło, a z nieba sączyła się mżawka. Emilia stała przed grobem i trzęsły jej się ręce. Znicze zapalił Anatol. Bez słowa wymieniła kwiaty w kamiennym wazonie i zmiotła liście z błyszczącego nagrobka. Przeżegnała się. Jak zwykle powoli przeczytała imię, nazwisko i dwie daty. Anatol stał z boku, z rękoma w kieszeniach, i zachowywał się, jakby to była najzwyklejsza rzecz na świecie. W pewnym momencie, już siedząc w samochodzie, Emilia pomyślała, że może to rzeczywiście najzwyklejsza rzecz na świecie.

Od tamtej pory regularnie zabierała go na grób Wiktora.

ROZDZIAŁ DWUDZIESTY TRZECI

Kazimierz Łabendowicz przyszedł do restauracji pół godziny przed czasem i usiadł przy oknie. Myślał, żeby może w rogu, ale jednak nie, jednak przy oknie, przynajmniej zobaczy ją wcześniej niż ona jego.

Za szybą pulsował Stary Rynek. Światła, ludzie, baloniki. Grupy młodzieży, pary trzymające się za ręce, policjanci kroczący wolno po kocich łbach. Powiesił kurtkę na oparciu, kwiaty ostrożnie położył na podłodze. Obite bordowym materiałem krzesło zapadło się pod nim głęboko, jakby na niego czekało.

Nie miał pojęcia, jak się wybiera elegancką restaurację. Nigdy nie był w eleganckiej restauracji. Sebastian powiedział mu, że Ratuszova będzie w porządku. Chyba była. Bordowe obrusy, kieliszki do wina, świeczki w małych słoiczkach. Na ścianach odkryta cegła, cicha muzyka gdzieś w tle.

Położył dłonie na kolanach i czekał. Miał przerzedzone włosy na czubku głowy, lewą górną czwórkę do usunięcia i przerażenie w oczach. Ważył sześćdziesiąt dziewięć kilogramów, nie nosił przed sobą brzucha i potrafił zrobić dwadzieścia pompek.

Otworzył menu. Przeciągnął dłonią po materiale spodni. Miał na sobie nowy garnitur i nową koszulę. Krawat stary. Krawat akurat znalazł w szafie. Po ojcu jeszcze. Ale jak nowy.

Rano był u fryzjera. Perfumy pożyczył od Sebastiana. Miał ogolone policzki, wyrwane włosy z nosa, paczkę gum miętowych w kieszeni i dwie prezerwatywy w portfelu, tak zupełnie na wszelki wypadek.

Przejrzał menu. Zamówił herbatę.

Co chwilę spoglądał przez okno. Może to ona? Nie. A tamta? Nie widział jej przez trzydzieści trzy lata. Kiedy go opuszczała, miał dwadzieścia dziewięć. Ponad pół życia jak wywalone w błoto.

Nie miał pojęcia, czy w ogóle ją pozna. Starał się o niej nie myśleć, ale myślał. Bardzo się postarzała? Przytyła? Schudła? Jak się teraz czesze?

Wiedział tylko tyle, że jest sama. Nigdy nie wyszła za mąż po raz drugi, zresztą nie załatwili nawet spraw formalnych.

A może nie przyjdzie? Może w ogóle nie miała zamiaru się pojawić? Odezwała się tak nagle, po tylu latach. Chciała porozmawiać. Może jednak poznała kogoś i potrzebuje rozwodu? Patrzył przez okno. Widział ją prawie w każdej kobiecie.

Za piętnaście piąta zadrżał telefon. Kazimierz wyszarpnął aparat z kieszeni i spojrzał na wyświetlacz.

Ona.

Dzwoni, żeby powiedzieć, że się rozmyśliła. Dzwoni, żeby go wyśmiać. Dzwoni, żeby mu wykrzyczeć przez słuchawkę, że jest skurwysynem i że jak mógł w ogóle myśleć, że po tym wszystkim ona zgodzi się z nim spotkać, jakby nigdy nic. Dzwoni, żeby powiedzieć, że był największym błędem w jej życiu.

Odebrał.

– Kazimierz?

Nie Kazik, nie Kaziu, ale Kazimierz, jak w urzędzie.

– To ja… cześć.

– Cześć… Jadę już, ale pociąg ma opóźnienie. Powinnam być w dwadzieścia pięć minut, ale coś się widocznie zepsuło, na razie stoimy w polu. Spóźnię się, więc jeśli jeszcze nie wyszedłeś…

– To znaczy, ja już jestem na miejscu. Ale nic się nie stało – dodał szybko. – Poczekam. Herbatę sobie zamówiłem.

– Dobrze, to w takim razie zadzwonię, kiedy już ruszymy.

– W porządku. To… do zobaczenia.

– Do zobaczenia.

Przyjdzie. Jednak przyjdzie.

Przełknął ślinę. Wsunął telefon do kieszeni.

A może jednak skłamała? Może siedzi w domu i śmieje się z niego? Ale po co miałaby kłamać? Gdyby nie chciała przyjść, toby nie dzwoniła. Chyba.

Kelner przyniósł herbatę. Filiżanka osobno, dzbanek osobno.

Kazimierz uśmiechnął się, podziękował.

A może jednak nie przyjedzie? Zamknął oczy.

– Kurwa – szepnął do siebie.

Posłodził herbatę, wymieszał. Oblizał łyżeczkę, chociaż może nie powinien. Stukał palcem w białe ucho filiżanki.

Istniała też możliwość, że chce go zaskoczyć i przyprowadzić Zośkę. Dwie na jednego. Na samą myśl o tym robiło mu się słabo. Zastanawiał się, co Zośka o nim myśli. Ostatnio widział się z nią kilka lat wcześniej. Trzy? Pięć? Chyba nie więcej. Pamiętał, jak go to uderzyło. Zośka była już wtedy dojrzałą kobietą, zbliżała się do czterdziestki. Pracowała w agencji nieruchomości. Nigdy nie wyszła za mąż. Nie miała dzieci. Spotkali się tutaj, w Poznaniu. To on się z nią skontaktował.

Spacerowali po Parku Sołackim, desperacko próbując znaleźć jakiś temat rozmowy. Co u niej? Dużo pracy w związku z boomem na rynku, poza tym mały remont kuchni. No i zapisała się na kurs śpiewu. A co u niego? Stara bieda, tylko lata lecą. W przychodni powiedzieli mu, że powinien rzucić palenie. Opowiadał jej, co nowego w Piołunowie, a ona spytała, czy czytał może coś Dana Browna. Nie czytał.

O dziwo lepiej pamiętał czasy, kiedy ponad dwie dekady wcześniej Krysia wysyłała ją w wakacje do Piołunowa. Spędzali kilka dni na odwiedzaniu sąsiadów, strzelaniu z procy do kuropatw i objadaniu się lodami Bambino. Pomagała mu nawet w obejściu. W całym swoim życiu to właśnie wtedy najbardziej czuł, że jest ojcem. W końcu Zosia przestała przyjeżdżać i wszystko się skończyło. Teraz jego córeczka miała ponad czterdzieści lat. Wciąż nie mógł w to uwierzyć.

Wiercił się na krześle, obracał w dłoniach menu. Jak długo można siedzieć w restauracji przy jednej herbacie? Przecież nie zamówi nic, bo później, z Krysią, nie zje. Może chociaż coś małego? Nie, jeszcze poczeka.

Przypomniał sobie poprzedni wieczór w mieszkaniu Sebastiana, długą wieczorną rozmowę o wszystkim i o niczym, przy szumie z telewizora i z pizzą z kartonowego pudełka, którą jadł po raz pierwszy w życiu. Sebastian opowiadał o studiach i o pracy. Był zmęczony. Zeszczuplał. W pewnym momencie, już dobrze po północy, zapytał go o ojca. O tamtą noc, kiedy skończyło się jedno życie Kazimierza Łabendowicza i zaczęło kolejne. To bez picia, bez kurew.

Opowiedział mu wszystko, co pamiętał, i wszystko, czego się dowiedział później, czyli w sumie niewiele.

– A jaki on w ogóle był? – dopytywał Sebastian.

– Jaki? – Kazimierz wzruszył ramionami i wypuścił z płuc powietrze, które musiał tam długo trzymać. – Cichy, spokojny, trochę dziwny. Wkurwiał mnie, co cię będę kłamał. Ale ogólnie się lubiliśmy. Bawiliśmy się czasem wspólnie. Robiliśmy zakłady. To wszystko było bardzo normalne, tak sobie teraz myślę. Byliśmy normalnymi braćmi. Czasami przez pół dnia potrafiliśmy dokuczać Durnej i było naprawdę wesoło. Ale też czasami go miałem dość.

– Czemu?

– Bo lubił mnie zadręczać różnymi pytaniami. To właśnie mnie u niego wkurwiało. Na przykład... nie pamiętam już dokładnie, ale raz na pewno pytał mnie, za ile bym sobie dał wyrwać wszystkie zęby. Albo czy bym z pożaru uratował prędzej matkę czy ojca. Mnóstwo tego wymyślał. Był ciekawy, dużo rzeczy go interesowało. Trochę go w szkole męczyli przez tę jego bladość, ale jakoś sobie radził. Uczył się bardzo dobrze. Twoja matka mówi, że to po nim jesteś taki zdolny. Zresztą on był ten lepszy z nas, ten mądrzejszy i grzeczniejszy. Ja byłem łobuz. Rodzice nigdy na niego nie narzekali. Oprócz tego jednego razu, kiedy zniknął na dwa miesiące i nikt nie wiedział, gdzie go wcięło, nie mieli z nim żadnych problemów. To ja byłem ten gorszy.

A teraz siedział, ten gorszy, w restauracji, sam jak zawsze, i czekał na żonę, która przecież nie przyjedzie.

Herbata stygła. Niebo nad rynkiem ciemniało. Kelner zerkał.

Kazik doszedł do wniosku, że zamówi kolejną herbatę, bo dłużej siorbać tych zimnych kilku kropli nie wypada, i już szykował się, żeby podnieść rękę, ale telefon znowu ożył mu w kieszeni. Ożył i ucichł, więc wiadomość. Od niej.

„Wciąż stoimy. Podobno jeszcze najwyżej pół godziny".

Schował aparat do kieszeni. Wyjął. Przeczytał wiadomość ponownie. Pół godziny. Pół godziny chyba jeszcze wytrzyma.

Skinął na kelnera i zamówił drugą herbatę.

Potem znowu patrzył za okno, znowu myślał o wszystkim, o czym nie chciał myśleć, i znowu obracał w dłoni kartę dań. Ssało go w płucach, ale papierosów specjalnie ze sobą nie wziął, żeby nie palić i nie śmierdzieć.

I po co to wszystko? Dla niej? Która może w ogóle nie przyjdzie? Po co się tak ogolił, uczesał, wyperfumował? Po co te kwiaty, cała ta szopka, skoro przecież wie, że tamto życie, życie z Krysią, od dawna już nie istnieje, może nigdy nie istniało?

Od momentu, kiedy dostał wiadomość, minęło pół godziny. A potem jeszcze piętnaście minut. Wziął bukiet ze stolika i położył sobie na kolanach. Kelner patrzył. Niech patrzy. Piętnaście róż, tak mu doradził Sebastian. Sześćdziesiąt złotych.

Kazimierz Łabendowicz wiedział, że jego żona nie przyjdzie i nic się nie zmieni, bo to życie nie różniło się od tamtego sprzed śmierci Wiktora, to było to samo życie, tylko upudrowane, natapirowane jak Dojka po wizycie w Radziejowie, fałszywe, udawane życie Kazimierza Łabendowicza. Tego złego.

Odłożył kwiaty i ścisnął głowę w dłoniach. Czuł zapach perfum. Czuł, że wszystko na nic, że wszystko zrujnował, że już nic nie będzie dobrze, bo on na to nie pozwoli.

– O kurwa, Boże święty… – szepnął do siebie. – O mój Boże.

Odetchnął głęboko, wyprostował się. Z obrusu podniósł menu. Odetchnął jeszcze raz i przywołał kelnera.

– Jedno piwo poproszę.

ROZDZIAŁ DWUDZIESTY CZWARTY

Nie chciało mu się, ale co miał zrobić. Wujek to wujek. Sebastian siedział więc w samochodzie, słuchał głosu radiowego prezentera, a samochód tkwił w kilometrowym korku.

Wuj Kazik zadzwonił dwadzieścia minut wcześniej. Z prośbą. Z błaganiem. Głos miał dziwny, może się pokłócili, może płakał i może trzeba go będzie pocieszać. Sebastianowi pocieszać kogokolwiek chciało się jeszcze mniej niż jechać przez zakorkowany Poznań, ale co miał zrobić. Wujek to wujek.

Najbardziej jednak nie chciało mu się lecieć na wycieczkę do Ekwadoru i na Galapagos – samolot już w poniedziałek – bo nie miał pojęcia, co się robi na takich wycieczkach, zwłaszcza w pojedynkę. Żałował, że posłuchał wtedy Żyrafy i wpakował się w to wszystko, ale było już zapłacone, zorganizowane, nawet walizkę kupił i kąpielówki. W Atlanticu, zielone. Najchętniej poleciałby z Mają, wtedy nawet by go to wszystko cieszyło, ale miejsc już nie było od dawna.

Widywał się z nią codziennie, a jeśli nie, to przynajmniej dzwonił. Jeśli nie dzwonił, pisał. Ona też pisała, najczęściej wieczorami albo późną nocą. Próbował nie myśleć, co robiła tuż przed wysłaniem do niego wiadomości albo co będzie robiła tuż po. Poza tym myślał o niej dużo, prawie bez przerwy. Od czasu, kiedy zmienił numer telefonu, miał przynajmniej spokój z wiadomościami od Borusa, ale wiedział, że one gdzieś krążą, trafiają w próżnię, w pustkę po starym numerze. Coraz częściej zastanawiał się, co by zrobił, gdyby mógł cofnąć czas i jeszcze raz stanąć przed drzwiami gabinetu swojego kierownika w chwili, kiedy miał do wyboru tamte dwie przyszłości, i coraz częściej dochodził do wniosku, że jednak by nie wszedł, że zostałby w tym życiu, które miał, nawet jeśli było nudne i normalne, nawet jeśli go nie cierpiał. Z drugiej strony wiedział, że wtedy nie poznałby Mai.

W innych przyszłościach chadzaliby po tym samym mieście, odwiedzali te same galerie handlowe, może nawet minęli się na ulicy, ale prawdopodobnie nigdy by się nie spotkali.

Klakson rozerwał myśl na pół.

Sebastian podniósł wzrok. Zielone.

Za skrzyżowaniem zrobiło się odrobinę mniej tłoczno. Dziesięć minut później był już na miejscu. Zaparkował na Placu Wielkopolskim, na kopercie dla inwalidów, na ukos. Przeszedł przez rynek, stanął przed restauracją. Położył rękę na klamce i energicznym krokiem, gotowy na pocieszanie, wszedł do środka.

W środku było ciepło i głośno.

– To chodź i sobie, kurwa, weź, jak taki jesteś fafaracha! – krzyczał wuj Kazik, opierając się o krzesło i próbując wycelować rozdygotanym palcem w kelnera. – No i na chuj się jeszcze patrzysz? Myślisz, że co, że ja jestem dziadek i ci nie przypierdolę, co, tak myślisz? To chodź, chodź, no chodź!

Kelner stał przed nim, wyprostowany i z rękoma złożonymi na plecach, za barem tleniona blondynka przyciskała do ucha telefon, a kucharz przyglądał im się z rogu, jakby tylko czekał, kiedy ma zainterweniować.

– Przepraszam! – powiedział głośno Sebastian do wszystkich i do nikogo, a następnie podszedł do wuja i spróbował go uspokoić, co się jednak nie udało.

– Czekaj, zostaw, puść mnie! – Wyrwał się siostrzeńcowi i wypinając pierś, spojrzał znowu na kelnera. – Ten tu frajer, kurwa, myśli, że ja się go, kurwa, go boję, frajer srajer, myśli, że... No co się? Co się gapisz?

Sebastian podbiegł do baru, zapłacił, ile trzeba było zapłacić, a potem wrócił do wuja i zaczął popychać go powoli w stronę drzwi. Wuj szarpał się, wyrywał i krzyczał, ale widać było, że powoli już się tym szarpaniem, wyrywaniem i krzyczeniem męczy. W okolicach wyjścia znowu zaczął bluzgać, choć chyba sam już nie wiedział, kogo przeklina i za co. Dyszał ciężko i pociągał nosem. Wyginał się na boki, jakby nagle coś go zaczęło mocno ciągnąć do ziemi.

Sebastian otworzył drzwi w tym samym momencie, kiedy z drugiej strony chwyciła za klamkę kobieta mniej więcej w wieku jego matki. Miała na sobie cienką czarną kurtkę i spódnicę do kolan. Spieszyła się.

Zanim Sebastian zrozumiał, przystanęła naprzeciw nich, cofnęła się o krok i zaczęła szukać dłonią klamki, którą przed chwilą puściła.

Kazimierz umilkł, przestał nawet dyszeć. Wszystko ucichło i znieruchomiało, kobieta patrzyła na nich nieruchomym wzrokiem, jej ręka wisiała w połowie drogi między biodrem a klamką, nawet Poznań za oknem jakby zatrzymał się na chwilę, ale zaraz wszystko ruszyło, jakby tryb świata nagle zaskoczył, kobieta znalazła dłonią klamkę, Kazimierz zakołysał się znowu, a Sebastian zrozumiał i otworzył usta, ale nie powiedział nic, bo i co tu można było powiedzieć.

CZĘŚĆ V

2004

ROZDZIAŁ DWUDZIESTY PIĄTY

Był w Piołunowie. Po raz pierwszy w życiu. Tydzień wcześniej wyprowadził pijanego wuja z restauracji, patrząc, jak jego była żona oddala się powoli, a potem znika za rogiem Świętosławskiej. Tydzień wcześniej wysłuchał pijackiej tyrady Kazimierza Łabendowicza na temat miłości, z powtarzaną co chwilę frazą „życie to jest jeden, kurwa, wielki dygot" i płaczem na sam koniec. Tydzień wcześniej patrzył w oczy człowiekowi, który z zimnym przekonaniem mówił o tym, w jaki sposób zabije się po powrocie do domu. Tydzień wcześniej z ulgą odstawił też nową walizkę do szafy i podarł bilet na samolot.

– Jadę z tobą – powiedział wtedy do wuja, który, skulony na łóżku, usiłował zniknąć.

Następnego dnia wsiedli do samochodu i pojechali, bez śniadania, bez planu i bez tematów, na które chciałoby się im rozmawiać. Jechali w ciszy, wuj palił przy otwartym oknie. Sebastian próbował go zagadywać, w końcu dał sobie spokój.

A teraz był w Piołunowie i zastanawiał się, jak to możliwe, że nigdy wcześniej tu nie przyjechał, nigdy nie zapytał matki, dlaczego nie odwiedzają wujka, dlaczego nie jeżdżą na grób dziadków, dlaczego to wszystko w ich życiu jakby nie istniało.

Piołunowo liczyło dwustu jedenastu mieszkańców, miało wąską asfaltową drogę i małą kapliczkę z krzyżem ustawionym pomiędzy dwoma drzewami. Nad niewielkim stawem raz w roku odbywał się turniej wędkarski. Podobno na polu Śrubasa znajdował się kiedyś cmentarz, gdzie chowano zmarłych na cholerę. Podobno dziadek Paliwody znalazł w ziemi coś, co przypominało widły i co okazało się pochodzić z czasów bitwy pod Płowcami. Narzędzie znajdowało się teraz w Muzeum Wojska Polskiego w Warszawie, a za jego oddanie Paliwoda nie dostał ani grosza. Podobno w zaroślach niedaleko rowu stała kiedyś chata wariatki Dojki, która twierdziła, że jest babką Wiktusia i Kazika Łabendowiczów.

Wuj mieszkał w zaniedbanym domu z jednej strony gęsto obrośniętym bzem. W pokojach czuć było wilgocią i odchodami sowy, która sypiała na zegarze. Sowa wabiła się Durna, ale nie reagowała na to imię, bo nie reagowała na nic. W ciągu dnia wylatywała przez okno i kołowała nad podwórzem albo siadała na słupku balustrady przy zewnętrznych schodach prowadzących na strych. Wpatrywała się nieruchomym wzrokiem w jeden punkt gdzieś przed sobą albo zamykała oczy i nie wiadomo było, czy śpi, czy czuwa. Przez większość czasu wyglądała jak wypchana.

Lato powoli zmieniało się już w jesień, ale bardziej było jeszcze latem niż jesienią. Słońce grzało jak wcześniej, tylko poranki były coraz chłodniejsze. Nocami padało.

Wuj nie pił.

Nie golił się. Jadł niewiele. Trzy razy dziennie chodził do oprzętu, poza tym tylko siedział przed domem i palił. Porzucił krzyżówki i „Nową Fantastykę”. Nie jeździł do Radziejowa. Mówił wyłącznie to, co musiał mówić: „tak”, „nie”, „nie wiem” i „kurwa”. Sebastian starał się być blisko niego, tak jak można być blisko kogoś, kogo prawie nie ma.

Na pole za domem poszedł drugiego dnia po przyjeździe.

Najpierw obejrzał fragment, na którym w czasie zaćmienia księżyca umierał dziadek Jan. Podniósł grudkę ziemi i rozgniótł ją w palcach, patrząc na płytkie redliny sunące w stronę dalekiej, porośniętej trawą miedzy. Miejsce wyglądało jak każde inne. Wzdłuż drogi ciągnął się głęboki, gęsto zarośnięty rów, a kilkadziesiąt metrów na lewo sterczał z ziemi stary słup linii energetycznej. Sebastian pamiętał zdjęcie z rodzinnego albumu, na którym jego młody, blady ojciec uczepia się pionowej konstrukcji, spoglądając na celujący w niego z dołu obiektyw. Przez chwilę zastanawiał się, czy nie wejść na ten słup, nie dotknąć tych samych miejsc, których kilkadziesiąt lat wcześniej dotykał Wiktor Łabendowicz, ale ostatecznie dał sobie z tym spokój.

Otrzepał ręce i poszedł dalej.

Drugiego miejsca wuj od ponad trzydziestu lat nie orał. Ziemia stwardniała. Na spulchnianym nieustannie polu wyglądała jak strup. Pośród niskich ostów leżał przewrócony znicz. Sebastian usiadł na brzegu tego nierównego, zachwaszczonego skrawka i próbował coś poczuć, cokolwiek. Wiele razy wyobrażał sobie to miejsce, ten moment, i zawsze coś się działo, a jeśli nawet nic się nie działo, to było podniośle, wyjątkowo, trochę magicznie. A tu nic. Pole, znicz w chwastach, zapach ziemi. Rów i słup telegraficzny. Dwa gospodarstwa rysujące się w oddali. Sebastian położył się na plecach, spojrzał w niebo. Czuł osty drapiące go w szyję. Po kilku minutach wstał, otrzepał się i wrócił do domu. Wuj siedział w fotelu i patrzył w wyłączony telewizor.

* * *

Sebastian miał wrażenie, że jeszcze nigdy w życiu tak się nie nudził. Zaczął biegać. Wstawał około siódmej i ruszał utwardzoną drogą w stronę Kwilna. Okrążał okoliczne wsie, mijał sklepy, kapliczki. Pracujący w polu ludzie pozdrawiali go czasem uniesionymi rękoma.

Po powrocie przygotowywał śniadanie i siadał z wujem do stołu. Kazimierz dłubał przez chwilę w talerzu, a potem odsuwał go od siebie, zapalał papierosa. Sebastian zjadał obydwie porcje.

Prawie codziennie chodził po Piołunowie. Ludzie sami go zagadywali. Najstarsi mówili mu, że wygląda jak Janek, „ino trochę większy". Że podobną ma twarz, podobne usta. Gdyby nie ta fryzura, powtarzali, byłbyś identyczny. Oglądał później zdjęcia w jakimś starym albumie i może rzeczywiście, może odrobinę był podobny.

Czwartego dnia zadzwonił do Żyrafa i zapytał, ile zostało im pieniędzy. Żyraf, ugięty pod ciężarem kaca, wyliczył, że około dwustu dziesięciu tysięcy.

– Połowę sobie zostaw, a połowę wyślij mi kurierem – powiedział Sebastian. – Napiszę ci adres.

– A jak tam sprawy?

– Na tyle dobrze, że dzwonię – odparł, przyglądając się nieruchomej sowie. – Ale happy endu to raczej w tym wszystkim nie widać.

Na obiad jedli zwykle to samo co na śniadanie. Jaja, kiełbasę z musztardą, bułki ze smalcem od Paliwody. Czasem gotowaną kurę. Czasem rosół. Sebastian codziennie wychodził na pole, kładł się na stwardniałym skrawku ziemi i dzwonił do Mai. Rozmawiali o wszystkim, tylko nie o tym, o czym chciałby z nią rozmawiać. Po kilku dniach poprosił, żeby do niego przyjechała.

– Tak się stęskniłeś?

– To też. Ale później długo możemy już nie mieć okazji.

– Ty coś zbroiłeś, prawda?

– Chyba można tak powiedzieć.

Obiecała, że się postara.

Po rozmowach z Mają wracał zwykle do domu, zapadał się w fotelu obok wuja i siedział tak, wdychając dym papierosowy i słuchając radia.

Wieczorami czytał stare numery „Młodego Technika" i „Fantastyki", zanurzając się w światy, o których nie miał pojęcia. Bywał marynarzami, wiedźminami, pilotami i ludźmi o umysłach bestii. Walczył, kochał, mordował. Zasypiał wcześnie, zmęczony życiem, w którym się nic nie działo.

* * *

Któregoś wieczoru Kazimierz zaczął mówić. Stał przy oknie. Patrzył na pole. Zapalił papierosa, odchrząknął i powoli wypowiedział pierwsze słowa, a potem już nie miał siły przestać. Opowiadał o dzieciństwie, o szkole, o kazaniu w kościele i o wiejskich zabobonach. Opowiadał o Wiktorze, o tym, jak sąsiedzi próbowali go zabić, kiedy był jeszcze dzieckiem, i o tym, jak wiele lat później uciekł z domu bez słowa. Opowiadał o dziewczynach, do których on sam jeździł na rowerze, o książkach, które codziennie opowiadała im matka, i o garniturach, które ojciec przynosił nocami do domu. Opowiadał o Krysi i o tym, jak ją całą rodziną odwiedzili w szpitalu po porodzie. Opowiadał o pijaństwie, o kurwach i o nocy, kiedy umarł Wiktor.

– I nikt we wsi nic nie wiedział? – zapytał Sebastian, kiedy wuj wreszcie umilkł.

– Nikt. Dojka rozpowiadała tylko, że widziała zabójcę, ale to wariatka. Rozmawiałem z nią, oczywiście. Mówiła same bzdury.

– Co się z nią stało?

– Z Dojką?

– No.

– Nic się nie stało. Podobno wciąż żyje. Śrubas mówił, że ostro daje popalić ludziom w domu opieki. Zawsze uważałem, że to babsko wszystkich nas przeżyje.

* * *

– To jedna z naszych najstarszych pacjentek – powiedziała pani Beata Drozd z Gminnego Ośrodka Pomocy Społecznej w Radziejowie, prowadząc Sebastiana długim, wąskim korytarzem. – Najlepiej
toby chciała, żeby ją w kółko czesać albo farbować jej włosy. Tych
włosów prawie już nie ma, ale to jest dla niej najcenniejsza rzecz
na świecie. Ciekawa kobieta. Zresztą większość naszych pacjentów
to bardzo ciekawe osoby. Wie pan, oni już przeżyli całe życie; są
mądrzejsi i mają więcej do opowiedzenia niż ja czy pan. Jest tu taka
pani Marianna, która prześlicznie rysuje, ale zawsze to samo, strasz-
nego człowieka o psim pysku. Mamy też pana Stasia, któremu czasem wydaje się, że jest Josephem Conradem. Chodzi wtedy i prosi,
żeby spisać jego ostatnią powieść. Bardzo ciekawi ludzie, dlatego tak
trudno patrzeć, jak nam tu powolutku gasną. Ale się rozgadałam.
Już jesteśmy.

Stali przed salą numer 129. Woń lekarstw aż kręciła w nosie. Sebastian pożałował, że w ogóle tu przyszedł.

– Proszę – powiedziała pani Beata, otwierając drzwi i puszczając
go przodem.

Niewielkie pomieszczenie niemal w całości zajmowały dwa łóżka. Jedno było równo zasłane. Na drugim, pod cienką kołdrą, wybrzuszały się stopy, kolana i klatka piersiowa chudej kobiety. Kobieta spała. Jej pozwijane przez artretyzm i oplecione zielonymi żyłami
dłonie spoczywały jedna na drugiej. Nieco wyżej rozpięta na jeden
guzik koszula od pidżamy odsłaniała długą szyję spływającą ku de-
koltowi w pomarszczonych fałdach. Wyglądała ta szyja, jakby wy-
rzeźbiono ją w wosku, a potem przez nieuwagę pozostawiono zbyt
blisko grzejnika. Głowę staruszki zdobiły ciemne plamy wątrobowe
i rzadkie, ufarbowane na brązowo włosy.

– Śpi – powiedział Sebastian.

– Raczej nie. Prawie nie sypia.

– Janek? – zapytała staruszka.

Sebastian spojrzał najpierw na nią, a potem na panią Beatę. Ta uśmiechnęła się, jakby przepraszająco, a potem wyszła i cicho zamknęła za sobą drzwi.

Dojka patrzyła na niego, nieznacznie poruszając wargami. Bardzo chciał coś powiedzieć, ale wszystko, co przychodziło mu do głowy, było głupie.

– Jak się pani czuje? – zapytał w końcu, też głupio.

– Z grubsza tak, jak wyglądam – odparła, szczerząc ciemne pozostałości po zębach. – Dawno cię nie widziałam, synuś.

– No…

– Co u Irki? Nie chora aby?

– Nie, nie… – odchrząknął, rozejrzał się. – Zdrowa.

– To dobrze. Ale matki nie odwiedza.

– No… tak.

– A ty po coś przylazł? Najpierw grozisz, potem odwiedzasz, o co ci idzie?

– Słucham?

– Nigdy cię nie lubiłam, Janek. Zawsześ mi się wydawał jakiś taki wystraszony.

Sebastian wsunął ręce w tylne kieszenie dżinsów i zastanawiał się, co go w ogóle podkusiło. Dojka przeniosła wzrok na ścianę. Wyglądała, jakby nagle o nim zapomniała.

– Podobno wiesz, kto zabił Wiktora – powiedział w końcu, podchodząc trochę bliżej.

– Ano wiem – odparła, nie odrywając wzroku od ściany.

– Skąd wiesz?

Dojka wzruszyła ramionami.

– Na polu wtedy spałam, za gospodarką Śrubasa. Cieplutko było. A tu nagle łubu-dubu i biegnie, sadzi susy. Zwiewał, jakby mu ogon podpalili. Mało mnie nie podeptał!

– Ale kto? Znałaś go?

– A pewnie, że znałam.

– Powiedz mi.

Dojka przejechała dłonią po tym, co zostało z jej włosów.

– Fryzjer – oświadczyła w końcu i z powrotem wbiła wzrok w ścianę.

– Fryzjer?

– Ten, coś z nim w więzieniu siedział.

Przez chwilę żadne z nich się nie odzywało.

– Synuś? – Dojka w końcu podniosła głowę.

– No?

– Powiedz ty Irce, żeby też do mnie przyszła.

* * *

Parkując przed stodołą, Sebastian o mało nie przejechał kury. Przebiegł przez podwórko i wparował do domu.

– Właśnie byłem u tej wariatki, co twierdzi, że…

Przy stole w kuchni siedział Kazimierz, a naprzeciw niego kobieta, którą spotkali w restauracji w Poznaniu. Trzymała dłonie płasko na stole, obok szklanki z herbatą. Odwróciła głowę i uśmiechnęła się do Sebastiana, ani wesoło, ani smutno. Kazimierz patrzył na łyżeczkę, którą szybko obracał w dłoniach. Wyglądał, jakby przed chwilą wyszorował sobie twarz pumeksem. Głośno chwytał powietrze.

– Przepraszam – mruknął Sebastian, nie ruszając się z miejsca.

– Nic nie szkodzi – powiedziała Krystyna. – Ja już wychodzę.

Wstała i przez chwilę w zamyśleniu wygładzała spódnicę, a potem szybkim, niezdarnym ruchem poklepała Kazimierza po plecach.

– Wszystko dobrze – powiedziała cicho. Odwróciła się do Sebastiana. – Krystyna Łabendowicz.

Sebastian bez słowa podał jej rękę. Miała bladą cerę i modnie postrzępioną fryzurę. Bił od niej silny zapach perfum.

– Zostań jeszcze – powiedział zgarbiony nad stołem Kazimierz.

– Autobus mam.

Pokiwał głową.

– Do widzenia – szepnęła Krystyna i wyszła na zewnątrz.

Kazimierz powoli wstał i oparł ręce o parapet. Patrzył przez okno jeszcze długo po tym, jak żona zniknęła mu z oczu.

Przeszli później do pokoju i usiedli w wysłużonych fotelach. Sebastian chciał włączyć telewizor, ale nigdzie nie widział pilota. Z kopiastej popielniczki unosiła się wstążka dymu. Na starym zegarze siedziała Durna. Kazimierz palił, opierając głowę na dłoni.

– Sama przyjechała – powiedział powoli, patrząc przed siebie. – Powiedziała, że te trzydzieści jeden lat bez picia… Że jest ze mnie dumna. Ze mnie, Sebastian, kurwa mać, ze mnie dumna.

Przerywał na chwilę i poruszał ustami, jakby próbował zebrać w nich ślinę.

– Powiedziała, że widocznie nam nie było… że tak po prostu bywa. Mówiła, że… – Oddychał głęboko, znowu poruszając ustami. – A chuj z tym wszystkim. Przynajmniej przyjechała.

Sebastian pokiwał głową, a potem wstał i zaparzył herbatę. Wieczorem siedział z wujem przed telewizorem, bo czuł, że tak trzeba. Położył się wcześnie i długo nie mógł zasnąć.

Następnego dnia poznał czarnego człowieka.

ROZDZIAŁ DWUDZIESTY SZÓSTY

Helena Gelda, która przez całe życie była niewysoka, nieśmiała, niepozorna i nierozmowna, jakby obawiała się być po prostu jakakolwiek, siadała rano przed telewizorem i czuła, że ze wszystkich stron opływa ją coś, na co zawsze czekała i czego zawsze się trochę bała. Coś wielkiego, głośnego i cichego jednocześnie. Kiedy ją opływało, słyszała Bronka, Bronisława i tego stępiałego starca, który już nie był żadnym z nich, słyszała Felka, który zginął w Łodzi pod kołami samochodu, słyszała swoją teściową prowadzącą Zieleniak i słyszała Basię Chałupiec, która została Polą Negri. Słyszała swoją Milkę, która za dziecka omal nie spłonęła, i słyszała Wiktora, który dał jej tyle radości, a potem tyle czarnych bezsennych nocy.

Siadała w fotelu i włączała telewizor. Bohaterowie seriali, filmów i reklam spędzali z nią całe dnie. W ciszy nie umiała już żyć, w ciszy czuła się niespokojna, jakby coś zaraz się miało wydarzyć, a ona nie chciała już, żeby się cokolwiek wydarzało. Chciała, żeby mówiły do niej głosy z telewizora i te drugie, które słyszała czasem, zapadając w sen. Stawiała herbatę na kredensie obok fotela i najczęściej zapominała o niej, tak jak zapominała o wszystkim innym. Lewa ręka mocno jej drżała. Dziąsła jej nie bolały, to znaczy nie bardziej niż wszystko inne. Potrafiła sama się załatwić, sama dojść do kuchni i zrobić sobie kanapkę.

Czuła, że każdego dnia jest jej trochę mniej. Że codziennie jakiś prąd zabiera ją po kawałku, od stóp i głowy równocześnie, bo stopy jej okropnie drętwiały, a w głowie robiło się pusto. Otwierała drzwi i patrzyła na bliskich sobie ludzi, na Emilię, na jej nowego mężczyznę i na sąsiadów, ale widziała w nich obcych i tylko czasem, kiedy mocno się postarała i wystawiła głowę ponad to, co ją powoli ze sobą zabierało, poznawała ich wszystkich i wtedy czuła, że jeszcze trochę żyje.

Helena Gelda, której przez całe życie wydawało się, że jest tylko dodatkiem do Bronka i której zawsze było jakby mniej niż innych, wiedziała, że podczas wyjazdu do sanatorium jej mąż poznał kogoś i się w tym kimś zakochał, choć był przekonany, że tak świetnie to ukrywa i że ona nie wie, ale Helena wiedziała. Pod koniec życia żałowała, że nigdy go nie zapytała o tamtą kobietę.

Helena Gelda, która nauczyła się żyć z wiecznym bólem zębów, z całym domem na głowie oraz z człowiekiem takim jak Bronek, zasnęła przed telewizorem i we śnie usłyszała znajomy szum. Wiedziała, że teraz zabierze ją już na zawsze, a ona wreszcie zajmie miejsce, które czekało na nią od chwili narodzin. Zapadała się coraz głębiej, a to, w co się zapadała, zabierało ją, kawałek po kawałku. Zanim zabrało zupełnie, Helena zatańczyła jeszcze z Bronkiem na podwórku przed ich domem w Lubinach. On poruszał się jak belka drewna wrzucona do rzeki i szarpana na boki wiatrem i wodnymi wirami. Kołysał się i przestawiał nogi z taką siłą, jakby chciał zadeptać całą trawę. Helena wtulała się w niego i powtarzała, jak bardzo jest mu wdzięczna.

Przeżyła dziewięćdziesiąt pięć lat. Umarła w fotelu, we śnie. Przed telewizorem.

ROZDZIAŁ DWUDZIESTY SIÓDMY

W Radziejowie czarnego człowieka znali prawie wszyscy. Nazywał się Dionizy Krzaklewski i nadal prowadził salon fryzjerski przy ulicy Zachodniej niedaleko rynku. Był chudy, przygarbiony. Strzygli się u niego już tylko dawni znajomi. Z każdym rokiem było ich coraz mniej.

Sebastian przyszedł z samego rana. Rozejrzał się po zakładzie. Klientów nie było. Wnętrze przypominało wyblakłą widokówkę z lat osiemdziesiątych. Czas wżarł się w lustra i stojącą przy drzwiach kanapę. Ściana nad kaloryferem poszarzała od ciepła. Czerwoną skórę na fotelach pokrywały gęste pajęczyny pęknięć.

Krzaklewski siedział na krześle w rogu i obcinał sobie paznokcie. Światło lampy odbijało się od jego łysej głowy. Na widok Sebastiana podniósł się i wyszedł na środek salonu. Poruszał się powoli. Twarz miał bladą. Otworzył usta, ale nic nie powiedział. Podsunął okulary wyżej na nos i mocno zmrużył oczy.

– To pan? – zapytał w końcu.

– Nazywam się Sebastian Łabendowicz. Jestem synem Wiktora.

– Wygląda pan jak pana dziadek – powiedział Krzaklewski. – Gdyby nie ta fryzura…

– Nie przyszedłem tu, żeby słuchać, do kogo jestem podobny.

– Tak, rozumiem… Wiem, po co pan przyszedł. Ale ja panu nie dam tego, co by pan chciał. Ja pana ojca nie zabiłem.

* * *

Kiedy Sebastian przestał kląć i krzyczeć, Krzaklewski poprosił, żeby przeszli do jego mieszkania.

– Powiem panu wszystko, co pan chce wiedzieć. Tylko nie róbmy tu awantury. To jest małe miasto...

Poszli na zaplecze, a stamtąd do niewielkiego, zagraconego pokoju z jeszcze mniejszą kuchnią. Sebastian stanął przy oknie i czekał. Na parapecie piętrzyło się kilka roczników „Wędkarza Polskiego", na meblościance sterczała drewniana figurka słonia i masywny krzyż. Dwa inne zdobiły przeciwległą ścianę. Z obrazu nad drzwiami spoglądała Maryja.

Krzaklewski podał herbatę i ciasteczka maślane. Usiedli na wersalce, obok siebie. W powietrzu czuć było stęchliznę i ten nieokreślony, słodko-kwaśny zapach starości. Za oknem jednostajnie szumiał Radziejów.

Dionizy Krzaklewski powiedział Sebastianowi, że jego ojciec był najlepszym i najgorszym, co go w życiu spotkało.

Najlepszym, bo dawno temu zaprzyjaźnił się z jego upośledzonym synem i jakimś cudem, przyjeżdżając do niego z Piołunowa na tym swoim zielonym rowerze, sprawił, że Jureczek wypełzł z jamy, którą starannie wydrążył gdzieś głęboko w sobie. Najgorszym, bo niecałe dziesięć lat później przyszedł do nich w nocy.

– Jureczek to w nim widział Boga – stwierdził Krzaklewski, wsypując do szklanki z herbatą czwartą, a może już piątą łyżeczkę cukru. – A Wiktorowi to bodaj pasowało. Chciał czegoś inszego niż te zdziwione albo złe spojrzenia, co to się z nimi od maleńkości spotykał, gdzie by nie poszedł i co by nie robił. A z Jureczkiem to tego... grał w karty i w warcaby, czytał mu książki różne, albo czasem wychodził nocą i pokazywał mu miasto, jak ono już spało. Dla nich obu to było coś nowe. Oba nie mieli nawet kolegi, a co dopiero przyjaciela. Żebyś pan widział, jak Jureczek na niego patrzył. Ja go nigdy takiego wcześniej nie widziałem.

Mężczyzna podniósł głowę i przez chwilę spoglądał w sufit, jakby zapisał tam sobie, co ma mówić dalej. Sińce pod oczami wyglądały na ciemniejsze niż wcześniej. Chude ręce drżały.

– Wie pan, Wiktor miał lepiej, bo był zdrowy, normalny, ale i gorzej, bo musiał chodzić do szkoły, do kościoła, wszędzie tam, gdzie ludzie. Cały był roztrzęsiony, i ja go rozumiałem. Jak mnie którego razu zapytał, czy mógłby u nas zostać trochę, to się zgodziłem i nikomu nic nie powiedziałem. Ja wiem, że to źle, wtedy też wiedziałem, bo to był młody chłopak, rodzinę miał, ojcu w polu pomagać powinien. Ojca przecież znałem, siedziałem z nim w więzieniu. To tam mu o Jureczku opowiadałem. Dobry człowiek. Piękną miał żonę. Ale nic im nie powiedziałem, ani Jankowi, ani jej, bo sobie pomyślałem, że jeszcze trochę Jureczkowi sprawię radość. I tak dwa miesiące przeszły. Pan sobie możesz teraz pomyśleć o mnie, że jestem sukinsyn i pewnie jestem, jak go tu tak długo w tajemnicy trzymałem, ale przez te dwa miesiące mój chłopak się uśmiechnął więcej razy niż wcześniej przez całe dziewiętnaście lat. To co miałem robić? Co by pan zrobił?

Sebastian patrzył na niego w milczeniu. Nie ruszył herbaty. Ciastek też nie. Co jakiś czas wycierał spocone dłonie o spodnie. W gardle miał sucho, w głowie huk.

– I co dalej? – zapytał w końcu.

– Od jednej z klientek dowiedziałem się, że jego ojciec, to znaczy pana dziadek, w szpitalu jest. Że bardzo z nim źle. Powiedziałem Wiktorowi. Następnego dnia pożegnał się z nami i poszedł. Od tamtej pory go nie widziałem. Aż jak wiele lat później przyszedł w nocy. Wtedy, kiedy tego… wie pan.

Krzaklewski umilkł. Wyglądał jak ktoś, kto już nie powinien tyle mówić. Patrzył w sufit i głośno oddychał. Jezus i słoń przyglądali mu się z meblościanki. Śmierdziało lekarstwami.

– Niech pan się streszcza – powiedział Sebastian.

Dionizy Krzaklewski odstawił herbatę na stolik, a potem znowu zaczął mówić. O tym, jak wiele lat po tamtym rozstaniu Wiktor przyszedł do niego w środku nocy, spocony, wymęczony, i poprosił o pomoc. O tym, jak udali się samochodem Krzaklewskiego do Kłonówka, a stamtąd pieszo, polami, do Piołunowa. O tym, jak Wiktor wyciągnął nagle nóż, skradziony Krzaklewskiemu z kuchni, a potem podwinął koszulę i otworzył sobie brzuch. O tym, jak Krzaklewski pobiegł do domu Łabendowiczów i jak mu nikt nie otworzył, bo dom był pusty, i o tym, jak wrócił zaraz do leżącego Wiktora, który powtarzał, że wreszcie się na coś przyda, żeby zabrać to wszystko, bo to dla Jureczka, że krew, że wnętrzności, że wyzdrowieje, on od nich wyzdrowieje. Że o tym gdzieś przeczytał i że to wszystko prawda.

– Leżał i bił rękoma o ziemię, tak go bolało, albo taki był na coś zły. Najpierw mówił, później już nie. Później zamknął oczy i oddychał szybko, głęboko.

Krzaklewski opowiadał, jak klęczał przy Wiktorze i jak krzyczał do niego, świadomy, że te słowa do nikogo już nie docierają. Że Wiktor Łabendowicz może i jeszcze nie umarł, ale na pewno już nie żyje.

– Po co mnie tam zaciągnął, nie wiem – mruknął, przyglądając się własnym dłoniom. – Może po prostu chciał umrzeć tam gdzie ojciec. Może mu ta ziemia była jakoś bliska. Nie mam pojęcia. Ale widać było, że wierzył w to, co mówi. Wierzył, że krwią i wnętrznościami albinosa można kogoś wyleczyć. Ja go próbowałem podnieść, ale w takim stanie… no, to było tego… niemożliwe. Chciałem mu to jakoś zatkać, zatrzymać tę krew, ale to była za duża rana. Wie pan, ja ten nóż dzień wcześniej ostrzyłem. Całe życie miałem taki zwyczaj. Noże, nożyczki, wszystko regularnie ostrzyłem. Ale może dzięki temu... może się tak nie męczył. Ja nic nie zdążyłem zrobić, wie pan, zanim się zorientowałem... Pana ojciec bardzo szybko umarł. Od tamtej pory ani razu nie ostrzyłem noży.

Sebastian słuchał tego wszystkiego, przesuwając sobie ręką po karku i szyi. Z huku w głowie nie potrafił wyłowić żadnej konkretnej myśli. Czuł, jak koszulka przykleja mu się do spoconych pleców. Wiedział, że musi coś zrobić, ale nie wiedział co. Wstał z wersalki i zaraz usiadł z powrotem. Krzaklewski wciąż oglądał swoje dłonie. Gdzieś za oknem rozległ się wesoły dziewczęcy pisk. Jezus i słoń wyglądali, jakby zaraz też mieli się roześmiać.

Sebastian zamknął oczy i pokręcił głową.

– I co dalej? – zapytał.

– Uciekłem.

– A pana syn?

– Jureczek? Jureczek to tego... od dawna nie żyje.

– Ale wtedy.

– Jak chcesz pan mnie zapytać, czy zabrałem wnętrzności pana ojca, to oczywiście nie, niczego nie wziąłem. Byłem przerażony. Jakbym tylko wiedział, co on chce zrobić, to nic by się nie stało. Nawet pan nie wiesz, jak często ja o tym myślę.

Sebastian wstał, podszedł do drzwi, od drzwi do kuchni i z powrotem.

– To wszystko jest... ja pierdolę, ale...

– On był, wie pan, on był przekonany, że w ten sposób robi dobrze. Pana ojciec to był... Ja wiem, co o nim mówili. Ale on był przecie, tego... bardzo przyzwoity człowiek.

Sebastian patrzył na Krzaklewskiego i powoli kręcił głową.

– Ja wiem, co pan sobie myśli – ciągnął mężczyzna. – Że ja może kłamię. Że może zabiłem pana tatę, a teraz tak gadam. Ale ja nikomu nic nie powiedziałem, bo się bałem, że mi nie uwierzą, że mnie zamkną. A teraz to… Wie pan, ja od jakiegoś czasu myślałem, co by powiedzieć o wszystkim pana wujowi. Szykowałem się do tego, ale jakoś nie mogłem się odważyć. Myślałem sobie: weź się w garść, Dionizy, niech chociaż on wie, co się stało. I jakoś nie mogłem. Nie wiem, może jakby pan nie przyszedł, tobym z tym umarł. Wychodzi chyba, że tchórzliwy ze mnie człowiek. Wie pan… ja jestem poważnie chory. Rak płuc. To samo co pana dziadek. Czasami myślę, że jak myśmy z Jankiem siedzieli w tym więzieniu, to może coś nam się tam takiego stało, że musieliśmy skończyć później tak samo. Bo mi już niewiele czasu zostało, już niedługo mnie to pożre jak Janka. Słuchaj pan, jak ja bym pana ojca rzeczywiście wtedy zabił, tobym się teraz przyznał, bo już mi wszystko jedno, a przynajmniej by mi ulżyło. A tak to ulży mi chyba dopiero w grobie, może wtedy zapomnę wreszcie, co tam widziałem, na tym polu.

Zamilkł. Siedzieli obok siebie, na starej wersalce, w zagraconym i pachnących lekarstwami mieszkaniu. Siedzieli w ciszy i wszystko było jasne. Sebastian wziął jedno ciastko i natychmiast je odłożył. Przycisnął pięść do ust i zagryzł palce na knykciach. Krzaklewski wykonał ruch, jakby chciał wyciągnąć do niego rękę, ale jednak nie wyciągnął.

– Wierzy mi pan? – zapytał w końcu.

– Nie wiem. – Sebastian wstał, wsunął ręce w kieszenie i odwrócił się do drzwi, a potem dodał: – Chyba tak.

Wyszedł do ciasnego przedpokoju i położył dłoń na klamce. Nad jego głową zwisał z krzyża drewniany i chudy Jezus. Pod stopami skrzypiał pomarszczony gumolit. Klamka była chłodna, lekko obluzowana. Sebastian wiedział, że tym razem za drzwiami czeka na niego tylko jedna przyszłość, tylko jedno życie.

– Wie pan, mnie to się jednak wydaje, że mu chodziło o coś innego – powiedział za jego plecami czarny człowiek, fryzjer Dionizy Krzaklewski.

Sebastian przeklął cicho, a potem obrócił się powoli, odetchnął i wrócił na wersalkę. Odchylił głowę do tyłu. Zamknął oczy.

– Pana ojciec opowiedział mi o czymś złym, co zrobił w dzieciństwie. I potem zaczął mieć takie, jakby to… zwidy. Mówił, że to tak, jakby się miejscami wszystko rozpuszczało. I mnie się wydaje, że to właśnie o to szło, że on się bał, co jeszcze zobaczy.

– Nie rozumiem.

– On widział coś, co jest pod spodem jakby. Pod tym wszystkim, co mamy dookoła. Mówił, że to czasami ścieka, i że pod spodem coś jakby jest. Nie wiem. Ale on się tego bał. Może coś zobaczył i może już nie chciał więcej widzieć.

Sebastian przypomniał sobie słowa matki, która pewnego razu zapytała go, czy on sam „nie widzi różnych rzeczy". Krzaklewski milczał. Miasto szumiało za oknem. Chłopak zaciskał pięści.

– Wie pan co? – mruknął w końcu. – Żałuję, że pana znalazłem.

Krzaklewski pokiwał tylko głową i zamknął oczy. Otworzył je dopiero, kiedy usłyszał trzask zamykanych drzwi.

* * *

Sebastian szedł ulicami Radziejowa. Ulice Radziejowa nie istniały. Mijający go ludzie mieli jedną szarą i bezkształtną twarz. Samochody cicho przemykały ulicami, a targ działał w zwolnionym tempie. Wszystko było tylko na pokaz.

Niedaleko miejsca, gdzie kiedyś jego babka została potrącona przez rowerzystę, z rękoma w kieszeniach i głową pełną słów Krzaklewskiego, Sebastian Łabendowicz wszedł na przejście dla pieszych. Wszedł na czerwonym świetle.

Wszystko zlało się w jedno. Krzyk przechodniów, ryk klaksonu i pisk gumy zrywanej z opon przez powierzchnię asfaltu. Zapach czyichś perfum, woń spalin i smak krwi. To, co w środku, to, co na zewnątrz, i to, co jeszcze dalej. Wszystko było tym samym, ułamkiem sekundy, w którym świat zastygł, a zaraz potem wybuchł na nowo.

Sebastian Łabendowicz odwrócił się i zobaczył przed sobą maskę żółtego samochodu dostawczego. Przedni zderzak i reflektory oblepiały wyschnięte szczątki owadów. Za kierownicą mignęła wystraszona twarz mężczyzny, starszego od Sebastiana najwyżej o kilka lat. Wargi rozchylone do krzyku i rozpięty między nimi wąski pasek śliny.

Blaszane czoło samochodu uderzyło Sebastiana w bark, przycisnęło mu ramię do tułowia i oderwało go od ziemi. Podeszwy, butów kupionych w ekskluzywnym butiku w Starym Browarze, uniosły się nad powierzchnię ulicy. Sebastian zdążył jeszcze poczuć, jak jedno z żeber pęka, rozprowadzając ból po okolicznych tkankach.

Odbił się od samochodu, przeleciał dwa metry i upadł na chodnik. Głowa uderzyła o jedną z płytek, a gdzieś w środku, pod twardą powierzchnią czaszki, zabrzęczała czysta, wyraźna myśl. „Umieram". Usłyszał huk rzeki przelewającej się gdzieś w dole, gdzieś w górze i gdzieś obok, i poczuł, jak zanurza się, zanurza się w niej i widzi wszystko wyraźniej niż kiedykolwiek, widzi, jak wraca pieszo do Piołunowa, jak daje wujowi pieniądze na odkupienie dwóch hektarów ziemi od Śrubasa, widzi Poznań, komisariat policji i siebie na tym komisariacie, widzi salę sądową i ściągniętą szałem twarz

Szymona Borusa, więc zanurza się, zanurza się jeszcze głębiej, żeby jej nie widzieć, a głębiej jest czteroosobowa cela, znacznie wygodniejsza niż ta, w której całe dekady wcześniej tkwili jego dziadek Jan i fryzjer Krzaklewski, widzi długie godziny spędzane na wygniecionym materacu, a potem wolność, której nigdy wcześniej wokół siebie nie widział, i Maję, pracującą w salonie telefonii komórkowej, jej włosy, zawsze pachnące szamponem kokosowym, jej głos i jej piegowate ciało, więc zanurza się głębiej, by było więcej głosu i ciała, a głębiej jest wózek, szkoła, plac zabaw za blokiem, ale są też długi, olbrzymie długi wobec banku, na które nie chce patrzeć, więc głębiej, głębiej, a tam śmierć matki i wuja, sprzedaż ziemi w Piołunowie, spłata długów, których nie chce pamiętać, dlatego głębiej, gdzie ślub córki, dwoje wnucząt, ale i rak prostaty, a tuż po nim ciemność, głosy i szum, na zawsze już, ale to dopiero wtedy, nie teraz, jeszcze nie teraz.

Teraz otworzył oczy i spojrzał w twarz pochylającego się nad nim chłopaka, tego samego, którego twarz chwilę wcześniej, całe życie wcześniej, mignęła mu za szybą samochodu. Po niebie przesuwały się ciemne chmury, a pierwsze krople deszczu uderzały Sebastiana po twarzy i dłoniach. Żył.

* * *

Do Piołunowa miał trochę ponad dziesięć kilometrów. Szedł pieszo. W głowie brzęczało. Wydawało mu się, jakby w chwili wypadku przed oczami przeleciało mu całe życie. Nic z tego nie pamiętał. Ból żeber utrudniał oddychanie. Deszcz wsiąkał w odzież. Po pierwszych trzech kilometrach buty zaczęły go uwierać.

Szedł dalej. Minął dom, w którym przed laty mieszkała kochanka jego wuja, i miejsce, gdzie Kazimierz zobaczył uciekającego fryzjera.

Myślał o ojcu, którego nigdy nie poznał i który nagle stał się znacznie bardziej martwy niż wcześniej. Lało coraz bardziej. Na poboczach wolno powiększały się płytkie, błyszczące kałuże.

Szedł dalej.

Myślał o tym, co trzeba widzieć i czego trzeba się bać, żeby kilka miesięcy przed narodzinami swojego jedynego dziecka rozpruć sobie brzuch kuchennym nożem. Myślał o tym, czego trzeba się bać, żeby w idiotyczny sposób ukraść pół miliona złotych i roztrwonić prawie połowę nie wiadomo na co. Szedł dalej.

O niczym nie powie matce. Powie tylko wujowi. Wuj powinien wiedzieć, matka nie. Teraz to zresztą nieważne. Teraz jest tylko teraz. Sebastian szura podeszwami butów o żwirowe pobocze. Na polu po prawej stronie szeleszczą zielone liście kukurydzy. Dwanaście kilometrów dalej rudowłosy Darek Paliwoda upada za szkołą z rozbitą wargą i jęczy, kiedy znajoma pięść łamie mu kość nosową. Jego babka, która w 1945 roku razem z bratem strzelała na podwórku w Piołunowie z krzywego łuku do jabłek, klęczy w swoim mieszkaniu w Radziejowie i modli się o zdrowie dla Jana Pawła II. Na cmentarzu w Byczynie wiatr kołysze wysokimi chwastami, które rosną wokół grobu Jana Łabendowicza. Deszcz bije o pomniki, o dach kościoła w Osięcinach i o powierzchnię stawu w Szalonkach, na dnie którego leży jeszcze niemiecki luger z wybitym numerem 6795. Deszczówka spływa rynnami. Wsiąka w ziemię. Zgania ludzi z pól i wpędza do domów. Na Opolszczyźnie piorun uderza w gniadego konia, a inny przepoławia w Kruszwicy drzewo, pod którym *Frau* Eberl przeklinała z wozu nienarodzonego chłopca. Na łące w zakolu Warty błyszczy szkielet jednego z pięciu kruków, które pewnego upalnego sierpniowego wieczoru napoczęły pod Kołem truchło starego, bezpańskiego psa o krzywych zębach. W trawie brzęczą setki drobnych żyć. Na powierzchni Warty pojawia się bąbel powietrza.

Słuchać plusk. Rzeka ociera się z szumem o piaszczyste brzegi i filary mostu, między którymi biegała nocami po gruzie najmłodsza i najładniejsza z sióstr Pyziakowych. Szczątki granatu, który zawsze nosiła przy sobie i który ją zabił, tkwią głęboko w ścianie domu przy ulicy Toruńskiej. Szczątki innych granatów wędrują z piaskiem pod butami jeszcze żywych i leżą w przegniłych trumnach tych, którzy już zmarli. Sześćdziesięcioletni pracownik elektrowni, który opluł kiedyś w szkole chłopca o białej skórze, potyka się w Chełmcach o szyny na trasie magistrali węglowej Śląsk – Gdynia, a potem klnie i wolno idzie dalej. Znowu boli go serce. Nóż, który przebił serce Johana Pichlera, rdzewieje wolno w mule na dnie piołunowskiego kanału. Noże, które przebiły inne serca, leżą w garażach, stodołach i studzienkach kanalizacyjnych, ociekają na kuchennych suszarkach i kroją chrupiące pszenne bułki. Ksiądz, który dawał ślub białemu człowiekowi o nieobecnych oczach, kroi chrupiącą pszenną bułkę w domu swojej młodszej siostry i patrzy na zakorkowaną ulicę Włocławską. Kiedyś w Kole nie było żadnych korków. Kiedyś ręce nie trzęsły mu się przy krojeniu pszennych bułek. Kula, która sześćdziesiąt kilometrów dalej rozłupała czaszkę księdzu Szymonowi Wachowi, od pół wieku pnie się w górę, milimetr po milimetrze, zamknięta głęboko pod korą akacji rosnącej przy drodze między Samszycami a Witowem. Kule, które przebijały inne czaszki, tkwią w innych drzewach, pudełkach i kieszeniach rozpadających się mundurów. Pełzną wolno po dnach stawów i w ziemi, poruszane już tylko korzeniami roślin i lemieszami pługów.

Rozmyte pcha ludzi przez okna i rozkłada ich dygoczące ciała na torach. Ich dłonie szukają tabletek, wkładają je do ust garściami. Palce obracają pokrętła kuchenek gazowych, a wzrok zatrzymuje się na ostrzach. Napinają się wieszane naprędce paski od spodni. Dłonie puszczają kierownice. Dłonie zaciskają się na szyjach. Palce dotykają spustów. Z gardeł płynie ryk, zagłuszany szumem rzeki. Ci, którzy widzieli rozmyte, mówią do siebie podczas niebezpiecznej drogi z mieszkań do sklepów i drżą w kaftanach bezpieczeństwa, z głowami ciężkimi od lekarstw. Topią telefony w wannach. Sypiają jak koty. Wyją.

Rzeka, której nie ma, opłukuje kobiety i mężczyzn, dzieci i starców, żywych i umarłych. Pływają w niej krzyki i westchnienia, rozkazy i błagania. Pływają jęki, śpiewy, szept i śmiech. Pływa w niej oddech Emilii, wtulonej w ciało Anatola Żurawika, i głos Kazimierza, karcącego nieruchomą sowę. Pływa śpiew czterdziestodwuletniej Zofii Łabendowicz, przygotowującej się w samotności do udziału w telewizyjnym programie i przerażonej, czy nie jest już na to zbyt stara, oraz kaszel Dojki, wpatrzonej w krople deszczu na szybie. Pływa oddech Sebastiana Łabendowicza, który za domem wuja Kazimierza dostrzegł czekającą na niego Maję.

Zobaczył ją na tym samym polu, na którym trzydzieści jeden lat wcześniej umarł jego ojciec. Lało od kilku godzin. Szedł wolno, uważając, by nie poprzebijać pęcherzy na stopach. Czuł smród bijący spod koszulki.

Leżała w płytkiej kałuży. Ręce rozłożyła szeroko. Patrzyła w niebo zmrużonymi oczyma i chwytała krople w usta.

Usiadł obok. Przyglądał się ciału opiętemu mokrą, brudną sukienką. Pocałował ją w czoło, na co tylko się uśmiechnęła. Powiedział, że wraca z Radziejowa, że potrącił go samochód, że strasznie się boi więzienia i tego typu bzdury.

Położył się obok niej. Pod plecami czuł lepką, chłodną ziemię. Szorstkie rżysko kłuło w przedramiona. W zachmurzonym niebie nie widział nic ładnego. Krople wpełzały mu do nosa. Zimno. Maja zamknęła oczy i długo leżeli tak bez słowa, moknąc, a później wszystko, prawie wszystko, było jak dawniej.

Spis treści

WYDAWNICTWA SQN

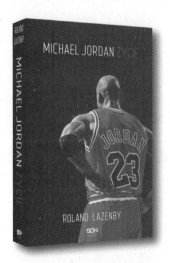

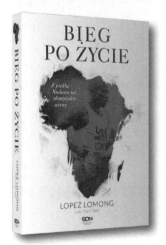

Szukaj w dobrych księgarniach i na
www.labotiga.pl

WYDAWNICTWO
SINE QUA NON

www.wsqn.pl

Siła miłości, cena nienawiści
i droga do odkupienia

Młody Palestyńczyk – Ahmad – żyje ze świadomością, że nie jest w stanie wygrać z logiką okrutnej wojny. Najgorsza jest obawa o bliskich. W dwunaste urodziny staje twarzą w twarz z najgorszymi widmami. Siostra traci życie, ojciec z jego winy trafia do więzienia, izraelskie wojsko konfiskuje dom, a ukochany brat pała żądzą zemsty, która prowadzi tylko do zguby.

Opowieść o rodzinie, miłości, przyjaźni i konflikcie wyniszczającym krainę drzew migdałowych.

**Szukaj w dobrych księgarniach i na
www.labotiga.pl**

www.wsqn.pl

WYDAWNICTWO
SINE QUA NON

Bądź na bieżąco, śledź nas na:
f/WydawnictwoSQN
𝕏/SQNPublishing
www.wsqn.pl

Nasza księgarnia internetowa:
www.labotiga.pl